어디선가
나를 찾는
전화벨이 울리고

어디선가
나를 찾는
전화벨이 울리고

신경숙 장편소설

문학동네

거기서 누가 우느냐
아니라, 그냥 바람소리냐
눈부신 금강석으로 빛나는 외로운 이때를
거기서 누가 우느냐
내가 울려는 이때를
바로 거기서 누가 우느냐
―폴 발레리, 「젊은 파르크」

내.가.그.쪽.으.로.갈.까

그가 나에게 전화를 걸어온 것은 팔 년 만이었다.

나는 단번에 그 목소리를 알아들었다. 수화기 저편에서 여보세요? 하는 그의 말이 끝나자마자 나는 어디야? 하고 물었다. 그가 침묵을 지켰다. 팔 년. 짧은 세월이 아니다. 한 시간 단위로 풀어놓으면 아마도 상상할 수 없는 숫자가 나올 것이다. 팔 년 만이라고 말했지만 팔 년 전에도 우리는 지금은 잊어버린 무슨 일인가로 사람들과 만나 서로 다른 곳을 보다가 헤어질 때에야 가만히 손을 잡았다가 놓았다. 그게 다였다.

거기가 어디였는지는 기억나지 않는다. 자정이 지난 여름밤이었고, 이 도시 후미진 어느 가파른 계단 앞이었다는 것밖에는. 다가가서 손을 잡았던 건 나였다. 근처에 과일가게가 있었는지 자두를 깨물었을 때나 맡아지는 냄새가 후덥한 공기 속을 떠다니고 있었다. 나로서는 그의 손을 잡았다가 놓는 게 작별인사 대신이었다. 그가

그때 어떤 생각을 가지고 있었든 내겐 그에게 하고 싶은 말이 진주 알들처럼 마음속에 남아 있던 때였다. 잘 가, 라거나 또 만나자, 고 할 수가 없었다. 뭔가를 꿰어놓은 줄이 끊어지면 그 줄에 달려 있던 것들이 한순간 후드득 바닥에 쏟아져버리듯 입을 열어 한마디라도 하게 되면 그뒤로 시효가 지난 말들이 걷잡을 수 없이 쏟아질 것 같았다. 우리가 서로를 확장시키며 깊어졌던 시간들을 붙잡고 있던 때라 툭 터지면 제어할 길이 없을 거란 생각에 내면은 복잡했지만 얼굴엔 담담한 표정을 가장하고 있었다. 우리가 서로를 찾으며 의지했던 날들을 그런 식으로 혼란스럽게 하고 싶지 않았다.

팔 년 전이나 지금이나 시간은 누구에게나 공평하고 그냥 흘러가는 법 또한 없다. 팔 년 만에 전화를 걸어온 그에게 어디야? 하고 담담하게 묻는 순간, 이제 내 마음속엔 그에게 하지 못한 말들이 쌓여 있지 않다는 것을 깨달았다. 남아 있는 격렬한 감정을 숨기느라 잘 지내고 있는 시늉을 할 필요도 없었다. 나는 정말 담담하게 그에게 어디야? 하고 묻고 있었으니까. 의문과 슬픔을 품은 채 나를 무작정 걷게 하던 그 말들은 다 어디로 갔을까. 그 쓰라린 마음들은. 혼자 있을 때면 창을 든 사냥꾼처럼 내 마음을 들쑤셔대던 아픔들은 어디로 스며들고 버려졌기에 나는 이렇게 견딜 만해졌을까. 이것이 인생인가. 시간이 쉬지 않고 흐른다는 게 안타까우면서도 다행스러운 것은 이 때문인가. 소용돌이치는 물살에 휘말려 헤어나올 길 없는 것 같았을 때 지금은 잊은 그 누군가 해줬던 말. 지금이 지나면 또다른 시간이 온다고 했던 그 말은 이렇게 증명되기도 하나보다. 이 순간이 지나간다는 것은 가장 큰 고난의 시절을 보내고 있

는 이에게나 지금 충만한 시절을 보내고 있는 이에게나 모두 적절한 말이다. 어떤 이에게는 견딜 힘을 주고, 어떤 이에게는 겸손할 힘을 줄 테니까.

수화기를 사이에 두고 그와 나 사이에 돌연 발생한 침묵이 길어졌다. 뒤늦게 뭔가 순서가 바뀌었다는 생각이 들었다. 짧은 인사조차 없었구나. 이상한 일이었다. 오랜만이라고 말하는 것도, 잘 지냈는가 묻는 것도 어색하기만 했다. 인사를 건너뛰고 팔 년 만에 듣는 그의 목소리를 향해 어디야? 대뜸 물었으니 그가 당황했을 거라고 짐작을 하면서도 잘 지냈는가? 묻는 일은 서먹하기만 했다. 전화를 받자마자 어디야? 라고 묻는 것은 늘 함께하는 사람들 관계에서나 나올 수 있는 말이겠지. 그와 나는 팔 년 만에, 그는 수화기 저편에 나는 수화기 이편에 있다. 시간은 언제나 밀려오지만 똑같은 날은 다시 오지 않는다는 것을 젊은 날에 인식하고 있었다면 뭔가 달라졌을 거란 생각이 든다. 그랬다면 누군가는 작별하지 않고 누군가는 살아남았을지도. 모든 것이 끝났다고 생각되는 그 순간에 또다른 일이 시작되기도 한다는 것을 그때 알았더라면.

나는 창 쪽으로 시선을 돌렸다.

우리 사이에 발생한 침묵이 흐르는 동안 창가엔 겨울 아침빛이 스며들고 있었다. 어젯밤 일기예보에 오늘은 눈이 내린다고 했었는데 눈이 내리는 것 같진 않았다. 아직 새벽빛이 남아 있는 이른 시간. 가족이거나 아주 친밀한 사이가 아니면 전화를 걸기에는 머뭇거려질 시간이다. 이런 때의 전화는 아주 급한 일이거나 좋지 않은 소식을 전해오기 마련이다.

―윤교수님이 병원에 계셔.

―……

―너에게는 내가 알려야 할 것 같았어.

나는 수화기를 두 손으로 감싸쥐었다. 할말을 잃고 눈을 껌벅거리며 창 쪽으로 두었던 시선을 거두었다. 너.에.게.는.내.가.알.려. 야.할.것.같.았.어. 그의 말이 눈송이처럼 눈앞에서 흩날리는 듯했다. 나는 그가 한 말을 붙잡기라도 하려는 듯 그의 목소리를 되새기다가 침침한 눈을 가느스름하게 떴다. 믿기지 않게도 내려놓은 블라인드에 눈 그림자가 비쳤다.

―입원하신 지가 석 달쯤 된 모양이야.

―……

―준비해야 될 것 같아.

입원하신 지가 석 달이 됐다구? 저절로 깊은 숨이 새나왔다. 한순간 윤교수를 향해 원망 같은 것이 움트려다가 가라앉았다. 윤교수를 만난 지도 삼 년이 지난 일이 되어가고 있었다. 윤교수는 엄마가 그랬던 것처럼 병이 깊어지면서 혼자 있고자 하였다. 누군가 찾아오는 것을 달가워하지 않았다. 언제부턴가 윤교수는 닫혀 있는 수많은 문을 통과해야만 다다를 수 있는 방에 단독자로 누워 있는 존재 같았다. 그는 죽음 앞에서 엄격하고도 성실하게 혼자이고자 했다.

삼 년 전 신년 초의 겨울 아침에 윤교수를 찾아가보려고 길을 떠났다가 돌아온 이후로 나는 더이상 윤교수를 찾아보려 하지 않았다. 새해가 시작되었던 그 겨울 아침, 어쩌든 윤교수에게 새해 인사를 하고 싶었다. 윤교수가 호흡 때문에 오래 앉아 있지 못하는 상태

라는 것도 알았지만 다만 얼굴이라도 보고 오자 하였다. 길을 떠났던 그 아침에 날이 꾸무럭하더니 함박눈이 쏟아졌다. 나는 운전이 서툴렀다. 차량으로 인해 말썽이 생기면 무조건 내 잘못으로 알고 사는 사람이었다. 함박눈은 곧 폭설로 바뀌었고 북풍까지 동반했다. 눈길을 위험스럽게 달리던 자동차는 윤교수가 혼자 있는 집을 산등성이 뒤에 두고 빙판 구덩이에 처박혔다. 내 힘으로는 손을 쓸 수가 없었다. 나는 차를 그대로 두고 눈보라 속을 걷기 시작했다. 뺨이 터질 듯했고 바지 끝엔 고드름 같은 얼음조각이 매달렸다. 걷다가 뒤돌아보면 눈이 아득하게 산자락을 덮었다. 소용돌이 바람이 일 때마다 산자락에 쌓여 있던 눈 무더기가 허공으로 하얗게 치솟았다가 골짜기로 휘말렸다. 그럴 때마다 눈앞이 뿌예지곤 했다. 눈은 점점 거세지고 윤교수의 집은 아득히 멀었다. 나아가자, 나아가자, 했어도 혼자 걷는 그 길이 점점 무서워졌다. 눈을 뒤집어쓰고 있는 소나무 가지들이 툭툭 부러지는 소리가 들릴 때면 내 가슴도 철렁 내려앉았다. 산속에서 죽어 있던 덩치 큰 잡목이 눈의 무게를 이기지 못하고 급기야 퉁 소리를 내며 쓰러졌을 때, 나는 뭔가에 지는 마음으로 몸을 돌려세웠다.

왜 그때 끝까지 윤교수를 향해 가지 못했을까. 눈구덩이에 빠져 있는 자동차로 돌아오는 것은 더 어려운 일이었는데도. 그때 눈보라 속에서 윤교수의 집을 향해 가던 길을 돌아서서 온 뒤에 다시 길을 나설 엄두가 나지 않았다. 윤교수를 떠올리면 그의 집을 향해 출발을 해도 결국은 도착하지 못할 거란 생각이 마음속에 그늘처럼 번졌다. 나만 그랬던 건 아닌 것 같았다. 누군가는 윤교수가 그리워

한밤중에 이 도시에서 차를 몰고 그 집 가까이 갔다가 차마 들어가지 못하고 마을 언덕으로 올라가 그 집의 불빛만 바라보다가 돌아왔다고 했다. 차로 그 집을 몇 바퀴 돌고 그 마을을 돌아나올 때 입술이 깨물어졌다고 했다. 왜 우리는 윤교수의 집으로 젊은 날처럼 쳐들어가지 못했을까. 나는 수화기를 든 채 책상에서 일어나 창가로 다가가 블라인드를 젖혀보았다.

창밖엔 희끗희끗 눈송이가 허공을 떠다녔다.

뜻밖의 기별은 아니다. 어느 날엔가는 이런 소식이 날아올 것을 불안하게 짐작하고 있었다. 그날이 바로 오늘일 뿐. 눈송이는 처음엔 하나 둘 셀 수 있을 만큼이더니 내가 창가에 서 있는 동안 점점 굵어졌다. 앞집 정원에 심어진, 이 겨울에도 푸르디푸른 히말라야시다소나무 위에 눈이 희끗희끗 쌓이기 시작했다. 인적이 느껴지지 않았다. 이 동네에 사는 사 년 동안 아직 한 번도 타보지 못한 마을버스가 눈길 위를 조심스럽게 미끄러져 골목을 돌아나가고 있는 게 보였다.

어제 일도 십 년 전의 일처럼 느껴져 허둥대기 일쑤이고 냉장고문을 열었다가 뭘 꺼내려 했는지를 잊어 안에서 새어나오는 찬공기만 쐬다가 멋쩍게 다시 닫는 일이 빈번한 나인데도 오래전 윤교수와의 첫 대면의 기억은 선명하다. 그때 나는 스물이었다. 한 권의 책 제목만 가지고도 그 책과 연관된 스무 권의 책 제목쯤은 거든히 떠올리던 때였다. 삼월의 햇빛이 쏟아져들어오는 강의실로 윤교수가 들어왔다. 책상에 앉아 고개를 숙이고 있는 내 옆으로 윤교수가 지나갔다. 내 눈이 계속 그의 발뒤꿈치를 좇았다. 구두가 커서 윤교

수의 발이 훌렁거렸던 것이다. 자신의 구두가 아닌 듯 보일 지경이었다. 자기 발보다 큰 구두를 신고 있는 사람이 어떤 모습을 하고 있는지 호기심에 얼굴을 들다가 나는 그만 무안해져버렸다. 어떻게 사람이 저렇게 야윌 수가 있나. 신고 있는 신발이 큰 게 아니라 세상의 그 어떤 신발도 윤교수에게는 맞지 않을 것 같았다. 뼈에 도배를 해놓았다는 말은 그를 두고 한 말이라 여겨졌다.

윤교수의 마른 육체를 지나 얼른 그의 눈을 찾았다. 안경 속에서 그의 눈이 예리하게 빛났다. 윤교수의 눈은 곧 창밖으로 옮겨졌다. 학교의 집회장에서 들려오는 함성으로 인해 수업을 정상적으로 진행하기가 힘들었다. 집회장의 공기에 섞여 있는 가스가 아직 차가운 삼월의 바람을 타고 강의실에 스며들어오고 있는 중이라 수업 시작 전에 누군가 강의실 여닫이 창문을 힘겹게 닫아놓았다. 윤교수는 창가에 서서 집회장 쪽을 물끄러미 오래 바라보았다. 그 시간이 길어지자 우리도 하나 둘 창가로 모여들었다. 한 무리의 학생들이 어딘가로 쫓겨가는 게 보였다. 아직 바람결이 차가운 삼월의 흰 구름이 그들 머리 위로 둥실둥실 흘러갔다. 그날 윤교수가 우리에게 한 말은 한마디였다. 이 시대에 예술은 무엇을 할 수 있겠는가. 학생들에게 던진 말인지 윤교수 스스로에게 던진 말인지 알 수 없었지만 나는 그의 예리한 눈이 고통으로 찡그려지는 걸 보았다. 그 눈을 지켜보게 되었던 그 순간, 내 가슴에도 낯선 무엇인가에 찔린 듯 날카로운 아픔이 스치고 지나갔다. 그때에는 오늘 같은 시간이 우리에게 다가오리라는 것을 어찌 짐작할 수가 있었을까. 그날 낯선 것에 찔린 것 같은 그 통증이 이렇게 많은 시간이 흐른 다음에도

남아 있을 줄을. 그와 함께 보냈던 시간들이 빛이 바래어 담담해져 갈 때에도 윤교수의 그 눈은 이따금 나의 일상에 출몰했다. 그럴 때마다 그때와 같은 통증이 밀려온다. 통증은 똑같이 네모난 크기로 잘린 채 가슴속에 무수히 박혀 있다가 불쑥 튀어나와 내게 늘 똑같은 질문을 반복하곤 한다.

지.금.뭘.하.고.있.는.거.야?

스무 살 때 마음속에서 지.금.뭘.하.고.있.는.거.야? 라는 질문이 솟아나면 나는 학교를 나와 공기 속에 섞여 있는 매운 가스에 눈물을 흘리며 끝도 없이 이 도시를 걸었다. 그때나 지금이나 세상이 변한 게 없는 것인가. 나는 지금도 그 눈이 생각나면 집 바깥으로 나가 어떤 길이든 그 길 끝까지 걸어다닌다. 나도 사회 풍경도 나아진 게 아니라 다른 모양으로 더 불완전해졌다는 생각이 든다. 이 도시를 가로지르는 강을 잇는 대교가 무너져 등교하는 여학생들을 태우고 가던 버스가 강물로 투신하듯 빠져버렸을 때도, 어느 날 아침 월스트리트 높은 건물 속으로 비행기가 파고들어가는 것을 목격하게 되었을 때도, 새해 첫날에 믿기지 않게 붉은 불길에 휩싸여 있는 숭례문을 텔레비전 앞에 앉아 열몇 시간 지켜봐야 했을 때도, 지.금.뭘.하.고.있.는.거.야? 예전과 똑같은 질문이 떠오르곤 했다. 깊은 밤중에 자동차 키를 들고 나가, 흔적도 없이 사라져버린 숭례문 주위를 집으로 돌아가고 싶어질 때까지 빙빙 돌아보았다. 무릎을 꿇고 싶은 마음이 들 때면 이 도시를 걸어다니는 건 그때나 지금이나 마찬가지다. 그 우울과 고독 속에서 자주 생각했던 것도 같다. 그와 함께였으면 좋겠다고.

———

　그와 나 둘 중에 누가 먼저 손을 놓았을까.

　어느 시간 속에선가 이제 그를 떠나 살아야 한다는 것을 나는 받아들였다. 불안하고 두려웠지만 그 없이 혼자서 나아가기로 마음먹은 때가 있었던 것 같다. 그런 후에도 오랫동안 나를 붙잡고 놓아주지 않았던 그에 대한 영상. 어느 바닷가 마을에서 보낸 그 밤. 어떻게 온 밤을 그렇게 걸어다닐 수 있었는지. 이따금 폭우까지 쏟아지곤 했었는데. 인천에서 배를 타고 깊이 들어갔으나 그 바닷가 마을의 이름은 잊어버렸다. 우리가 그 바닷가로 간 것은 계획된 일이 아니었다. 서울역에서 무슨 일로인가 지하철 1호선을 탔던 기억. 지하철 1호선이라고 말하는 것은 아무런 뜻도 없다. 그 지하철이 부천역을 지났었다는 기억이 나서 짐작해보는 것일 뿐. 칠월이었다고 생각되지만 유월이었는지도 모르고 팔월이었을 수도 있다. 그가 입고 있던 옷이 반소매 흰 셔츠로 기억되니 그즈음일 것이다. 지하철 안은 똑바로 서 있기도 힘들 만큼 사람들이 빽빽했다. 나는 무슨 일인가로 지쳐 있었고 아무런 말도 하기 싫은 그런 날이었던 것 같다. 지하철이 멈출 때면 땀냄새를 풍기며 한 무리의 사람들이 올라탔다. 이마를 찌푸린 채 서서 흔들리고 있는 그에게 내가 어디 먼 데로 가자, 고 했다. 어쩌면 그가 한 말이었는지도 모른다. 우리가 지하철에서 내린 곳은 인천이었다. 연안부두로 가는 버스를 다시 탔던 것도 같다. 그곳이 어디가 되었든 그때 우리에겐 항구에서 가장 먼 곳이면 되었다. 배는 우리를 태우고 바다를 가로질러갔다. 뱃전에 서서 바닷바람을 쐬는 동안엔 나를 지치게 하던 그 무슨 일인가도 별 문제가 되지 않았던 것 같다. 우리는 그저 바다를 바라보았

다. 나는 바다를 향해 그렇게 멀리 나가보는 게 처음이었다. 그는 바다가 있는 도시에서 성장했으니 나와 같진 않았을 것이다. 그 섬에는 쉽게 도착할 수 없었다. 두 시간을 바다 위에 떠 있던 배가 섬에 도착했을 때는 바닷물이 밀려와 배가 섬까지 곧바로 들어갈 수가 없었다. 마을 부두에서 누군가 통통배를 끌고 나와 아직 바다에 떠 있는 우리가 탄 배 가까이 다가왔다. 사람들은 통통배에 옮겨탄 뒤에야 섬으로 들어갈 수 있었다. 통통배에서 보니 섬 아이들이 깊은 바닷물 속에 들어가 낚시질을 하고 있었다. 물살에 아이들이 떠내려가버릴 것 같아 내가 불안한 표정으로 바라보자 누군가 아이들은 물속에 들어가 있는 게 아니라 둑 위에 서 있는 거라고 알려주었다. 바닷물이 빠지면 아이들이 서 있는 자리가 둑이라는 것을 알 수 있을 거라고 했다. 통통배가 우리를 내려준 곳도 물속에 잠겨 있는 둑 위였다. 나는 치마를 들어올리고 그는 바지를 허벅지까지 걷어올린 다음에 그 바닷물 속의 둑길을 걸어서 섬에 도착했다.

그날 바닷길을 따라 우리는 갈 수 있는 데까지 걸었다. 장마철이었던 듯도 싶다. 해수욕을 하는 사람들보다 해변에 앉아 있는 사람들이 더 많았으니까. 우리가 부두로부터 멀어지면서는 해변에 나와 있는 사람들도 마주치기 드물었으니까. 불어오는 바람 속에 섞여 있는 소금기가 코끝에 맡아졌다. 해변 위쪽의 숲에서 이따금 나무들이 거칠게 흔들리기도 했었던 것 같다. 우리는 해변에 나란히 서서 붉은 해가 바닷물 속으로 쑥 빠지는 것을 지켜보다가 서로 어깨를 걸었다. 해가 지는 것은 순식간이었다. 그 붉은 태양은 눈 깜짝할 새에 바다에서 사라져버렸다. 일몰을 지켜본 뒤로 웬일인지 그

는 울적해졌다. 침울한 나에게 줄곧 무슨 말인가를 해주려고 애쓰던 그가 아무 말도 하지 않았다. 나도 조용해졌다. 그렇게 말없이 해변을 걷고 또 걷다가 바닷물에 밀려와 있는 죽은 갈매기를 발견했다.

ㅡ새야!

내가 젖은 모래 위에 떠밀려온 죽은 새를 보며 웅얼거리자 그가 모래 구덩이를 깊이 파고 새를 거기에 묻었다.

ㅡ무슨 소용이야. 바닷물이 또 쓸어가버릴걸.

ㅡ그래도!

그래도! 라고 했던 그의 말이 떠오르니 입가에 미소가 지어진다. 그는 한때 내게 언제나 그래도! 라는 말을 연상케 하는 존재였다. 어떤 상황에서도 그래도 그게 낫잖아! 라고 말했던 그런. 그는 가방에서 노트를 한 장 찢어 다시 부활하라, 새여, 라고 써서 나무막대에 돌돌 말아 새의 무덤 앞에 꽂아두었다. 우리는 그날 저녁을 먹었을까? 기억나지 않는다. 뭘 먹었던 기억도 배가 고팠던 기억도 없다. 바다 끝이 어디인지 알아보겠다는 듯 우리는 모래 속으로 발을 빠뜨리며 섬에 어둠이 밀려올 때까지 오래오래 걸었다. 어둠이 밀려오면 바닷물도 검어진다는 것을 실제로 목격하긴 그때가 처음이었을 것이다. 검은 물은 물을 넘고 또 넘어서 우리 발치에 닿았다가 다시 밀려갔다.

ㅡ정······윤!

얼마쯤 지나 그가 나를 불렀다. 그가 나를 성까지 합해 정윤이라 부를 때는 생각할 게 많다는 뜻이었다.

―웅?

―우리 오늘을 영원히 기억하자.

검은 바닷물이 또 밀려왔다가 밀려갔다.

―오늘을 잊지 말자.

겨우 잊지 말자구? 나는 싱거워서 잊지 않으려면 정표가 있어야
해, 라고 혼잣말하듯 말했다. 어둠 속에서 부스럭거리더니 그가 가
방 속에서 노트를 꺼내 내 손에 쥐여주었다.

―내가 갈색노트라고 이름 지은 거야. 생각날 때마다 내가 끄적거
린 것들. 니가 갖고 있어줘.

그가 내 손목을 감싸 잡아당겼고, 나는 얼결에 그의 가슴에 안겼
다. 그가 내 손을 자신의 바지 가운데 부분으로 가져다대며 말했다.
이것도 줄 수 있는데. 그가 너무 심각하게 말해서 내 입에서 풋, 하
고 웃음이 터져나왔다. 한 손은 그가 건네준 노트를 들고 다른 한
손은 그의 바지 성기 부분에 올려놓은 채 나는 야릇한 슬픔에 잠겨,
여기보다 더 먼 곳은 없을까? 그의 귓가에 대고 속삭였다. 그 바닷
가가 그때 우리가 갈 수 있는 가장 먼 곳이었다는 걸 모르지 않았으
면서도.

살아보지 않은 앞날을 누가 예측할 수 있겠는가.

앞날은 밀려오고 우리는 기억을 품고 새로운 시간 속으로 나아갈
수 있을 뿐이다. 기억이란 제 스스로 기억하고 싶은 대로 기억하는
속성까지 있다. 기억들이 불러일으킨 이미지가 우리 삶 속에 섞여
있는 것이지, 누군가의 기억이나 나의 기억을 실제 있었던 일로 기
필코 믿어야만 하는 것은 아니다. 내가 두 눈으로 똑똑히 봤다, 고

필요 이상으로 강조하면 나는 그 사람의 희망이 뒤섞여 있는 발언으로 받아들인다. 그렇게 생각하고 싶은 마음이 깃들어 있는 것으로. 그렇게 불완전한 게 기억이라 할지라도 어떤 기억 앞에서는 가만히 얼굴을 쓸어내리게 된다. 그 무엇에도 적응하지 못하고 겉돌던 의식들이 그대로 되살아나는 기억일수록. 아침마다 눈을 뜨는 일이 왜 그렇게 힘겨웠는지, 누군가와 관계를 맺는 일은 왜 그리 또 두려웠는지, 그런데도 어떻게 그 벽들을 뚫고 우리가 만날 수 있었는지.

스무 살의 나는 매일 아침 저만큼 학교의 정문을 바라보며 학교로 들어가야 할지 말아야 할지 망설이다가 학교를 향해 올라갔던 언덕길을 다시 내려오기 일쑤였다. 지금도 그때의 심정을 정확히 뭐가 어째서라고 집어낼 수가 없다. 열아홉의 마지막과 스물의 초입 삼 개월을 갓 결혼한 사촌언니의 신혼집 구석방 창에 검은 도화지를 붙여놓고 지냈다. 종이 한 장을 붙였을 뿐인데 방안은 낮도 밤처럼 어두워졌다. 그 어둠 속에 불을 켜놓고 밤이나 낮이나 책을 읽는 일로 시간을 보냈다. 어째서라기보다 달리 그것밖에는 할 수 있는 일도 하고 싶은 일도 없었다. 책 한 권에 단편소설들이 깨알같이 작은 글씨로 스무 편 넘게 수록되어 있는 문학전집을 순서대로 육십 권을 읽고 나니 창밖은 삼월이었다. 지금 생각하면 아득한 일이다. 신혼집에 늘 밤처럼 어두운 방이 있었다니. 그 방에서 나온 건 대학의 입학식에 가기 위해서였다. 나는 이 도시에서 그처럼 자유로운 공간에 처음 놓여졌다. 지금 윤교수는 병실에 있고, 그는 이제 나와는 상관없는 삶을 살고 있고, 또 어떤 이는 영원히 만날 수 없

게 되었지만, 그때 그곳에서 그들을 만나지 않았다면 어떻게 그 나날들을 통과해나왔을지.

나는 점점 더 굵어지는 눈송이를 바라보며 생각을 가다듬었다. 그가 팔 년 만에 전화를 걸어온 건 윤교수가 임종을 앞두고 있음을 전하기 위해서라는 걸 나 자신에게 일깨웠다. 그것만 생각해…… 암시를 걸듯 중얼거렸다. 지금 가장 먼저 해야 할 일은 병원에 가보는 일이야, 라고 재차 나를 일깨웠다. 우리가 자각하지 못해도 같은 시간에 수많은 사람들이 서로 연결되어 교차한다. 비온 뒤 감자줄기를 잡아당기면 땅속에서 주렁주렁 감자알들이 이끌려나올 때같이, 잊혀진 일들이 들쑥날쑥 심연에서 끌려나와 나를 정지시켜놓고 있었다. 잊고 살아도, 만나지 못하고 살아도, 우리가 한순간 이렇게 연결된다는 것이 서글프기도 했다.

침묵을 깬 건 그였다. 윤교수의 소식을 전하던 그의 목소리 앞에서 아무 말도 못한 채 수화기를 들고 있는 내게 그는 내.가.그.쪽.으.로.갈.까? 라고 물었다.

이 시간에?

그와는 모든 것이 끝났다고 생각했는데 그는 너무도 자연스럽게 내.가.그.쪽.으.로.갈.까? 라고 묻고 있었다. 얼마나 오랜만에 듣는 말인가. 우리가 함께 있었을 때 그는 수화기 저편에서 늘 이 말을 하고 있었지. 내.가.그.쪽.으.로.갈.까? 그때의 그는 공중전화 부스 안에서 내게 전화를 걸어 또 이런 말도 했었다. 그.쪽.으.로.가.고. 있.다, 고. 비가 오는 날도 바람이 부는 날도 흐린 날도 맑은 날도

그 말 속에 섞여 흘러갔다. 그때의 우리는 어느 시간이든 서로를 기다리고 있었다. 이보다 더 이른 시간이어도 그가 내게 오지 못하는 시간은 없었고 내가 그에게 갈 수 있는 시간이 따로 있었던 것도 아니었다. 그때의 우리는 언제든 서로를 향해 어서 와, 라고 말했다. 인생은 각기 독자적이고 한 번뿐이다. 모두들 자기만의 방식으로 다른 세상으로 나아가려 하고, 사랑하고, 슬픔에 빠지고, 죽음 앞에 가까운 사람을 잃기도 한다. 지금 병원에 누워 있다는 윤교수도, 팔 년 만에 전화를 걸어온 그도, 나도, 그 누구도 예외일 수는 없다. 단 한 번. 그럴 것이다. 우리에게 청춘이 단 한 번만이 아니었다면 오늘 이렇게 내 책상 위의 전화벨이 울려 팔 년 만에 그의 목소리를 듣는 일도 없을 것이다.

잠시 멈칫하다가 나는 아니야, 라고 대답했다.

―아니야…… 내가 알아서 할게.

그는 수화기 저편에서 깊은 숨을 내쉬고는 전화를 끊었다.

내.가.알.아.서.할.게.

내가 그에게 내뱉은 말은 결국 나를 고독하게 했다. 내가 한 말이었으나 스스로에게도 낯설었다. 병원에서 봐, 라고 하면 될 것을 내가 알아서 하겠다고 하다니, 모질게까지 느껴졌다. 그 말은 오래전에 그에게서 들었던 말이다. 서로 어디서 무엇을 하고 있는지 투명하게 알고 지내던 그 시간이 지난 뒤에, 지금은 잊어버린 어떤 일을 앞두고 어떻게 하겠느냐고 묻는 내 말에 갑자기 그가 내.가.알.아.서.할.게, 라고 했다. 기억이란 이렇게 자신도 모르게 비수를 품고 있기도 한 모양이다. 내가 그 말을 마음에 두고 지냈던 것도 아니고

이제 까마득하게 잊을 만한 세월이 지났는데도 나의 무의식은 이 순간에 그 말을 끄집어내 사용하고 있으니. 나는 내가 알아서 할게, 라고 말하는 사람이 아니다. 누군가에게 친밀감을 느끼고 있을 때 그쪽으로부터 내가 알아서 하겠다는 말을 듣고 나면 더이상 그 곁으로 다가가지 않는 축에 드는 사람이었다. 그 말은 긴 세월 동안 잃어버린 퍼즐조각처럼 내 안에서 떠돌다가 방금 내 입을 통해 그의 귓가로 돌아간 것이다.

나는 책상으로 돌아와 의자에 등을 깊이 파묻은 채 아침나절을 보냈다. 들쑥날쑥 떠오르는 옛일들이 가라앉고 마지막에 남아 있는 건 바람결이었다.

팔월이었을까? 아니면 구월? 윤교수네 집 뜰에 열려 있는 꽃사과를 바구니에 따 담으며 우리들이 웃음을 터뜨리던 그 순간에 우리 곁에 머물던 그 바람결. 나무는 겨우 담장을 내다볼 정도의 키에 불과했는데 그 작은 나무에 꽃사과는 주렁주렁 매달려 있었다. 우리들이 가지를 잡아당겨가며 꽃사과를 따 바구니에 담는 것을 윤교수는 거실 창 안에서 바라보고 있었다. 청춘을 함께 보낸 사람들이 무슨 일로 그리 모여서 꽃사과를 따고 있었는지는 잊었지만 우리는 그때 평화롭고 행복했던가보았다. 그렇게 웃음을 와르르 쏟아냈던 것을 보면.

—이런 날이 다시 올까?

꽃사과를 따며 누군가 툭 던진 말이 우리들 가슴속으로 스며들었다.

—똑같은 날은 없어.

24

우리들 중 누군가가 서글프게 맞받았다. 방금 전까지 와르르 쏟아내던 웃음을 거두고 서로 눈치 안 채게 유리창 안에서 우리를 내다보고 있는 윤교수를 바라보며 각자 상념 속으로 빠져들었다. 그때 우리는 이미 오늘을 예견했는지도 모른다. 꽃사과를 다 딴 뒤에 우리는 거실로 들어가 윤교수를 둘러싸고 모여앉았다. 윤교수는 무릎 위에 책을 얹어놓고 어느덧 잠이 들어 있었다. 누군가 조심스럽게 책을 탁자에 내려놓았다. 나는 윤교수가 읽고 있던 책이 무엇이었는지 궁금해 책을 집어들었다. '침묵의 세계'였다. 오래 지닌 책이었는지 누렇게 바랜 페이지들이 접혀 있었다. 나는 책 위에 손을 얹은 채로 윤교수의 너무나 야윈 발 때문에 양말이 발을 제대로 감싸지 못하고 홀렁하게 겉돌고 있는 것을 물끄러미 바라보았다.

병원에 가봐야 한다고 생각은 하면서도 오전 내내 의자에서 몸을 일으킬 수가 없었다. 앉아 있는데도 몸이 허공에 떠 있는 것 같았다. 부유상태로 깜박 졸기까지 했다. 정오가 다 되어서야 깊이 파묻혀 있던 의자에서 등을 바로 세우고 책상을 살펴보았다. 읽다 만 책들이 어지러이 놓여 있고 메모 노트는 프린트해서 수정해 보던 종이들 밑에 엎어져 있었다. 바르셀로나의 고딕 거리에 있던 피카소 미술관에서 무심히 샀던 연필통에 나무연필 두 자루가 비스듬히 꽂혀 있었다. 연필통 겉면에 새겨져 있는 비둘기가 나무 잎사귀를 부리에 물고 있는 걸 보다가 나는 어지러운 책상을 정리하기 시작했다. 펼쳐져 있는 시집들을 덮었고, 산만하게 나와 있는 문구류들을 필통에 집어넣었다. 밑줄이 그어진 폐지들을 구겨서 쓰레기통에 던

지고, 읽다가 밀쳐놓은 두꺼운 책들 사이사이에 끼어 있는 문진들을 빼내 한쪽으로 모으고, 책들은 빼낸 자리로 가져가 다시 꽂아두었다. 이렇게 책상을 정리하고 있으면 불현듯 죽음이 떠오른다. 언젠가는 책상을 정리해놓고 방문을 열고 나가려다가 뒤돌아보고는 섬뜩해져서 책상 앞으로 돌아와 다시 어질러놓은 적도 있었다. 사람이 사람을 사랑하며 살아가는 일이나 죽음의 의미를 알게 되는 일이 나이먹는 일과 비례하는 건 아니다. 세월이 쌓인다고 알게 되는 것도 아닌 것 같다. 내게는 오히려 청춘 시절보다 지금이 누군가를 사랑하며 살아가는 일에 더 서툴고, 느닷없이 찾아드는 죽음의 소식에 매번 당황하며 휘둘리니까. 그래도 언젠가는 그리고 어느 날엔가는 눈 내리는 새벽에 이 책상에서 글을 쓰거나 책을 읽다가 가만히 엎드린 채 눈을 감고 싶다. 그게 지상에서의 나의 마지막 모습이었으면 한다. 책상 위에 쌓아놓은 책을 들어낼 때마다 손끝으로 느껴지는 죽음의 기척들을 물리치고 나는 끝내 책상을 말끔히 정리했다. 병원에 가기 위해 비누질을 여러 번 해 세수를 하고 깨끗한 옷으로 갈아입고 거울을 들여다보았다. 방문을 열고 나가려다가 나도 모르게 책상 쪽을 돌아다보았다.

기다렸다는 듯이 나를 찾는 전화벨이 다시 울렸다.

1. 이별

내가 스물한 살에 다시 이 도시로 돌아오면서 나 자신과 약속한
것은 다섯 가지였다.

책을 다시 읽을 것.
책을 읽을 때마다 발견한 새로운 단어와 그 뜻을 노트에 적어 개
인사전을 만들 것.
일주일에 시 한 편씩을 외울 것.
추석 때까지는 엄마 묘소에 가지 말 것.
이 도시를 하루에 두 시간 이상씩 걸을 것.

갓 입학한 대학을 한 학기도 마치기 전에 엄마가 세상을 떠났다.
엄마의 병이 악화되기 전까지 나는 수요일이면 엄마가 입원했다
가 퇴원한 이 도시 큰 병원의 조제실에 약을 신청해놓고 대기실에

앉아 전광판에 내가 들고 있는 종이에 적힌 숫자가 뜨기를 기다렸다. 신호음과 함께 숫자가 뜨면 번호가 적힌 종이를 조제실 창구 안으로 들이밀곤 했다. 기다리면 보이지 않는 안쪽에서 엄마가 복용할 일주일 분의 약이 담긴 바구니가 내 쪽으로 밀려나왔다. 그 약들을 우체국에 가서 엄마에게 부치는 일을 수요일마다 반복했다. 약을 부쳤다는 전화를 하면 엄마는 늘 한결같은 목소리로 내 딸! 하고 나를 불렀다. 애썼다, 내 딸! 이라거나 혹은 고맙다, 내 딸! 이라고.

엄마가 이 세상을 떠나기 나흘 전에 엄마가 항상 끼고 있던 반지와 깻잎김치가 이 도시에 있는 나에게 도착했다.

—니가 깻잎김치 좋아하잖어.

수화기 저편의 엄마 목소리는 밝았다.

—반지는 언젠가 너 주고 싶었다, 내 딸!

엄마가 그리 빨리 세상을 떠날 줄은 몰랐다.

엄마가 깻잎김치를 담그고 손가락의 반지를 빼서 종이에 감싸 내게 보낸 뒤에 이 세상을 떠난 것이라고 생각하면 나도 모르게 손가락으로 눈을 파낼 듯이 눈가를 문지르게 되곤 했다. 이제는 수요일이 되어도 받아올 약이 없는데, 나는 수요일 이른 오전시간이면 그 병원의 대기실에 가 앉아 있었다. 수요일의 습관이었다. 기다릴 숫자도 없는데 땡, 하는 신호음이 들리면 얼굴을 들어 전광판의 숫자가 바뀌는 것을 지켜보았다. 그만 학교에 가야 한다고 생각하며 대기실에서 일어나지만 어느새 나는 역으로 나가 기차를 타곤 했다. 어느 때는 아침에 학교로 들어가는 길목의 언덕까지 갔다가 돌아서서 역으로 향하기도 했다. 역에 나가 가장 빠른 시간에 떠나는 기차

표를 끊곤 했다.

한낮의 기차 안은 빈자리가 많았다. 좌석표와는 상관없이 아무데나 앉아도 별 문제가 없었다. 객실에 나 혼자 앉아 있을 때도 있었다. 빈 좌석들은 한 장도 읽지 않은 두꺼운 책처럼 보이기도 했다. 기차가 내가 태어난 소도시의 역에 도착했다는 안내방송이 나올 때까지 나는 차창 바깥을 응시하거나 손가락을 만지작거렸다. 강물이 눈에 들어오면 그 물이 안 보일 때까지 고개를 돌려 쳐다보기도 했고, 먼 산이 눈앞으로 확 쏠려들어올 때면 얼마간 몸을 뒤로 젖히기도 했다. 어디선가 새들이 날아와 들판을 가로질러가는 것을 보다가, 기차가 어두운 굴 속을 지날 때는 바깥이 보이지 않는데도 눈을 질끈 감았다. 기차가 태생지 역에 도착하면 꼭 배가 고팠다. 역 앞의 국숫집에 들어가 국수를 한 그릇 후루룩 입에 넣고 나서야 나는 내가 어디에 있는지 알아차리고 또.와.버.렸.어.엄.마, 혼자 웅얼거리곤 했다.

휴학하기로 마음먹은 것은 엄마가 세상을 떠났기 때문만은 아니었다. 내가 다닌 학교는 예술대학 특유의 자유분방한 분위기가 넘쳐났다. 누군가는 쉽게 적응하고 누군가는 홀로 떨어져 있었다. 나는 후자였다. 내 목소리가 어떤지 들은 사람도 없을 것이다. 남학생들은 수업을 듣는 것보다 시위를 하거나 술을 마시는 일에 몰두했고 여학생들은 화사함을 과장하거나 극단적으로 우울했다. 햄릿이나 오필리아의 연극 대사가 일상 대화 속에서 불쑥 튀어나와도 아무렇지 않은 곳이었다. 쉴새없이 노래를 부르거나 한자리에 앉아 누군가를 뚫어져라 노려보는 것까지 그곳에선 실기였고 개성이었

다. 일부러 누군가를 주시하지 않아도 사방에 눈에 띄는 존재들뿐이었다. 그 속에 어쩐지 평범한 얼굴의 내가 홀로 앉아 있는 기분. 그들이 나누는 모든 말들이 내겐 먼 나라의 외국어같이 들리곤 했다. 그렇다고 홀로 떨어져 있는 것 같은 기분 때문에 휴학을 했던 것만도 아니다. 그때의 나는 학교가 아니라 어디에 있었더라도 외톨이였을 것이기에.

엄마는 자신이 무슨 병에 걸렸는지 알게 된 후 가장 먼저 중학생인 나를 이 도시의 사촌언니에게 보냈다. 엄마에겐 떠나보내는 게 사랑이었다. 아픈 엄마에게 매여 있기에는 지금 너는 어리고 앞으로 이룰 게 너무 많다고 했다. 그러니 아픈 엄마에게 매이지 말고 더 넓은 곳으로 나가 살라고 했다. 사람은 누구나 언젠가는 헤어지게 되어 있으니 그 연습을 일찍 해두는 것도 나쁘지 않다고. 엄마가 옳았다고는 못 하겠다. 나는 언젠가는 헤어지게 되어 있으면 함께 있을 수 있는 한 함께 있는 게 최선이라고 생각하는 쪽이니까. 아니다, 옳고 그름의 문제가 아니다. 생각이 다른 것일 뿐.
대학에 유독 사교성이 좋고 걸음을 달리기하듯 힘차게 걸어서 사이클이라고 불렸던 남학생이 갑자기 학교에 나타나지 않았다. 학교 벤치에 앉아 있는 나에게 달려와 동생이 찾아왔는데 급히 돈을 줘서 보내야 한다며 내 수중의 돈을 다 가져갔다. 나중에 알고 보니 나에게 돈을 빌려간 날 열 명도 넘는 여학생들에게 그런 식으로 돈을 꾸고 만년필이나 책, 노트까지 챙긴 뒤에 자취를 감춘 거였다. 뒤늦게 그가 출석부에 정식으로 등록되어 있는 학생이 아니라는 게

밝혀졌다. 그런데도 몇 개월을 함께 같은 강의실에서 지냈다니 무슨 대책을 세워야 되지 않겠느냐고 분을 터뜨리는 동급생들을 뒤로 하고 나는 학교에 휴학계를 제출했다. 사이클은 내가 이 도시로 나올 때 단이가 나에게 준 에밀리 디킨슨의 시집까지 가지고 사라졌다. 내가 이 도시로 떠나오기 전 어느 날 밤 단이는 대문 밖으로 나를 불러냈다. 그곳에서 함께 성장한 우리는 우리의 발자국이 수십만 개는 찍혀 있을 어둠 속의 골목을 빠져나와 외곽의 벌판 쪽으로 걸어나갔다. 철길을 앞에 두고 나란히 벌판에 앉았다. 밤기차가 철거덕철거덕 소리를 내며 우리 앞을 지나갔다. 기차의 객실마다 켜진 불빛이 환하디환했다. 철거덕거리는 소리만 아니었으면 불 켜진 유리창이 빠른 속도로 어둠 속을 질주하는 것처럼 보이기도 했을 것이다. 단이는 뭔가 다짐하듯이 말했다.

―우리 대학에 꼭 가자.

―……

―난 그림을 그릴 거야.

―……

뭔가 벅찬 기분이었다. 들판에서 밤바람이 불어와 우리의 희망을 데리고 먼 시간 속으로 먼저 출발하는 듯했다. 헤어질 무렵에 단이는 내게 문고판 시집을 한 권 주었다. 자기가 요즘 열심히 읽은 시집이라고 했다. 다 읽었으니 내게 주는 거라고. 어둠 속이라 시집의 제목도 잘 보이지 않았다.

―천칠백여 편의 시를 서랍 속에 남겨두고 죽은 시인이래. 첫 시집이 죽은 지 사 년 만에 출간되었대.

—누구?

—에밀리 디킨슨.

—에.밀.리.디.킨.슨.

또박또박 발음해봐도 나는 모르는 이름이었다. 단이는 자기 자신이 무얼 하고 싶은지를 일찍부터 알아서 생각이 많고 또래들과는 다른 행동을 하려고 했다. 다른 책을 읽고 다른 물건을 소유하고 다른 말투를 썼다.

—이 세상 것이 아닌 다른 것을 보는 사람 같아.

—다른 것 뭐?

—보이지 않는 것 말야. 죽음이라든가…… 그런 거.

이 세상 것이 아닌 다른 것이라든가 죽음이라는 말을 또래로부터 듣기는 처음이었다. 단이가 늘 몇 살은 위로 느껴지는 건 그래서였을 것이다. 집에 돌아와 불빛 아래서 시집의 첫 장을 넘기니 단이의 글씨가 먼저 보였다.

가난한 사람들이 생각에 잠겨 있을 때에는 발뒤꿈치를 들고 걸어야 한다—릴케, 말테의 수기

나는 단이의 글씨체를 좋아했다. 흘려쓴 듯하지만 달리는 말의 앞발굽이 느껴질 만큼 활달한 글씨체였다. 에밀리 디킨슨의 시집에 릴케의 문장을 써놓은 단이의 글씨를 쳐다보며 이별을 실감했다. 나는 가방 가장 안쪽에 단이가 건네준 시집을 집어넣었다.

내가 죽음을 찾아갈 수 없어
그가 나를 친절히 찾아주었던 날
마차엔 우리 둘만 호젓이 앉았다
그리고 영원불멸도 함께

에밀리 디킨슨의 시를 읽으면 엄마의 얼굴이 떠올랐다. 시를 다 읽어가는 것이 안타까워 아껴가며 다섯 번은 넘게 읽은 후에 나는 이 도시에서 처음으로 지하철을 타고 종로의 대형 서점으로 나갔다. 흔들리지 않으려고 손잡이를 꽉 잡은 채로. 이 도시에서 내가 처음으로 돈을 주고 산 책은 『말테의 수기』였다. 내용이 무엇인지도 모르는 채 그저 내게 에밀리 디킨슨의 시집을 줬던 단이가 그 책 맨 앞장에 써놓은 제목이라는 이유로 선택한 책이었다. 서점에서 돌아오는 지하철 안에서 조용히 닫혀 있는 책의 첫 장을 펼쳤다.

사람들은 살기 위해 이 도시로 모여드는 모양이다.

첫 문장을 물끄러미 바라보던 내 눈에서 집을 떠나올 때도 나오지 않던 눈물이 한 방울 툭 떨어졌다. 나도 살기 위해서 이 도시로 모여든 사람 중의 하나일까? 나 자신을 향해 질문을 하게 하는 문장이었다. 이 도시는 나에게 호의적이지 않았다. 높은 빌딩과 수많은 집들과 셀 수 없이 많은 사람들이 있었지만 만나서 반갑게 인사를 하거나 손을 잡을 사람은 없었다. 넓고 좁은 길이 너무 많아서 자주 길을 잃게 만들었다. 나도 이 도시의 사람들과 사귀고 싶은 생각이 없

었다. 만나도 서로 인사를 하지 않는 것에 익숙해지며 나는 어린 실향민이 되었다. 그렇게 고등학교를 마칠 때까지 줄곧 나의 보호자 노릇을 하며 나와 함께 살았던 사촌언니는 내가 대학에 입학할 무렵 결혼을 했다. 마땅히 사촌언니로부터 떨어져나와야 했지만 달리 있을 만한 곳이 내겐 없었다. 게다가 엄마는 나를 떠나보냈으면서도 내가 이 도시에서 혼자 있는 것은 원하지 않았다. 엄마가 살아 있는 동안엔 투병중인 엄마를 안심시키느라 그리 할 수 있었으나 엄마가 세상을 떠나자 내겐 사촌언니와 함께 있는 일이 힘겨워졌다. 사촌언니의 남편은 비행기 조종사였다. 파리나 런던 같은 곳으로 자주 긴 비행을 나가곤 해도 그는 어김없이 돌아왔으며 그건 당연한 일이었다. 본격적인 대학생활이 시작되기 전만이라도 나는 엄마 곁에 가 있고 싶었지만 엄마는 그때 유독 내가 자신 곁에 와 있는 것을 원치 않았다. 엄마는 머리카락이 한 올도 남아 있지 않은 상태였다.

　'사람들은 살기 위해 이 도시로 모여드는 모양이다'로 시작되는 『말테의 수기』의 다음 문장은 '그러나 나는 오히려 여기서 죽어간다고 생각될 뿐이다'로 이어진다. 결국 나는 대학에 들어가 한 학기를 채 마치지 못하고 이 도시에서 처음으로 산 『말테의 수기』의 두 번째 문장을 생각하며 학교에 휴학계를 냈다. 친구라고 여길 만한 사람을 사귀지 못한 상태여서 시골로 내려갈 때 누구하고도 따로 작별인사를 나눌 일이 없었다. 그때껏 나와 함께 살던 사촌언니가 안타까운 얼굴로 꼭 그렇게 해야만 하겠니? 물었다.

　─미안해.

꼭 그렇게 해야만 하겠니? 라는 질문의 대답으론 적절치 않은 것이었다.

—미안하다니, 뭐가 말이니?

—모든 게 다.

솔직한 마음이었다. 나는 사촌언니에게만큼은 다 미안했다. 잘 웃지 않은 것도 미안했고, 신혼집 방에 검은 도화지를 붙여놓고 지낸 것도 미안했고, 상냥한 성격이 아닌 것도 미안했으며, 엄마를 잃어 사촌언니의 마음을 쓰이게 한 것도 미안했다. 나를 바라보는 사촌언니의 눈에 스쳐 지나가는 연민의 빛을 알아채는 일은 어려운 일이 아니었다. 우리는 사 년 넘게 함께 지냈으니까. 사촌언니는 다시 한번 생각해보라며 나를 달랬다. 나는 이미 그렇게 하기로 결심했다고 말했다. 사촌언니가 돌이킬 수 없는 일이야? 다시 물었다. 나는 고개를 끄덕였다. 서글픈 표정으로 사촌언니가 나를 깊이 껴안았다.

—힘들면 언제든 와.

언니의 몸에서 갓 결혼한 젊은 여자에게서 맡아지는 싱그러운 냄새가 났다. 딸기향 같기도 하고 나뭇잎 냄새 같기도 하고 복숭아 냄새 같기도 했다. 달콤한 그 냄새를 맡자 떠나기로 한 건 잘한 일이라 여겨졌다. 내가 썼던 공간은 방 한 칸이었지만 그래도 신혼집인데 그 방 창에 검은 도화지를 붙여놓아 신혼인 그들을 항상 조심스럽게 웃게 했다는 생각. 그랬어도 사촌언니는 낯 한번 찌푸리지 않았다는 생각. 언젠가 비행기 조종사인 사촌언니 남편이, 방이 너무 어둡지 않아? 라고 물었을 뿐이었다. 괜찮다고 하자 그마저도 더는

묻지 않았다.

　다시 내려간 일 년 동안의 소읍 생활은 무미건조했다. 단이도 대학생이 되어 다른 도시로 나가 있었고 아버지는 내가 옆에 있으나 없으나 변함없는 일상을 살고 있었다. 계절이 바뀌고 그에 따라 새순이 오르고 태풍이 지나가고 감이 열렸으며 폭설이 내렸다. 아버지는 일 년 사이에 허리가 구부정해지며 급속도로 노인이 되어갔다. 엄마가 오랜 병상생활을 했으므로 아버지는 의식주를 혼자 해결하는 데에 익숙했다. 엄마가 없다고 해서 더 힘든 일이 있었던 게 아닐 텐데도 아버지는 빠른 속도로 늙어갔다. 늙어가는 아버지는 더욱 말이 없어졌다. 어느 땐 내가 옆에 있는 게 아버지를 불편하게 하는 건 아닐까 생각될 때조차 있었다. 내가 밤늦게 잠들어 아침에 일어나지 못하고 있는 날에도 아버지는 깨어나면 맨 먼저 엄마 묘소에 다녀오곤 했다. 묘소에 떼를 새로 입히기도 하고 엄마가 좋아했던 마당의 백일홍나무를 묘소 근처로 옮겨심기도 했다. 이따금 아버지를 따라나서기도 했지만 나는 가능하면 엄마 묘소에 갈 때는 아버지와 동행하지 않았다. 아버지를 앞세우고 엄마 묘소를 향해 걷다 보면 아버지의 뒷모습이 퇴락해가는 집처럼 보여 울적해졌다. 나는 자연 엄마 묘소에 가고 싶으면 아주 한낮이나 해 저물녘을 택해 갔다. 그래야 엄마 묘소에서 아버지와 부딪치지 않았으니까.
　엄마는 죽음을 겁내지 않았다. 죽음을 미안해했다.

　며칠 동안 비가 계속 내리다가 그친 어느 날, 두 가지 일이 동시에 발생했다.

읍내에 다녀온 아버지가 윗옷을 벗어 마루에 던지고는 무엇을 하려는 것인지 러닝셔츠 차림으로 삽을 챙겨들고 다시 대문 밖으로 나갔다. 아버지가 벗어놓은 윗옷에서 담배가 빠져나와 있었다. 나는 담뱃갑과 라이터를 집어들고 뒤란으로 갔다. 시골집은 앞마당 옆마당 뒷마당으로 한 바퀴 빙 돌게 되어 있는 형태였다. 뒷마당에는 호박잎과 토란잎이 무성했다. 비를 맞은 후 싱싱하게 쭉쭉 뻗어 있는 푸른 토란잎을 바라보며 쭈그리고 앉았다. 담뱃갑에서 담배 한 개비를 꺼내 입에 물고 라이터를 켜서 막 불을 붙이려는 참이었다. 혹시나 누가 볼까 싶어 신경쓰며 살피던 쪽이 아니라 그 반대편에서 돌연 아버지가 모습을 드러냈다. 서로 피할 시간이 없었다. 아버지의 시선과 담배를 입에 물고 막 불을 붙이려던 내 시선이 정면으로 마주쳤다. 잠시 멈칫한 아버지가 나를 잠깐 주시하더니 말없이 옆마당으로 돌아섰다. 크게 혼이 날 마음의 준비를 했다. 그 소란이 우리 부녀 사이에 두껍게 막을 치고 있는 침묵과 고독을 거둬가줄지도 모른다고 생각했다. 내 예상과는 달리 아버지는 저녁밥상 앞에서 아무런 말도 하지 않았다. 내가 담배에 불을 붙이고 있는 모습을 목격한 것을 받아들이는 게 고통스러워 그 순간을 차라리 안 본 것으로 하기로 한 모양이라 생각하니 아버지를 향해 야릇한 분노가 치솟으려고 했다. 나는 진심으로 아버지가 나를 야단쳐주기를 바랐다. 그러면 죄책감 없이 담배를 피울 수 있을 테니까. 밥상을 들고 나가려고 하자 아버지가 윤아, 하고 부르더니 뜻밖에 봉숭아물을 들이겠냐? 라고 물었다.

─봉숭아물요?

―너는 기억 못할지 모르지만 어렸을 때 니 손톱에 봉숭아꽃물을 들여준 적이 있었다.

그랬던가. 나는 밥상을 들고 있는 두 손을 내려다보았다.

―아침에 실을 풀어보더니 손톱에 피나요! 울상을 짓고선 우물로 달려가 찬물에 손을 집어넣었지. 그때 너는 참 어렸었는데……

아버지는 아픈 엄마의 손톱에 여름밤이면 봉숭아꽃을 짓이겨 얹고 비닐로 감싸 실로 동여매주었다. 엄마가 원해서였다. 아버지는 엄마가 수술을 할 때 마취가 잘 되지 않았던 게 그 봉숭아꽃물 때문인지도 모른다고 했다. 밥상을 치우고 내 손톱 위에 봉숭아꽃 짓이긴 걸 얹어놓는 아버지를 물끄러미 바라보다가 손톱에 꽃물을 들이면 진짜 마취가 잘 안 되는 거예요, 아버지? 힘없이 물었다. 나도 사실은 잘 모른다, 아버지도 기운 없이 대답했다. 나는 마음속으로 아버지에게가 아니라 엄.마.미.안.해, 라고 말했다. 다시는 담.배.피.우.지.않.을.게.엄.마, 라고도.

그날 밤 손톱을 동여매고 남쪽 도시에서 집에 들르러 온 단이를 만나 외곽의 들판 쪽으로 걸어나갔다. 철길의 침목을 밟고 어둠 속을 걸었다. 단이는 남쪽 도시에 있는 대학으로 가더니 아버지처럼 말이 없어지고 이마를 찡그린 모습이 표정으로 굳어졌다. 턱수염이 거뭇하게 자라도록 두었고, 누구에게도 친절하지 않겠다고 결심한 사람처럼 웃지도 않았다. 나를 보고도.

―단아!

어둠 속에서 단이의 울적해 보이는 어깨를 돌려세웠다. 검은 침목이 단이와 나 사이에 끝도 없이 나란히 놓여 있었다.

−우리 엄마 묘소에 가볼래?

나는 단이가 그렇게 선선히 동의할 줄은 몰랐다. 그는 지체없이 그러자, 하더니 우선 집에 가서 헤드랜턴을 챙겨오겠다고 했다.

−헤드랜턴?

−밤길 걸을 때랑 야간산행 할 때 쓰는 거 말야.

−광부들이 쓰는 거?

−그건 진짜 작업용이구…… 작은 거. 잠이 오질 않아서 기숙사에서 그거 쓰고 스케치해. 불 켜놓으면 옆사람이 잠을 못 자니까. 가방에 넣어가지고 다니다가 어두운 데서도 쓰구.

한밤중에 헤드랜턴을 쓰고 스케치를 한다구?

나는 갑자기 불면증 때문에 헤드랜턴을 쓰고 스케치를 한다는 단이가 낯설었다. 우리는 말없이 철길을 벗어나 단이의 집 쪽으로 걸어갔다. 담벼락에 비친 우리 두 사람의 그림자가 엇갈리며 지나갔다. 살그머니 집에 들어가 헤드랜턴을 들고 나온 단이는 그걸 내 머리에 씌워주려고 했다.

−니가 쓰고 앞서 가면 되잖아.

단이는 제 머리에 헤드랜턴을 썼다. 이마 위에 불이 켜지니 모르는 사람 같았다. 우리는 벌판을 가로질러 엄마의 묘소가 있는 산 쪽으로 걸어갔다.

−그래도 너 잘 견딘다.

−뭘?

−엄마 일.

나는 문득 싸한 느낌이 가슴에 차올라서 무명실이 동여매진 내

손가락 하나를 단이의 새끼손가락에 걸었다.

엄마가 세상을 떠난 후 나는 책을 읽지 않았다.

사촌언니는 내게 전화를 걸어 성당에 나가보는 게 어떨까? 물었지만 나는 그 누구의 말씀도 듣고 싶지 않았다. 그 일 년 동안 나는 아무 일도 하지 않았다. 비가 주룩주룩 내리는 날이나 내가 뿌리에서 떨어진 감자알같이 느껴지는 때면 시내로 나가 동시상영관에 스며들듯 들어가 의자에 깊숙이 몸을 파묻고 있다가 돌아오곤 했다. 나는 엄마가 내게 보낸 눈물방울 같은 진주가 박힌 반지를 주머니 속에 넣고 다녔다. 낮잠을 자다가도 깜짝 놀란 듯 깨어나서는 황급히 주머니에 손을 넣어 반지를 찾아보곤 했다. 진주알이 손끝에 느껴지면 그제야 안심이 되었다. 반지를 만지작거리고 있으면 엄마에게 미안한 생각이 들기도 했다. 그 언젠가 무슨 일로 아픈 엄마와 소리 높여 말싸움을 한 뒤 엄마가 야속하고 미워서 내가 죽은 뒤에 슬픔에 빠진 엄마 모습을 상상했던 게 떠올라서. 돌이킬 수 없지만 그런 생각을 했던 나 자신이 밉고 서글펐다. 엄마는 손가락이 가늘었던 편이어서 엄마가 남긴 진주반지는 내 손가락에도 맞았지만 나는 낄 수가 없었다. 그러고 나면 엄마의 죽음을 인정해버리는 것 같아 두려웠다.

산 밑에 이르자 단이가 주춤거렸다.

─왜?

─거미가 있겠지?

묘소로 가려면 산길을 타야 했고, 밤 산길에는 거미가 허공에 집을 짓고 있거나 발밑에서 숨을 죽이고 있거나 바위를 기어다닐 것이다.

—거미가 두려워?

단이는 어둠 속에서 헤드랜턴을 쓴 채 고개를 끄덕거렸다.

—거미가 시위대 진압군들보다 더 무서워.

나도 모르게 킥킥, 웃었다. 다 큰 남자가 거미를 두려워하다니.

—웃을 일이 아니야. 거미를 얕봤다간 큰코다쳐. 호주에서 새를 잡아먹는 독거미가 마을을 습격했다는 소리도 못 들었어?

—못 들었어.

나는 정말 그런 말은 들은 바 없었다. 새끼거미가 자라서 어미거미의 등을 파먹는다 해서 거미를 좋아할 수 없었을 뿐이다. 단이의 입에서 거미 이름이 줄줄 흘러나오는 것이 신기하기도 하고 이상하기도 했다. 늑대거미, 타란툴라, 납거미, 갈색은둔자거미…… 시드니퍼넬웹거미.

—깔대기그물거미가 최고로 힘이 세!

거미에 대한 이야기가 나오자 단이는 거칠 것 없이 얘기를 이어나갔다. 고생대 캄브리아기의 삼엽충이 진화하여 거미가 되었다는 것. 옛날에는 거미가 땅속에서만 살았는데 중생대 신생대를 거치면서 땅 위로 진출하였다고도 했다. 그 종수도 셀 수 없이 많아져 이제는 파악하기조차 힘들다고도. 두려움과 사랑은 같은 뿌리에서 나오는 것일까? 단이가 거미를 두려워하는 게 맞는가 싶었다. 사랑해서 깊은 관심을 갖고 있는 대상인 것처럼 단이는 거미에 대해서 무한하게 해박했다.

—언제부터 거미를 무서워했어?

—오래됐어.

―근데 왜 내가 몰랐지?

우리는 그곳에서 함께 성장했는데도 단이가 거미를 그리 두려워하는 줄을 나는 까마득히 모르고 있었다.

―모를 수밖에.

―응? 무슨 큰 비밀이었어?

―너는 나를 사랑하지 않으니까…… 그러니까 모르는 거야.

거미를 밟을까봐 두려워하면서도 앞으로 나아가고 있는 단이의 등을 어둠 속에서 물끄러미 바라보았다. 너.는.나.를.사.랑.하.지.않.으.니.까, 라는 말이 낙숫물처럼 내 가슴속에 똑똑 떨어졌다.

―거미하고 무슨 그럴 만한 일이라도 있었어?

―내 기억엔 없어.

―그런데 왜 그래? 하필 거미일 게 뭐야?

―하필이란 말을 왜 거미 앞에 써? 부엉이나 청솔모라고 하면 뭐가 달라져?

거미 때문에 단이는 예민해진 모양이었다. 틀린 말은 아니었다.

―차라리 두 눈을 똑바로 뜨고 거미를 정면으로 바라봐버려…… 그러면 괜찮을지도 몰라.

―그렇게 해봤어. 심리적인 거라고 해서 멀리 남양주에 있는 거미박물관에 찾아가보기까지 했어. 큰 거미들하고 대적해볼 생각으로 말야. 박제된 것이었는데도 쳐다보고 있으려니 발톱 밑까지 간지럽고 피가 거꾸로 솟는 것 같고 온몸이 물집잡힌 것처럼 막 부풀어오르는 것 같았어.

―그렇게 심각해?

―사실 그래.

나는 걸고 걸었던 손가락을 풀고 단이의 모습을 정면으로 바라보았다. 그는 무슨 선고를 기다리는 사람처럼 가만히 서 있었다. 두 팔을 벌려 단이를 안아보았다.

―겁내지 마.

그것은 나에게 하는 말이기도 했다.

―우린 괜찮을 거야, 괜찮을 거라구.

단이가 두려워하며 거미를 찾아 비추던 헤드랜턴을 내 얼굴에 비추었다.

―키스해도 돼?

―……

단이의 입술이 멈칫거리며 내 뺨과 이마에 닿았다. 그리고 잠시 망설이는 것 같더니 내 입술에 자신의 입술을 갖다댔다. 따뜻하고 산뜻했다.

―첫 키스를 너랑 하게 될 줄 몰랐어.

단이의 말에 내가 허공을 향해 풋, 소리를 내며 웃었다. 나라고 알았을까. 첫 키스를 단이와 이렇게 싱겁게 하게 될 줄을. 멀리 밤의 산 능선은 포악한 동물 형상이었다. 커다란 검은 짐승이 입을 벌린 채 엎드려 있는 것 같은 산의 형태가 점점 더 짙어졌다. 한밤중에 그 산 가까이로 가는 것은 나도 두려웠다. 나는 돌아가자고 했다. 단이는 헤드랜턴을 비추지 않으면 눈에 보이지도 않을 거미를 찾아 확인해가며 두려움에 떨면서도 한사코 엄마 묘소까지 가자고 했다. 그만 돌아가자는 나와 거미를 두려워하면서도 그래도 묘소에

가자는 단이가 벌이는 소란이 수상쩍은지 밤새들이 이 나무에서 저 나무로 옮겨다녔다. 우리는 다시 엄마 묘소를 향해 발걸음을 뗐다. 단이는 헤드랜턴을 산길이나 허공에 비춰가며 거미가 있는지 없는지 확인하느라 제대로 발걸음을 떼지 못했다. 거미만 보면 무릎이 꺾일 지경이고 낮에 거미를 보면 떨어져 있어도 입술에 물집이 생긴다면서도 단은 계속 앞으로 나아갔다. 그렇게 두려우면 아예 안 보면 될 것인데 헤드랜턴까지 비춰가며 거미가 있나 없나를 살피는 심리는 뭘까. 그러다 눈에 띄기라도 하면? 무섭고 두려우니 그 존재를 눈으로 확인해야 하는 게 단이의 방식인가보았다. 네가 이런 사람이었구나. 그건 단이에 대한 새로운 앎이었다. 결국 단이는 그 어둠 속에서 두려운 거미와 싸워가며 나를 엄마의 묘소에 이르게 했다.

―다 왔다.

단이가 엄마의 묘소 앞에 당도하자 큰숨을 내쉬었다. 두려움을 이겨낸 자의 기쁜 숨소리이기도 했다.

―우리 절하자.

―무슨 이 밤중에.

―그러려고 온 거 아니야?

―아니야.

내가 말리는데도 단이는 헤드랜턴을 쓴 채 엄마 묘소를 향해 큰절을 했다. 그러고는 헤드랜턴으로 아버지가 심어놓은 백일홍나무를 비춰보며 여기다 옮겨심었네, 중얼거렸다. 단이가 백일홍 아래로 가서 담배를 꺼내 불을 붙이는 사이 내 손가락을 동여매고 있던 실이 풀렸다. 손톱에 올려놓은 봉숭아 짓이긴 것이 묘소 앞에 툭, 떨

어졌다. 단이가 입에 물고 있는 담뱃불이 어둠 속에서 반짝거렸다. 담배를 손가락에 끼운 채 얼굴을 문지르는지 담뱃불이 반딧불이처럼 이리저리 움직였다. 나는 손에 닿은 엄마 묘소 앞의 흙을 한줌 집어 주먹밥처럼 뭉쳐 주머니 속에 넣었다. 엄마가 남긴 진주알 반지가 흙에 닿았을 것이다. 나는 뭔가 붙잡고 싶은 공허한 마음에 헤드랜턴을 쓴 채 백일홍나무 옆에서 담배를 피워무는 단이에게, 혹여 백일홍나무 아래도 거미가 있을까봐 발바닥을 편안히 내려놓지 못하고 불편하게 서 있는 단이에게, 너.는.나.를.사.랑.하.니? 물을 뻔했다. 아마도 내가 그렇게 물었다면 단이와 나는 돌이킬 수 없이 멀어져버렸을 것이다. 나는 그 말을 삼킨 채 엄마 묘소를 응시했다. 이제 도시로 돌아가야겠다고 생각했다.

　─요즘 내가 있는 도시는 늘 시위중이야.

　나는 엄마 묘소 앞의 흙을 조금 더 뭉쳐서 주머니 속에 넣었다.

　─친구를 두들겨팼어.

　─너가?

　─일학년을 함께 다닌 놈인데, 음식을 아주 맛있게 먹는 놈이었어. 그놈이 뭘 먹고 있으면 저절로 입맛이 생길 정도로 별것 아닌 것도 달게 먹곤 했지. 입대한다고 해서 송별회까지 해준 놈이 전경이 돼서 학교 시위를 진압하러 나왔더라. 놈도 안됐지. 하필 모교 앞으로…… 지나가다보면 놈은 뙤약볕 속에서 땀에 젖어 있곤 했어. 하루는 놈이 동료들하고 함께 학생들을 뒤쫓다가 혼자 뒤처졌어. 왜 그랬는지 모르겠어. 대오에서 떨어진 놈을 향해 이번엔 내가 뒤쫓아갔어. 철조망이 처져 있는 차 옆에 주저앉아 놈이 쉰 것 같은

도시락의 밥을 꾸역꾸역 입에 밀어넣고 있는 모습을 스쳐 지나가며 몇 번 봤었지. 그때마다 음식을 맛있게 먹던 놈의 모습이 떠오르고 뭔가 울컥 치밀곤 했어. 그러다 그날 그렇게 단둘이 조우한 거야.

—……

—내가 쫓아가니까 놈이 획 뒤돌아보더라. 우리는 서로 알아보았어. 웃지 않았어. 누가 먼저랄 것도 없이 맞붙어서 서로 얼굴 몸통 다리 가리지 않고 마구 팼어…… 놈이 제 동료들을 찾아가려고 하면 내가 기어이 따라붙어 막아서며 못 가게 하고는 또 두들겨팼어.

—왜 그랬어?

—모르겠어. 미칠 것 같았어. 견딜 수가 없었어.

—뭐가?

—나 자신이…… 우리가…… 내 상황이…… 아니 우리 상황이.

—……

—놈을 쫓아갔다고 해서 내가 패기만 한 건 아니야. 나도 놈에게 흠씬 두들겨맞았어. 눈두덩이고 머리고 어디고 가릴 것 없이. 그래도 놈은 나를 떨쳐내고 싶어했는데…… 나는 놔주고 싶지 않았어. 우리는 서로 쫓고 쫓기는 자가 됐지. 모든 생각이 다 흐릿해졌어. 파괴욕만 남았어. 도망치는 놈을 쫓아가 얻어맞으면서도 또 쫓아갔어. 정신을 차리고 보니 기숙사에 누워 있더라. 누군가 나를 데려다 놓았던가봐.

—……

—잠이 오질 않아.

—……

─그날 이후로 아무것도 못 하겠어…… 휴학하고 입대할까봐.

단이에게 내가 해줄 수 있는 일이 없었다. 다가가서 잡은 손을 어둠에 대고 흔들흔들 해보는 것밖에.

아버지는 내가 학교로 돌아가겠다고 하자 내게 엄마가 남긴 통장두 개를 내주었다. 하나는 엄마가 들어놓은 생명보험회사에서 지급받은 돈을 입금해놓은 것이고, 하나는 아프기 전 엄마가 지니고 있던 통장이었다. 아버지는 내가 학교로 돌아가겠다고 하니 도시에내가 살 방을 얻으라고 했다. 두 개의 통장엔 모두 '정윤'이라는 내이름이 인쇄되어 있었다. 엄마가 평소에 지녔던 통장을 펼쳐보니투병생활에 들어가기 직전까지 날마다 조금씩의 돈이 입금되어 있었다. 하루도 빠짐없이 조금씩. 아버지는 어떻게 이 돈을 쓰지 않았을까. 엄마가 세상을 떠난 후 지급받은 보험회사의 돈이 들어 있는통장은 아버지에게 돌려주려 했다. 아버지는 엄마가 남긴 너의 것이라고 했다. 너는 이제 성인이니 자신의 것은 스스로 보관하고 지키라고. 도시로 가는 짐을 챙기면서 나는 가방 안쪽 깊숙이 엄마가남긴 통장을 넣었다. 기차 안에서 몇 번인가 가방의 통장을 꺼내 날마다 입금되어 있는 돈의 액수를 헤아려보았다. 엄마의 손이 보이는 것 같았다. 어느 때는 일만원, 어느 때는 삼만원, 어느 때는 팔만원…… 그러다가 어느 날은 무슨 일이 있었던 것인지 한꺼번에 이십만원이 입금되어 있기도 했다. 나는 엄마가 남긴 통장에서 돈을찾아서 사촌언니의 집 가까운 언덕 위에 옥탑방을 얻었다. 이삿짐속에서 맨 처음 엄마 묘소에서 가져온 주먹밥처럼 뭉쳐놓은 흙을

꺼내 펼쳐놓았다. 그러고는 운동화를 신고 종로의 서점까지 걸어나가 에밀리 디킨슨의 시집과 이 도시를 세밀하게 표시해놓은 지도책을 샀다. 돌아오는 길에 화원에 들러 토분도 한 개 샀다. 토분 속에 엄마 묘소에서 집어온 흙을 옮겨놓고 이 도시에서 맨 먼저 걸어다닐 곳을 찾아내기 위해 지도책을 펼쳤다. 일 년 만에 이 도시로 다시 돌아오면서 나는 이 도시를 알아야겠다고 결심했다. 그러기 위해서 이 도시 구석구석을 내 발로 걸어다녀야겠다고.

　얼마 만에 와보는 학교인지. 수강신청을 했으나 듣고 싶은 강의는 윤교수 강의뿐이다. 학교는 여전히 시위중이다. 강의시간보다 삼십 분이나 빨리 도착해서 학교 앞 서점에 들렀다. 오랜만이다. 서점 형이 반가워하며 연애 안 하는군! 큰소리로 말했다. 내 모습 어디에 여자친구 없다고 씌어 있기라도 한가? 형에게 내가 데이트를 하는지 안 하는지 어떻게 안다구 그래? 하니 얼굴에 씌어 있는데 뭘! 그랬다. 예? 키스해본 지 오래되었다고 씌어 있다구. 형은 내 어깨를 툭 쳤다. 산더미처럼 쌓여 있는 교재며 잡지며 새 책들을 살펴보다가 결국 사들고 나온 것은 지금 이 글을 쓰고 있는 조그만 갈색 가죽 장정의 노트 한 권뿐이다. 색깔도 마음에 들고 손에 달라붙는 감촉도 좋다. 이 노트에 나의 행적과 사념들을 적어보기로 한다. 지하철에 가방을 두고 내린 적이 있다. 술집 테이블 밑에 운동화를 벗어놓고 온 적도 있다. 이 노트도 그와 같은 분실물들처럼 내 곁에서

사라질 때까지만 나와 함께 있을 것이다. 고등학교 시절부터 끄적이는 재미로 채워나간 몇몇 노트들이 떠오른다. 노트들을 잃어버리고 나니 거기에 빼곡히 적힌 일기며 낙서에 가까운 내 마음의 토로들도 분실물이 된 느낌이다. 새로 마음을 다잡고 다시 써보기로 한다. 그 기념으로 노트의 이름을 지어보려고 노력해봤다. 새의 노트, 라고 하면 어떨까? 새로운new의 새도 되고 사이between의 새도 되고 창공을 자유롭게 날아가는 새bird를 뜻하기도 하고…… 그러려면 새의 노트가 아니라 새노트라고 해야 맞나? 새노트…… 뭔가 이상하지 않나? 바람노트라고 하면 어떨까? 바람노트라……청춘노트? 존재증명? 온갖 이름을 다 궁리해보다가 두어 시간 만에 내가 지은 이름은 갈색노트다. 노트 겉장이 갈색이기 때문. 싱거운 이름이다. 나는 무엇 때문에 이렇게 써보려고 하는 거지? 할말이 궁색하다. 모르겠다. 이전보다는 성숙하고 정련된 사유의 결정체가 쓰이길 희망해볼 뿐이다.

고등학교 때 사진반 서클활동을 했었다. 우연히 롤랑 바르트의 책을 읽었는데 거기에, 글을 쓴다는 것은 새싹을 하나씩 나누어주는 것이다, 라는 문장이 씌어 있었다. 창을 발견한 느낌이었다. 후에 롤랑 바르트가 사진에 대한 글을 썼다는 것을 알게 되었다. 『밝은 방』을 읽다보니 사진이 찍고 싶어졌다. 집에 아버지의 카메라가 있었다. 아버지가 그 카메라로 사진을 찍는 건 보지 못했다. 아버지는 이따금 카메라를 만지작거리며 할아버지가 목욕탕만 물려주지 않았으면 사진 찍는 사람이 되어 이 세계를 돌아다니고 싶었다고

했다. 아버지의 카메라를 자유자재로 사용해보고픈 마음이 발동했다. 막상 사진반에 들어가니 배울 게 없었다. 롤랑 바르트를 통해 알게 된 스투디움이니 풍크툼이니 하는 말을 알고 있는 이가 전무했다. 거기엔 롤랑 바르트라는 이름 자체를 공유할 사람이 없었다. 그만 모임이 지겨워졌다. 어느 날, 사진반 선생이 인물사진 찍는 법에 대해 설명을 하는데 몸이 뒤틀려 잠시도 견딜 수가 없었다. 선생 몰래 교실을 빠져나오려는데 선생이 이명서! 하고 불러세웠다. 어디 가냐고 물었다. 병원에 가야 한다고 했다. 선생이 어디가 아픈데? 다시 물었다. 몸이 아팠던 것도 병원에 가려고 했던 것도 아니었다. 그저 서클에서 빠져나가고 싶었을 뿐이다. 어디가 아프냐고! 선생이 다시 물었다. 대답이 궁했다. 우물쭈물하다가 나도 모르게 마음이 아프다고 했다. 내 치기 어린 답변에 나조차도 어이가 없었다. 이건 완전 웃음거리가 되겠군, 생각했다. 운동장 열 바퀴나 스무 바퀴 감이군. 사진반을 담당하던 선생은 과학선생이었다. 수업시간에 거슬리는 학생이 있으면 포복을 시키는 건 보통이고 엉덩이를 내리치거나 뙤약볕 내리쬐는 시간을 골라 운동장을 지칠 때까지 돌게 했다. 체념하고 불호령을 각오하고 있는데 선생의 반응이 뜻밖이었다. 마음이 아프다구? 선생이 안경 너머로 물끄러미 나를 건너다보았다. 어서 다녀오너라. 다음 시간에 늦지 말구.

혼자 학교를 빠져나와 뒷산으로 올라갔다. 거기 주인이 없을 것 같은 무덤 위에 누워서 하얀 뭉게구름이 섬처럼 떠다니는 하늘을 바라보다가 얼른 다시 서클로 돌아왔다. 이후에 한 번도 그 서클에

나가는 것을 빼먹지 않았다. 항상 내 성적을 곤란하게 만들었던 과학공부에 몰두하기까지 했다. 학교 뒷산의 묘지에 올라 하늘에 떠가는 하얀 뭉게구름을 바라보다 내려왔던 그 시간이 없었다면 나는 카메라를 다시 아버지에게 돌려주었을 것이다.

　오늘은 대규모의 시위가 있다. 아침에 눈을 뜨자마자 신문지를 돌돌 말아 쓰레기통에 던지려다가 두 마리 개 사진이 눈에 띄어 펼쳐보았다. 길에 버려진 개 두 마리 이야기. 두 마리 중 한 마리는 앞을 못 보는 개였다고 한다. 길을 걸을 때면 눈 밝은 개가 항상 뒤에서 앞 못 보는 개를 보호하며 다녔단다. 건널목을 건널 때나 갈증이 나 물을 마실 때면 앞 못 보는 개를 먼저 앞세우고 지켜보았다고. 힘겨울 때면 두 마리의 개는 서로 머리와 머리를 얹거나 배에 머리를 의지한 채 쉬기도 한다고. 앞 못 보는 개가 걸음을 떼지 않으면 뒤에서 따라가던 개도 걸음을 멈추곤 했단다.
　훈련을 받아서인가, 본능인가?
　앞 못 보는 동료를 위해 스스로 길잡이 역할을 하는 개는 존재하지 않는다고 한다. 그럼에도 존재하는 이 개는 무엇을 뜻하는가. 폭풍우가 치는 나날들. 학교에 길거리에 눈이 가려진 채 내던져져 있는 느낌이다. 서로 머리와 머리를 맞대거나 서로의 배에 서로의 머리를 의지한 채 쉬기도 한다는 두 마리의 개 사진을 한참 들여다보았다.

—갈색노트 1

2. 물을 건너는 사람

수업시간 두 시간 전에 신발장에서 운동화를 꺼내 신고 길을 나섰다. 학교까지 걸어가야겠다. 옥상에 내놓은 토분 속에 담겨 있는 엄마 묘소에서 파온 흙을 잠깐 들여다보았다. 거기에 무슨 꽃을 심을까를 생각하며 옥상의 계단을 내려왔다. 지도를 꺼내 길을 체크해뒀는데도 내 방에서 학교까지 가는 길은 낯설고 구불구불했다. 길이 막혀 걸어온 길을 다시 돌아서 육교를 건너게 되기도 했다. 육교 위에서 난간을 짚고 휘휘 둘러보니 세상이 달리 보였다. 아래서는 보이지 않던 사물들의 지붕과 꼭대기와 큰길로 이어지는 작은 골목들이 보였다. 빌딩의 창문들, 자동차들, 쓰레기통들, 옥상들, 가로등 갓들, 목욕탕 굴뚝, 그리고 까마득하게 보이는 오가는 사람들의 머리꼭지들.

가로수로 심어진 플라타너스나 은행나무, 도시의 거리에 수줍은 듯 조성되어 있는 작은 꽃길이나 손으로 그린 극장의 간판들은 바

라보는 각도가 달라지니 처음 보는 것처럼 낯설고 역동적이었다. 육교 위에서 올려다보는 하늘 또한 어지럽게 얽혀 있는 전선줄들 사이로 더 높이 끝간 데 없이 펼쳐졌다. 항상 육교를 올려다만 봤지 육교 위에서 아래를 내려다본 적이 없었다. 자동차들의 지붕은 납작할 뿐 위협적이지 않았고 내려다보이는 나무들은 잎사귀가 무성해 그 가지들이 빌딩의 유리창에 닿아 있기도 했다. 걷다가 예기치 않게 만난 터널 앞에 서서 터널 안을 기웃거렸다. 잠시 그냥 이 터널을 걸어서 통과해볼까? 싶은 마음이 들었지만 터널의 길이가 어느 정도인지 짐작할 수가 없었다. 사람의 보행이 가능한 길이라는 표시도 없었다. 나는 깊디깊어 보이는 어두운 터널 저 안쪽을 고개를 한껏 빼고 들여다보다가 돌아서서 버스정류장으로 걸어나와 학교 쪽으로 가는 버스를 탔다.

돌아온 학교의 분위기는 여전했다.

연극과의 연극쟁이들은 여전히 아무데서나 고도를 기다리는 표정들을 짓고 있었고, 사진과 학생들은 카메라 가방을 짊어진 채 다급히 뛰어가고, 눈썹을 그리고 머리를 틀어올린 국악과 학생들은 가야금을 든 채 새초롬한 표정으로 소극장으로 몰려갔다. 나는 학교 안으로 성큼 발을 내디뎠다. 매일 공연을 시작하기 직전의 들뜬 분위기를 풍기는 학교를 기웃거리며 안으로 들어갈까 말까 주춤거렸던 기억들이 오히려 망설이지 않고 학교 안으로 발을 성큼 내딛게 했다. 얼마간 낯이 익었던 과 남학생들도 내가 학교를 떠나 있는 사이 입영을 했는지 아는 얼굴이 드물었다. 동기인 여학생들 중엔 파마를 해 못 알아보겠는 얼굴도 있었고 화장을 시작한 이도 있었

으며 몸에 달고 다니는 액세서리의 가짓수가 더 많아지거나 눈의 모양이 달라진 여학생도 있었다. 나는 강의실을 향해 걸어가며 변하지 않은 것들, 도서관과 구내서점과 학교 안의 우체통, 자주 등을 대고 앉아 있었던 연못 앞의 나무의자들을 눈으로 짚어보았다. 일부러 후! 소리를 내며 숨을 내쉬기도 했다. 공기 속에 섞여 있는 가스 냄새도 여전했다.

돌아온 학교에서 듣게 된 첫 강의는 윤교수의 시간이었다.

공교롭게도 강의실을 찾아가보니 윤교수와 첫 대면했던 그 강의실이었다. 문을 열고 안으로 들어가 학생들이 모여앉아 있는 뒤쪽에 자리를 잡고 앉았다. 혼자 따로 앉지 않을 것, 이라고 다짐했었으나 바로 눈앞에 보이는 남학생의 등을 바라보는 일이 어색해 나는 곧 창가 쪽으로 자리를 옮겨앉았다. 복학생일까? 맨 뒷줄의 그와 그녀가 커플처럼 나란히 앉아 있었다. 그는 또래라기에는 성숙해 보였다. 처음 보는 얼굴인데도 이상하게 낯이 익었다. 키가 커서 몸을 의자에 구겨넣은 듯한 모습으로 옆자리 그녀의 얼굴을 거의 들여다보듯 하며 무슨 얘기인가를 주고받고 있던 그가 내 쪽을 쳐다보았다. 나는 얼른 손바닥으로 얼굴을 비비며 바로 앉았다. 그러나 곧 뭔가에 이끌려 다시 그들 쪽을 돌아다보았다. 고개를 거의 책상에 갖다대다시피 하고 그녀의 얼굴을 보려고 애썼다. 그녀가 풍기는 분위기가 나를 잡아당겼기 때문이다. 뺨이 책상에 닿았어도 나는 그녀의 얼굴이 어떻게 생겼는지 볼 수가 없었다. 검은 긴 머리가 앞으로 쏟아져내려 그녀의 얼굴을 거의 가리고 있었다. 그가 무슨 얘기인가를 할 적마다 그녀의 얼굴이 점점 더 수그려졌다.

―이명서.

　―예.

　윤교수가 출석을 부를 때에야 나는 그의 이름이 명서라는 것을 알았다.

　변하지 않은 것들은 오래전의 그 순간과 지금의 이 순간을 한순간에 섞어버린다.

　윤교수의 마른 체구도 일 년 전 도서관 앞의 돌계단처럼 변하지 않고 그대로였다. 창가에 서서 시위하는 학생들을 내려다보다 한순간 고통으로 일그러지던 윤교수의 깊고 예리한 눈도 그대로였다. 혼자 있을 때 일 년 전의 나를 생각하는 일은 어쩐 일인지 희미하고 어렴풋한 느낌이었는데, 강의실로 돌아오니 일 년 전의 내가 저기에 앉아 있는 듯이 선명했다. 학생들의 이름을 부른 뒤 대답을 확인하고 다시 다음 이름을 부르던 윤교수가 이명서를 부른 뒤엔 출석부에서 시선을 떼고 얼굴을 들었다.

　―자넨 지금 몇학기짼가?

　윤교수가 미소지으며 안경 너머로 그를 바라보았다.

　그가 머리를 긁적이며 웃었다. 쑥스러운 듯 짓는 웃음인데도 입가의 웃음이 눈가에까지 번졌다. 그가 웃는 모습을 보면 누구나 따라 웃게 될 것 같았다. 그가 그렇게 웃어도 그녀는 그 옆에서 여전히 고개를 숙이고 있었다. 나는 그녀의 이름이 알고 싶었다. 윤교수가 학생들의 이름을 호명하는 것을 주의깊게 들었다. 내가 놓친 것인가. 출석 체크가 다 끝나가도록 그녀의 이름은 호명되지 않았다. 윤교수가 출석부를 덮을 때 나는 그들 쪽을 다시 한번 쳐다보았다.

이명서. 나는 그녀 곁에 바짝 붙어앉아 있는 그의 이름만 노트에 적어두었다. 다른 사람의 이름을 노트에 적어보는 건 또 얼마 만인 지. 수업 도중에 나는 무심히 그들 쪽을 돌아보곤 했다. 그때마다 그가 곱슬머리라는 것, 선이 분명한 옆얼굴을 가졌다는 것, 수업 도 중에 계속 연필을 돌리고 있다는 것 들을 알아냈지만 그녀에 대해 서는 다른 무엇도 알아낼 수가 없었다. 그녀는 처음과 마찬가지로 얼굴을 들지 않은 채 똑같은 자세로 앉아 있었다. 검은 머리가 쏟아 져내린 사이로 그녀의 콧날이 언뜻 보였을 뿐이다. 알지 못하는 그 녀의 이름이나 눈동자가 집요하게 궁금했다. 그녀에게선 누구지? 하는 궁금증을 유발하는 분위기가 풍겨나왔다. 강의 도중에 윤교수 의 시선이 가끔 그녀에게 머물렀던 것도 그래서였을 것이다.

학기 초 첫 수업이라 강의는 이번 학기에 진행할 과목의 전반적 인 소개에 머물러 있었다. 주교재와 부교재를 알려준 다음 자신의 강의를 들을 때 주의해야 할 사항, 예를 들어 지각을 할 경우 수업 시작 후 십 분 이상 지나면 아예 강의실에 들어올 생각을 하지 말라 던가, 정기적으로 내야 되는 과제물을 세 번 이상 연속해서 제출하 지 않으면 자동으로 낙제 처리된다는 다분히 엄포에 가까운 말들이 이어졌다. 이런 이야기는 학기 초에 여러 교수들에게서 듣는 이야 기여서 학생들은 차츰 흥미를 잃은 얼굴이 되어갔다. 곧 수업이 종 료될 걸로 예상하고 미리 책상 위에 펼쳐놓은 노트며 필기구 들을 주섬주섬 가방에 넣는 학생도 있었다.

윤교수는 안경을 고쳐쓰고 창밖을 잠깐 응시했다. 교정의 집회장 에서 구호 소리가 일순간 강의실로 파고들었다. 일 년 전에도 같은

상황이었다. 윤교수가 강의실을 한번 둘러본 다음 말했다.

─자네들, 크리스토프라는 사람 이야기를 들어보았나?

크리스토프?

윤교수의 입에서 처음 크리스토프라는 이름이 나오자 내 머릿속에 떠오른 것은 고등학교 때 읽은 로맹 롤랑의 소설 『장 크리스토프』였다. 작곡가 베토벤의 일생을 소설화시킨 그 책은 열 권이나 되었다. 책읽기를 그닥 즐기지 않았던 사촌언니가 곁에 두고 읽는 유일한 책이어서 나도 함께 따라 읽었다. 절망 앞에 서면 더욱 적극적이 되던 주인공이 아직도 인상 깊게 남아 있다. 독일 라인 강변의 작은 도시에서 태어난 주인공 때문에 언젠가는 그 라인 강에 가보고 싶다는 생각을 하기도 했었다. 어떻게 이럴 수 있을까 싶을 정도로 주인공은 어떤 일에도 꺾이지 않고 악전고투하며 자기완성을 위해 앞으로 나아갔다. 주인공을 향한 존경심과 외경심이 동시에 일어 한 권씩 읽어낼 때마다 '장 크리스토프'라고 쓰인 그 노란 책을 가슴 깊이 품어보며 열렬한 감정에 휩싸였던 기억. 윤교수가 말한 크리스토프가 혹시 그 소설의 주인공을 말하는 것일까, 싶은 생각이 스쳤으나 들어본 적이 있다고 대답하기에는 확신이 없었다. 나는 등을 반듯이 세우고 윤교수를 주시했다. 윤교수와 우리가 강의실이 아니라 광야의 바람 속에 서 있는 것처럼 느껴졌다. 아무도 대답이 없자 윤교수가 다음 말을 이었다.

─내가 이야기하고자 하는 크리스토프는 중세 서양의 전설에 나오는 성인 이름일세. 여기 성당이나 교회에 나가는 학생 있을 텐데, 들어본 사람 없나?

한 학생이 망설이다가 손을 들었다. 그 학생은 손은 들었지만 막상 자신이 없는지 잘은 모르겠지만……이라고 머뭇거렸다.

─잘 모르겠으면 그럼 아는 데까지만 말해보게.

윤교수의 명쾌한 대꾸에 우리들 사이에서 웃음이 흘러나왔다. 손을 든 학생은 어렸을 때 주일학교 선생님한테서 들은 이야기라 기억이 희미하다면서, 예수님을 업고 강을 건너서 구원을 받은 사람 이야기인가요? 하고 오히려 윤교수에게 물었다. 윤교수는 고개를 끄덕였다. 학생이 자리에 앉자 윤교수는 목소리를 가다듬고 이건 전설이기도 하다네, 나직이 말하며 우리를 둘러보았다. 강의가 거의 끝난 줄 알고 책상 정리를 시작한 학생들이 고개를 들고 윤교수를 바라보았다. 윤교수는 두 손으로 교탁을 짚고 말문을 열었다.

─크리스토프 이야기를 해주겠네.

전해내려오는 이야기에 따르면 크리스토프는 가나안 사람이라네. 거인으로 알려져 있지. 힘이 장사였던 그는 무서운 게 없었어. 자신은 오직 이 세상에서 가장 강하고 위대한 사람에게만 봉사하겠다고 결심했지. 하지만 아무리 여기저기 떠돌아도 자신을 바칠 만한 위대한 인물을 찾을 수 없었다네. 모두가 그를 실망시켰지. 세부적인 이야기까지 다 하자면 장황해지니까 크리스토프의 생에서 가장 중요한 대목으로 직행하겠네. 자기 자신을 바칠 존재를 찾는 일에 지친 크리스토프는 실의에 빠져 어느 강가에 집을 짓고 그곳에 머물렀어. 강 저편으로 건너가려고 하는 여행자들을 건네주는 일을 하며 지냈다네. 기골이 장대하고 힘이 센 크리스토프는 겨우 삿대 하나만 지닌 채로, 강물이 아무리 불어나도 그 삿대로 강물을 헤쳐나

가며 사람들을 강 저편으로 건네주곤 했다네. 그에겐 그저 소일거리였지. 배도 없이 맨몸으로 사람들을 태워 건네주는 뱃사공 역할을 한 셈이라네.

세상의 모든 움직임이 정지하는 느낌이었다. 삼사십 명이 모여앉은 강의실에 있을 법한 잔기침 소리도 없었다.

—어느 날 밤이었어. 크리스토프가 깊은 잠에 빠져 있다가 희미하게 자신의 이름을 부르는 목소리를 들었다네. 이 한밤중에 누군가 싶어 문을 열어보았으나 아무도 없었어. 어둠뿐이었지. 문을 닫고 들어와 다시 잠자리에 들려고 하니 또 크리스토프! 하고 부르는 소리가 들렸어. 다시 나가보았으나 마찬가지로 짙은 어둠뿐이었네. 세번째 부르는 소리는 바로 곁에서 들리는 것 같았어. 사방을 둘러보았지만 아무도 없었어. 기이하게 여긴 크리스토프는 삿대를 챙겨들고 집 바깥으로 나가 강으로 갔지. 어둠 속의 강가에 한 아이가 서 있었어. 아이는 오늘 밤 안에 강 저편으로 건너가야 한다면서 크리스토프에게 강을 건네게 해달라고 부탁했지. 아이의 청이 간절해 크리스토프는 깊은 밤이긴 하지만 이깟 아이쯤이야! 여기며 아이를 어깨에 태우고 강물 속으로 들어갔다네. 그런데 크리스토프가 강물 속으로 들어가자마자 강물이 마구 불어나기 시작했네. 순식간에 장신의 크리스토프 키를 넘을 지경으로 강물이 범람했지. 뿐인가. 처음엔 가벼웠던 아이도 강물이 불어남에 따라 점점 무거워지기 시작했어. 아이라고는 믿어지지 않을 만큼 거대한 철근 같은 무게가 크리스토프의 어깨에 내려앉았지. 강물은 점점 더 불어나고 아이는 엄청난 무게로 그를 짓눌렀다네. 그토록 자신만만하던 크리스토프

는 처음으로 자신이 강물에 빠져 죽을지도 모른다는 두려움에 떨었어. 삿대로 겨우 균형을 유지해가며 아이를 어깨에 태운 채 불어난 강물을 헤치고 간신히 강 저편에 이르렀지. 강가에 아이를 내려놓으며 크리스토프가 말했네. "너 때문에 내가 죽는 줄 알았다. 너는 이리 작은데 너무 무거워서 마치 이 세상 전체를 내 어깨에 지고 있는 것 같았다. 여기 머물면서 지금껏 수많은 사람들을 강 이편으로 건네주었지만 너보다 더 무거운 사람을 실어나른 적이 없구나." 그 순간이었네. 아이는 사라지고 눈부신 빛에 둘러싸인 예수가 눈앞에 나타났지. 그러고는 이렇게 말했다네. "크리스토프! 그대가 방금 짊어진 건 어린아이가 아니라 바로 나, 그리스도다. 그러니 그대는 저 강물을 건널 때 사실은 이 세상 전체를 짊어지고 있었던 것이다"라고.

윤교수는 말을 끊고 학생들을 둘러보았다. 우리가 이야기를 제대로 알아들었는지 가늠해보는 것 같았다. 아니다. 어쩌면 윤교수 자신도 잊고 있었던 크리스토프를 재발견한 느낌을 가졌는지도 모른다. 잠시 침묵을 지킨 후 윤교수가 다시 입을 열었다.

─그럼 여기서 한 가지 질문을 던져보기로 하지. 지금 이곳에 있는 여러분 각자는 크리스토프일까, 아니면 그의 등에 업힌 아이일까?

수업이 끝나길 기다리는 부산한 움직임 속에서 한 방울의 빗방울처럼 시작되었던 윤교수의 이야기는 우리를 한낮에 쏟아진 소나기를 흠씬 맞고 있는 느낌 속으로 이끌었다. 누군가 굳게 닫아놓은 강의실 창문으로 여름이 지나가고 있는 청명한 햇살이 스며들었다.

윤교수가 넌지시 우리를 살폈지만 윤교수의 질문에 뭐라고 대답을 하는 학생이 우리 중엔 없었다. 햇살을 따라 집회장에서의 구호도 다시 우리들 속으로 파고들었다. 안경 너머 윤교수의 예민하고 부드러운 눈이 우리 하나하나를 응시하며 스쳐 지나갔다.

─여러분은 각기 크리스토프인 동시에 그의 등에 업힌 아이이기도 하다. 여러분은 험난한 세상에서 온갖 고난을 헤쳐나가며 강 저편으로 건너가는 와중에 있네. 내가 이 이야기를 한 것은 종교 얘기를 하고자 함이 아니야. 우리 모두는 이쪽 언덕에서 저쪽 언덕으로, 차안此岸에서 피안彼岸으로 건너가는 여행자일세. 그러나 물살이 거세기 때문에 그냥 건너갈 수는 없어. 우리는 무엇엔가에 의지해서 이 강물을 건너야 해. 그 무엇이 바로 여러분이 하고자 하는 문학이니 예술이니 하는 것들이기도 할 테지. 지금 여러분은 당장 그것이 여러분을 태워서 저쪽 언덕으로 건너가게 해주는 배나 뗏목이 되어줄 것으로 생각할 거야. 그러나 곰곰이 생각해보면 그것이 여러분을 태워 실어나르는 게 아니라 반대로 여러분이 그것을 등에 업고 강을 건너고 있는 것일지도 모르지. 이 역설을 잘 음미하는 학생만이 무사히 저쪽 언덕에 도착할 수 있는 것인지도 모르겠네. 여러분에게 문학이나 예술은 여러분을 태워 강 저편으로 건네주는 것만이 아니네. 여러분이 신명을 바쳐 짊어지고 나가야 할 필생의 일이기도 한 것이네.

그 순간엔 다른 생각에 빠져 있는 학생들은 없는 것 같았다. 윤교수의 목소리는 나직하고 건조하게 우리의 마음속으로 스며들고 있었다. 그 순간엔 누구도 강의실 밖을 내다보지 않았다. 강의실 뒷자

리의 그도 연필을 돌리지 않았다. 그녀도 가만히 얼굴을 든 채 윤교수의 이야기에 귀를 기울이고 있었다.

　—여러분은 각기 크리스토프들이네. 강 저편으로 아이를 실어나르는 자들이기도 하지. 거대하게 불어난 강물 속에 들어가 있는 운명을 지닌 자들이란 말이네. 강물이 불어났다고 해서 강 저편으로 아이를 실어나르는 것을 멈춰서는 안 되네. 강을 가장 잘 건너는 법은 무엇이겠는가?

　질문이었지만 질문이 아니었다. 윤교수의 목소리는 더욱 나직해지면서 힘이 가해졌다.

　—서로가 서로에게 크리스토프가 되어주는 것이네. 함께 아이를 강 저편으로 실어나르게. 뿐인가. 강을 건너는 사람과 강을 건너게 해주는 사람이 따로 있는 게 아니라네. 여러분은 불어난 강물을 삿대로 짚고 강을 건네주는 크리스토프이기만 한 게 아니라 한 사람 한 사람이 세상 전체이며 창조자들이기도 해. 때로는 크리스토프였다가 때로는 아이이기도 하며 서로가 서로를 강 이편에서 저편으로 실어나르는 존재들이네. 그러니 스스로를 귀하고 소중히 여기게.

　각자의 내부에서 싹트고 있는 신뢰가 강의실 안에 흘렀다. 가까운 곳에서 유리창이 깨졌어도 그 소리가 강의실 안의 온화한 침묵을 뚫고 들어오지는 못했을 것이다.

　—자, 젊은 크리스토프들! 오늘은 여기서 마친다. 아, 내가 타이핑을 할 줄 몰라 그러는데 여러분 중에 원고를 타이핑해줄 여유 있는 학생 있나?

　—……

―없는가?

크리스토프, 아이, 강물, 삿대, 운명, 우리…… 노트에 윤교수의 말을 따라 적고 있다가 어느 순간 그 행위마저 멈춘 채 윤교수의 이야기에 빠져 있던 내가 손을 들었다. 나도 모르게 올라간 손이었다. 윤교수가 잠깐 내 쪽을 주시했다.

―이름이?

―정윤입니다.

―정윤.

윤교수가 내 이름을 한 번 발음했다.

―고맙네. 끝나고 내 연구실에 들르게.

윤교수가 강의실을 나간 후에도 모두들 강의실 의자에서 일어나지 않고 한동안 앉아 있었다. 윤교수의 연구실로 가기 위해 내가 의자에서 일어났다. 의자를 뒤로 밀 때 바닥에 끌리는 소리가 강의실 안에 크게 울려퍼질 정도로 조용했다. 내가 일어나는 게 신호가 되어 학생들도 주섬주섬 책상 위의 책과 노트를 챙기며 움직였다. 다음 강의가 있는 강의실과는 반대방향에 있는 윤교수의 연구실을 향해 가다가 무심코 뒤돌아보았다. 그와 그녀가 저만큼에서 내가 지나온 느티나무 아래를 걸어오고 있었다.

그녀의 걸음걸이는 독특했다. 누구나 한번 보면 쉽게 잊을 수 없는 걸음걸이였다. 나는 멈춰 서서 초가을 하늘에서 쏟아지는 빛을 받으며 방금 내가 지나온 푸른 아름드리 느티나무 밑을 걸어오는 그녀를 바라보았다. 덩치 큰 느티나무 곁을 오가는 학생들은 많았다. 학생들은 느티나무 주변에서 둘씩 혹은 삼삼오오 모였다가 흩

어지기도 하고 혼자 남아 누군가를 기다리기도 했다. 그 많은 사람들이 동시에 움직이는데도 그녀는 내 눈에 들어왔다. 바로 곁에 그가 있는데도 그녀가 먼저 눈에 차올랐다. 가방을 어깨에 메고 책을 손에 든 채로 걸어오는 그녀의 얼굴을 나는 그때도 볼 수가 없었다. 그녀가 여전히 고개를 숙이고 있었기 때문에. 윗몸을 안으로 오므려서 둥글어진 어깨를 더 둥글게 말아 마치 자신의 심장을 들여다보고 있는 듯한 걸음걸이. 그런데도 그녀는 화사했다. 하얀 면재킷 아래 받쳐입은 짙은 푸른 바탕에 흰 잔꽃무늬 플레어 치마 때문인 듯했다. 그녀의 치마에 피어 있는 조그만 꽃들의 화사함은 전체적으로 그녀와 부조화를 이루며 도드라졌다. 그녀가 느티나무를 등지자 뒤에서 불어오는 바람결에 치마가 부풀어올랐다가 가라앉았다. 그녀가 다른 이들과 뭔가 다른 느낌은 그 치마에서부터 흘러나오는 것이기도 했다. 또래들은 잘 입지 않는 치마였다. 또래들은 대부분 면바지나 청바지를 입었다. 치마를 입는다 해도 그렇게 바람에 부풀어오르는 스타일의 치마를 입는 학생은 없었다.

그녀 곁의 그의 걸음걸이도 독특하긴 마찬가지였다. 그는 발을 땅에 붙이고 사는 사람이 아니라 허공을 걷는 사람 같았다. 그는 그녀 옆에서 한 발이 땅에 닿기 전에 다른 한 발을 허공에 올려놓는 것처럼 걸었다. 그녀가 땅속 어딘가로 꺼져들어갈 것같이 걷는다면 그는 금방이라도 바람에 실려 어디론가 사라져버릴 것 같은 느낌이었다. 나는 물끄러미 함께 걸어오고 있는 두 사람의 확연히 다른 걸음걸이를 바라보다가 돌아섰다.

윤교수의 연구실에 다다라 노크를 하려고 보니 연구실 문이 살짝

열려 있었다. 내가 문을 밀자 책이 쌓여 있는 안쪽의 칸막이 저편에서 윤교수가 얼굴을 들고 내 쪽을 바라보았다. 책상과 소파 사이에 칸막이가 있다고 생각했으나 책이 쌓여 저절로 칸막이 역할을 하고 있었다. 쌓여 있는 책 저편에 윤교수의 책상이 놓여 있었다.

　—들어오게.

내가 연구실 문을 밀고 안을 들여다보자 윤교수가 책상에서 일어났다. 쌓인 책들 위로 상반신이 드러났다. 손에 종이뭉치를 들고 있는 것도 보였다.

　—거기 잠깐만 앉아 있게.

윤교수가 뭔가 빠뜨리거나 정리할 게 있는지 다시 책상에 앉고 종이 넘기는 소리가 났다. 나는 소파에 앉지 않고 선 채로 연구실을 둘러보았다. 연구실은 단조로웠다. 책 이외에는 화분 하나, 액자 하나 없었다. 최대한 책을 많이 꽂기 위한 용도로 짜여진 기능적인 책장 안에 책이 빼곡하게 꽂혀 있을 뿐 달력이나 거울조차 걸려 있지 않았다. 손으로 만지면 부서져내릴 것 같은 오래된 책들은 책등이 뒤로 꽂혀 있어 제목이 무엇인지 알 수가 없었다. 그렇게 많은 책들이 제목을 볼 수 없게 꽂혀 있는 것은 처음 보았다. 호기심에 그중한 권을 뽑아보려 손을 뻗는데 노크 소리가 들렸다. 윤교수와 내가 동시에 문 쪽을 돌아다보았다. 문이 열리고 안으로 들어선 이들은 좀 전에 느티나무 아래를 걸어오던 그와 그녀였다. 그러니까 그들도 윤교수의 연구실로 오는 중이었나보았다. 윤교수가 연구실로 들어서고 있는 그와 그녀를 물끄러미 바라보다가 책상에서 일어나 소파 쪽으로 걸어왔다. 손에는 종이뭉치가 들려 있었다.

─지겹지도 않나? 이제 그만 마주치세.

말은 그렇게 하면서도 윤교수는 그를 향해 온화한 미소를 지어 보이고 있었다. 그 또한 윤교수가 뭐라든 강의실에서처럼 머리를 긁적이며 웃기만 했다.

─오늘은 친구를 인사시키고 싶어서 찾아뵀습니다.

─자네 하나도 모자라 친구를 데려왔단 말인가? 일단 앉게. 자네도 앉아.

윤교수가 책장 앞에 서 있는 나를 바라보았다. 처음 있는 일인데도 똑같은 순간과 마주친 것 같은 느낌이 들 때가 있다. 앉다보니 윤교수와 내가 나란히 앉고 그와 그녀가 맞은편에 앉는 구도가 되었다. 윤교수 편에 앉는 게 어색했지만 그녀와 나란히 앉는 것도 어색하긴 마찬가지였다. 그와 그녀는 서로의 그림자처럼 보여 누구도 두 사람 사이에 끼어 앉을 생각 같은 건 하지 못하게 했다. 이상한 일이었다. 그렇게 앉고 보니 언젠가 이렇게 앉아본 적이 있는 것 같은 기시감이 들었다. 그와 나의 시선이 처음으로 마주쳤다. 그의 윗눈썹은 숯으로 문질러놓은 것처럼 검디검었다. 빨려들 것같이 검었다. 그가 표정을 바꿀 때마다 먼저 눈썹이 움직였다. 그와 친밀하게 지내는 사람들은 그 눈썹의 움직임만 보고도 그의 기분이 어떤 상태인지 짐작하게 될 것 같았다. 그 눈썹 아래, 생각이 많아 보이는 그의 눈이 잠시 웃는 것 같더니 내 눈을 비켜가 그녀에게로 가 멎었다. 눈 아래의 광대뼈 안쪽에 콧날이 오뚝 서 있었다. 그때도 그녀는 나를 바라보지 않았다. 주머니 속에 손을 넣은 채였다.

─어렸을 때부터 같이 자란 친구인데 K대에 다닙니다. 지금 휴학

중인데 교수님 강의를 청강하고 싶어합니다. 허락받으러 왔습니다.

어렸을 때부터 같이 자란 친구라는 말에 단이의 얼굴이 스쳐 지나갔다.

—다니는 학교는 휴학중인데 말인가?

—네.

그가 대답했다.

—이름이 뭔가?

—윤미루입니다.

여전히 그가 대답하는데도 윤교수는 그녀를 보며 반문했다.

—미르?

—아닙니다. 미르가 아니라 미루.

윤미루. 나는 그 누구도 들리지 않게 가만히 윤미루, 윤미루, 라고 발음해봤다.

—왜 자네가 대답을 하나? 대변인인가?

그가 멋쩍게 웃었다.

—내 수업을 듣겠다는 이유가 있는가?

그녀가 얼굴을 들었다. 나는 그때야 윤미루의 얼굴을 볼 수 있었다. 윤미루는 눈을 깜박이더니 이내 고개를 숙였다. 검은 눈동자만 가득 차 있는 듯이 눈이 검었다. 고개를 숙이고 있었으나 반듯한 이마가 엿보였다. 콧마루는 좁고 오똑했다. 인중 아래 도톰한 입술 선이 뚜렷해서 윤미루의 얼굴 윤곽은 대체로 단아했다. 그뿐이었으면 누구든 윤미루를 하얀 피부를 가진 단아한 인상으로 기억하고 그만이었을 것이다. 어느 순간 주머니에서 나온 윤미루의 손을 보았다.

나는 움찔했다. 순간적인 반응이었다. 그녀의 손. 얼굴과는 대조적
으로 손등이 쭈글쭈글한 손. 물에 오래 담가놓아 피부가 불어서 쪼
그라진 형태였다. 검은 눈과 희고 맑은 피부로 인해 아름답게 느껴
지는 윤미루는 놀랍게도 노인의 손을 지니고 있었다. 내가 강의실
에서부터 윤미루의 얼굴을 확인하려고 했던, 그녀가 풍기는 누구
지? 싶은 궁금증의 실체, 잔꽃무늬 플레어 치마만으로는 다 설명되
지 않은 부조화의 핵심이 거기 있었다. 내 시선이 자신의 손에 와
닿는 것을 감지했는지 윤미루는 손을 슬며시 주머니 속에 다시 집
어넣었다. 윤교수도 윤미루의 손을 발견한 듯했다. 그녀의 손을 처
음 보고 내가 움찔했던 것처럼 놀라기는 윤교수도 마찬가지였다.
우리 사이에 잠시 어색한 침묵이 흘렀다.

　-손은 왜 그런가?

　윤교수가 윤미루에게 물었다. 나는 윤교수가 보는 것만으로도 고
통이 느껴지는 손을 지닌 사람을 바로 앞에 두고 손은 왜 그런가?
라고 물을 것이라고는 짐작하지 못했다. 윤미루가 주머니에서 손을
빼내어 가슴께까지 들어올리고 손등을 펴 들여다보았다. 윤미루가
그렇게 나올 줄 또한 나로서는 예상치 못했다. 윤미루는 마치 자신
의 손이 아니라 다른 사람의 손을 바라보듯이 쭈글쭈글한 손을 검
은 눈으로 빤히 응시했다.

　-화상을 입었습니다.

　윤미루의 목소리를 그때 처음 들었다. 그녀의 목소리는 맑고 또
렷했다.

　-물에 데었는가?

―아니요, 기름에요.

―뜨거웠겠군.

어쩌다가? 라고 묻지 않고 윤교수는 혼잣말하듯 말했다. 윤미루는 손등을 뒤집어 이번엔 손바닥을 들여다보며 네, 라고 대답했다.

―손이 그렇다고 그걸 자신의 표상으로 삼을 건 아니겠지?

옆에서 듣고 있던 내 가슴이 다 철렁한데 윤미루는 담담한 얼굴이었다. 오히려 윤미루 곁에 앉아 있던 그의 짙은 눈썹이 꿈틀거렸다.

그가 연구실 소파에서 상체를 일으켰다.

그는 윤교수와 윤미루의 대화가 더 진전되는 것을 막고 싶은 모양이었다.

―그럼 교수님, 승낙하신 걸로 알고 가보겠습니다.

윤교수가 고개를 들어 그가 아니라 윤미루를 응시했다.

―자네는 어디에 있으나 눈에 띄네.

어색한 침묵이 흘렀다.

―자네 손을 보기 전에도 자네는 눈에 띄었어. 처음 보는데도 자네는 광채가 났네.

―……

―손에서, 손의 상처에서 벗어나게.

―……

―손에서 벗어날 의지가 있으면 청강을 하고 그럴 마음이 없으면 내 시간에도 나올 필요 없네.

윤미루의 검은 눈이 윤교수를 쏘아보는 듯했다. 나는 그제야 윤미루가 풍기는 그 기묘한 분위기의 실체가 불안감이라는 것도 알아

챘다. 불안이 강화되어 윤교수에게 공격적이 될 것 같던 윤미루의 눈이 이내 흔들렸다. 흐트러지던 윤미루의 눈이 윤교수 옆에 앉아 있는 내게 와 머물렀다. 의문과 호소가 담긴 채 구원을 청하는 듯한 눈빛이었다. 나도 모르게 소파에서 상체를 반듯이 세우고 윤미루를 향해 손을 내밀었다. 윤미루의 검은 눈이 내가 내민 손을 응시했다. 그가 일어서며 윤미루의 손을 슬몃 쥐었다. 윤미루의 쪼글쪼글한 손이 그의 크고 강인한 손에 잡혔다. 그의 손안이 세상에서 가장 알맞은 장소인 듯 윤미루의 화상 입은 손은 그의 손에 쥐여진 채 보이지 않게 되었다.

─그만 가보겠습니다.

그가 연구실 소파에서 몸을 일으켰다. 그녀가 따라 일어섰다. 그녀를 앞세우고 연구실 문 쪽으로 걸어나가던 그가 뒤돌아보았다.

─정윤.

그가 내 이름을 정확히 발음했다.

─일 년 만이네.

그가 내 이름을 정확히 발음한 건 특별한 일은 아니었다. 나도 그의 이름이 이명서라는 것을 출석 체크를 하는 동안 알게 되었으니 그도 내 이름을 그 과정을 통해 알았을 것이다. 그런데도 그가 나를 정윤! 하고 불렀을 때, 일 년 만이네, 라고 말했을 때, 나는 그 두 사람과 이 도시의 길들을 함께 걷게 될 것 같은 예감이 들었다.

─고마웠어.

그는 내 대답을 기다리듯이 고마웠어, 라고 말하고도 연구실을 나가지 않고 서 있었다. 무엇이 고마웠다는 거지? 싶었지만 나는 고

개를 끄덕였다. 그제야 그는 윤교수를 향해 목례를 했다. 그의 큰 손에 흉터로 얼룩진 손을 잡힌 채 윤미루가 나를 보는 것도 같았다.

두 사람이 연구실을 나간 뒤에 윤교수와 나 사이에 잠시 정적이 흘렀다. 뭔지 모르게 윤미루에게 냉담해 보이던 윤교수는 깊은 숨을 한번 내쉬는 것 같더니 강의실에서 크리스토프 얘기를 해주던 모습으로 돌아왔다.

―자네는 타이핑 속도는 빠른가?

나는 대답 대신 웃었다.

―빠른가?

―……

―질문에는 웃지 말고 분명하게 대답하도록 하게.

잘 모르겠다고 하니 그럼 잘 모르는 부분은 빼놓고 얘기하라던 강의실에서의 윤교수 목소리가 생각났다. 뭐라고 대답해야 할지 모를 때 웃는 건 내 오래된 습관이었다. 그동안 누구도 내 습관을 지적한 사람이 없었다.

―빠른 편입니다.

―어느 정도인가?

―머릿속 생각을 손이 방해하지 않을 정도는 됩니다.

―그래…… 나는 열 손가락을 움직여서 타이핑을 하는 사람들이 부럽네. 익혀보려 했으나 내겐 너무 어려운 일이야. 나는 자네들이 흔히 말하는 독수리 타법이라네. 자네와는 반대로 손이 내 생각을 따라오지 못해. 타이핑을 해보려고 하면 저만큼 앞서간 생각이 뒤따라오는 손을 바라보고 있을 때가 많다네.

이렇게 말할 수도 있구나.

저만큼 앞서간 생각이 뒤따라오는 손을 바라보고 있을 때가 많다네, 라고 말하는 윤교수의 말투는 독특하고 낯설었지만 나는 그런 상황이 어떤 것인지는 알 수 있을 것 같았다.

시골집에서 보낸 무기력한 시간을 뚫고 이 도시로 돌아와야겠다는 생각이 든 건 단이와 함께 보낸 그 밤의 영향이었다. 헤드랜턴을 쓴 단이와 엄마 묘소에 갔던 그 밤, 시위를 진압하러 나온 동급생을 두들겨팬 후 혼란에 빠져 있는 단이에게 너는 나를 사랑하니? 라고 물을 뻔했던 그 순간에 나는 도시로 돌아가야겠다고 다짐했다. 그 다짐이 무기력과 상실감에 떠밀려 너는 나를 사랑하니? 라는 말을 하지 않도록 도와주었다. 나를 사랑하니? 라는 질문은 상대방으로부터 어떤 대답을 들어도 내가 너를 사랑하고 있을 때 해야 한다는 생각이 들었던 것이다. 엄마 묘소 앞의 흙을 한줌 손으로 뭉쳐가지고 온 그 밤의 결심에 의해 나는 이렇게 여기에 돌아왔지만 내 마음은 아직 이 도시로 돌아오지 못하고 어딘가를 배회중인 것 같은 느낌이었다. 타이핑을 할 때면 머릿속 생각을 앞서 나가거나 바로 뒤따르지 못하고 이미 탄생한 문장 뒤를 천천히 따라오는 늦은 손가락을 바라보는 윤교수의 마음도 그와 비슷한 것 아닐는지.

사촌언니 남편도 가끔 윤교수와 비슷한 말을 했다는 생각. 그가 일주일씩 이어지는 비행에서 돌아오는 날 저녁이면 어김없이 식탁에 올라오는 반찬들이 있었다. 쌀밥과 미역국과 굴비구이, 계란찜, 구운 김, 시금치와 숙주, 무 나물 같은 것들. 사촌언니 남편이 좋아하는 것들이었다. 그가 비행에서 돌아오는 밤에 셋이서 식탁에 앉

아 저녁밥을 먹는 일이 종종 있었다. 어느 날인가 비행에서 돌아온 사촌언니 남편이 저녁밥을 먹지 못할 정도로 몸살을 앓았다. 굴비를 구워 식탁에 내려놓고 병원에 가봐야 하는 거 아니냐고 걱정하는 사촌언니에게 그는 염려 말라고 했다. 비행기가 너무 빨라 몸이 먼저 집에 왔을 뿐이라고. 영혼이 비행기의 속도를 따르지 못해 지금 돌아오고 있는 중이라 몸살을 앓는 것일 뿐이니 영혼이 뒤따라 도착하면 나을 거라고.

윤교수가 내게 원고뭉치를 내밀었다.

─양이 꽤 많아. 부담스럽지 않은가?

─괜찮습니다.

─인쇄해서 수업교재로 쓸 것이네. 타이핑을 하다보면 자네 공부에 도움이 될지도 모르니 조금만 미안해하겠네.

윤교수의 야윈 손가락들이 내 눈 속으로 들어왔다. 원고뭉치 사이엔 작은 노트도 끼어 있었다. 어떤 페이지에는 작은 글씨로 메모한 포스트잇이 붙어 있었다. 윤교수는 책상 위에서 봉투를 가져와 원고를 그 안에 넣어주었다.

─노트에 있는 건 거기 써놓은 설명대로 원고 사이에 넣으면 되네.

사촌언니와 함께 살던 집 주인 딸은 나와 나이가 같았다. 그애는 상업학교를 다녀서 타자기를 갖고 있었다. 그애가 가지고 있던 것들은 수도 없이 많았을 텐데 내겐 그 타자기만 생각난다. 눈을 감으면 타자기 앞판에 붙어 있던 '크로바'라는 글씨가 선명하게 떠오를 지경으로 그 타자기가 갖고 싶었다. 이따금 주인집 딸애의 방으로

건너갈 일이 생기면 타자기 앞에 선 채로 손가락을 내밀어 자판을 탁, 탁, 탁, 쳐보곤 했다. 주인집 딸은 처음엔 내가 타자기를 만지는 걸 내켜하지 않았지만 내가 타자기에 애착을 보이니 나중엔 자판 치는 법을 알려주었다. 나는 그애의 타자기로 자판을 손에 익혔다. 자판을 두들길 때 나는 소리가 좋았다. 손가락을 움직여 탁탁 탁…… 치면 무슨 대답처럼 조용히 있던 자판이 튀어오르고 검은 잉크가 묻어 있는 글씨가 하얀 종이에 한 글자 한 글자 새겨지는 모습이 좋았다. 그애는 더 나중엔 사촌언니와 내가 살던 방으로 타자기를 옮겨와 쳐볼 수 있도록 해주었다. 타자기를 내 방으로 옮겨올 수 있을 때면 나는 벅차고 설레서 타자기가 엄마나 되는 듯 바싹 붙어앉아 있었다. 글씨를 처음 배우는 사람처럼 처음엔 종이 가득 가, 나, 다, 라, 를 치고 나는, 너는, 우리는, 을 수도 없이 반복해서 쳐보곤 했다. 내가 주인집 딸보다 타자를 더 잘 치게 되었을 무렵엔 고흐가 동생 테오에게 보낸 편지들을 옮겨 쳐보기도 했다. 사.랑. 하.는.테.오, 라는 말이 좋아서 시작한 일이었다.

　사랑하는 테오
　바르그의 『목판화 연습』을 열심히 공부하면서 그리고 또 그려. 인물 소묘 관찰이 꽤 좋아졌어. 나는 길이를 재는 법, 보는 방법, 윤곽선을 발견하는 방법을 알았고 고맙게도 이전에는 거의 불가능하게 생각되었던 것들이 이제는 점차 가능하게 되었어. 나는 삽으로 땅을 파는 사람, 즉 삽질하는 사람을 여러 가지 포즈로 다섯 번, 씨 뿌리는 사람을 두 번, 빗자루를 가진 소녀를 두 번 소묘

했어. 또 감자 껍질을 벗기는 흰 모자의 여인, 지팡이에 기댄 양치기, 마지막으로 머리를 두 손으로 감싸고 팔꿈치를 무릎 위에 놓고 난로 곁에 앉아 있는 늙고 병든 농부를 그렸어. 물론 이것으로 끝은 아니야. 두세 마리의 양이 다리를 건너면 뒤의 무리도 따르게 마련이지. 나는 반드시 땅을 파는 사람, 씨 뿌리는 사람, 경작하는 남녀를 쉬지 않고 그려야 해. 농촌생활에 속하는 모든 것을 면밀하게 그려야지. 다른 사람들이 그러했고 또 지금 그러하듯이 말이야. 나는 이제 더이상 자연을 앞에 두고 무력하지는 않아.

타이핑을 하다가 목판화 연습을 열심히 하면서 그리고 또 그린다는 문장을 오래 쳐다보기도 했다. 그리고 또 그렸기에 나는 이제 더이상 자연을 앞에 두고 무력하지는 않아, 라고 편지에 쓸 수 있었을 것이다. 나는 타이핑된 글을 접어서 단이에게 보내주었다. 그림 그리는 사람이 되겠다는 단이도 고흐처럼 그렇게 그리고 또 그리기를 바라면서. 그리 익힌 타이핑이 시간이 흘러 윤교수와 마주 앉게 해준 셈이다.

내 눈이 무심코 책등을 안으로 해서 꽂아놓은 책장 쪽에 가 머물렀다.

─저 책들이 왜 저렇게 꽂혀 있는지 궁금한가?

─네.

─서른셋이 되기 전에 세상을 떠난 저자들의 책이네. 한때 수집을 했었지.

서른셋이 되기 전에 세상을 떠난 자들……이라고 속으로 음미하

며 윤교수를 바라보았다.

─왜 하필 서른셋이냐고 묻고 싶은 모양이군. 글쎄 서른셋은 예수
가 십자가 위에서 돌아간 나이고 알렉산더가 거대 제국을 건설하고
죽은 나이지. 서른셋이 지나면 더이상 청춘이라고는 할 수 없지 않
을까. 요절이란 말도 서른셋이 되기 전 죽은 자들에게나 주어지는
것 아니겠나. 예술가들에겐 요절은 때로 영광이지. 그들의 작품이나
저작은 내게 연민과 경외심을 불러일으켰어. 관심이 있으면 가져다
봐도 좋아.

─고맙습니다.

윤교수가 칸막이처럼 쌓여 있는 책 너머 책상 쪽으로 걸음을 옮
기며 생각난 듯이 물었다.

─윤미루와는 아는 사이인가?

─오늘 처음 봤습니다.

윤교수가 나를 물끄러미 응시했다.

─고마웠네.

윤교수도 좀 전에 윤미루와 함께 연구실을 나가던 그와 똑같은
말을 건넸다.

─좀 전에 손을 내밀어줘서…… 나는 정면으로 바라보게 해줘야
한다고 생각했지 자네처럼 잡아줄 생각을 못 했어. 자네가 윤미루
를 향해 손을 내미는데 내가 부끄러워졌네. 자네 손을 잡지 않았어
도 윤미루는 어쩌 자네 때문에 손으로부터 벗어날 수 있을 것 같아.

윤교수는 책상 앞으로 돌아가 의자를 돌리고서는 등을 보이고 앉
았다. 야위고 고단해 보이는 등이었다. 나는 잠시 윤교수의 등을 바

라보다가 원고뭉치를 가방에 넣고 연구실을 걸어나와 가만히 문을
닫았다. 연구실 문에 붙어 있는 윤교수의 이름을 바라보다가 옆에
있는 카드를 외출로 돌려놓고 복도를 걸어나왔다. 천천히 걸어서
아름드리 느티나무 밑으로 가보았다. 어쩌면 거기에 그와 그녀가
있을지도 모르겠다고 생각했으나 그들은 보이지 않았다. 한 무리의
학생들이 바쁘게 스치고 지나갔다. 느티나무 아래 나무의자에 앉아
먼 하늘을 올려다보았다. 여름이 지나고 초가을로 가고 있는 하늘
에 아이스크림 같은 흰 구름이 둥실둥실 떠다니는 게 보였다. 어디
선가 불어온 바람이 느티나무 사이로 수수수 소리를 내며 지나가기
도 했다. 여기서 바라보는 풍경이 이런 모습이었던가. 공기 속에 가
스 냄새가 섞여 있는 건 여전했으나 담장용으로 심어져 있는 캠퍼
스의 주목이 이처럼 푸르러 보이기는 처음이었다. 저만큼 잔디밭에
강의실에서 봤던 학생들이 모여앉아 얘기를 나누고 있었다. 그들이
나누는 얘깃소리가 느티나무 밑의 내 귓가에까지 들려왔다. 강의실
에서의 크리스토프 얘기가 화제의 중심이었다.
　―자, 젊은 크리스토프들!
　누군가 윤교수의 목소리를 흉내내었다.
　―이 책의 제목에 대해 답변 좀 누가 해보게.
　모두들 그가 쳐드는 책 제목을 쳐다보았다. 문장론 시간의 교재
인 '예술이란 무엇인가'였다.
　―데모 안 하는 것!
　누군가 자조적으로 외치자 명랑한 분위기였던 사방이 일순 조용
해졌다.

─예술이 우리에게 무슨 필요가 있어? 돈을 버는 법도 취직하는 법도 가르쳐주지 않아. 그렇다고 연애를 어떻게 해야 잘하는지 알려주는 것도 아니잖아. 데모를 해야 하는지 말아야 하는지도 알려주지 않고 말이야!

　누군가 침울해진 분위기를 바꾸어볼 양으로 과도하게 목청을 높였으나 잔디밭의 분위기는 회복되지 않았다. 누군가 벌렁 뒤로 누워 하늘을 바라보며 말했다.

　─랭보는 말했지. 세상에서 제일 멋진 일은 값싼 술을 마시고 취한 채 해변에 드러누워 자는 것이라고.

　─그럼 술에서 깨어난 다음엔 무얼 할 건데? 무얼 할 수 있는데?

　─다시 값싼 술을 찾아 거리를 헤매는 거지.

　─대책 없는 녀석. 그런 철 지난 보헤미안의 포즈로 평생 살 수 있을 것 같아!

　'예술이란 무엇인가'란 책 제목을 들이밀며 윤교수 흉내를 내던 학생이 대꾸하다 몸을 일으켜 저편으로 뛰어가버렸다. 무심코 데모 안 하는 것, 이라고 대답했던 학생은 두 팔을 잔디밭에 짚고 무릎을 세우고 시위 소리가 들리는 쪽을 바라보았다. 나는 느티나무 아래서 몸을 일으켰다. 학교 안의 오래된 석조건물이며 새로 지어 엘리베이터까지 있는 신식 건물 사이를 오르내렸다. 학교 구조물 사이를 이렇게 열심히 헤매고 다녀보는 것도 처음이었다. 학생들이 많이 모여 있는 곳이면 가까이 다가가서 그들 사이의 얼굴들을 확인했다. 나는 처음에 내가 무엇을 찾아다니는지 알지 못했다. 내가 찾아다니고 있는 존재들이 그와 윤미루라는 것을 한순간 깨달은 뒤

나는 홀로 터벅터벅 걸어서 느티나무 아래로 돌아가 거기 오래 앉아 있었다. 학교 어디에도 그와 윤미루는 보이지 않았다.

　똑같은 꿈을 꾼다. 누가 부르는 것 같아 문을 열고 나가보면 켜켜
이 쌓인 어둠뿐이다. 나는 어둠 속에 내 발을 한 발 내딛고 그냥 서
있다. 미루에게 꿈 얘기를 했더니 미루는 내 손을 꽉 잡았다. 따라
가면 안 된다고 했다. 다음에도 같은 꿈을 꾸면 처음부터 문을 열고
나가지 말라며 마치 꿈을 마음대로 조절할 수 있는 것처럼 말했다.
미루가 진지한 얼굴로 안 나갈 거지? 라고 물으니 내가 마치 대단
한 꿈을 꾼 것처럼 느껴졌다. 네가 그 사람을 더이상 찾아다니지 않
는다면……이라고 내가 말하자 미루가 고개를 들고 내 얼굴을 응시
했다. 가책이 느껴졌다. 미래 누나를 저버린 듯한 기분. 결국 나는
미루에게 미안하다, 말했다. 더이상은 나도 너에게 그 사람을 찾아
다니자고 안 할게, 그러니 그냥 나를 내버려둬. 너조차 내 부모처럼
굴지 말아줘. 내가 묵묵히 듣고만 있자 미루가 목소리를 가다듬고
말을 이었다. 언니가 못 찾은 그 사람이 어찌 되었는지 행방을 뚜렷

하게 알지 못하면 나도 제대로 살아갈 수 없을 것 같아.

  학교에 가기 전 어느 날, 미루가 윤교수 책을 읽고 있었다. 벌써
육 년 전에 나온 책. 미루가 갑자기 이분 독신이시지? 라고 물었다.
독신이 혼자 산다는 뜻이라면 맞다고 하니 미루는 윤교수가 왜 혼
자 사는지 알 것 같다고 했다. 한 번도 본 적 없는 사람에게 미루가
그런 식으로 말하는 것이 낯설었다. 젊었을 때 펴낸 두 권의 시집을
제외하면 윤교수의 유일한 산문집인 미루가 읽고 있던 책은 사적
생활에 대한 언급은 일체 없는, 시에 대한 몽상들로 이루어진 책이
었다. 윤교수는 그 책을 낸 이후 십여 년 동안 새 책을 내지 않는다.
시집을 출간하지도 않는다. 두번째 시집 이후의 윤교수의 시를 읽
으려면 도서관에서 옛 잡지들을 뒤져야 한다. 미루가 윤교수를 두
고 독신이라고 표현하기 전까지는 나로서는 윤교수가 결혼하지 않
은 사람이라는 걸 생각해본 적이 없다. 분명 윤교수는 독신임에도
불구하고. 왜 그가 독신이라고 생각하는데? 내가 묻자 미루는 뭔가
를 본 분 같아, 했다. 미루의 말이 무슨 뜻인지 알아들을 수가 없었
다. 미루는 독백처럼 중얼거렸다. 뭔가를 본 이후로 잊을 수가 없었
을 거야. 나는 무엇 때문에 그런 말을 하느냐고 물었다. 아무런 맥
락 없이 글 속에 그림이 등장해. 미루가 윤교수의 책을 펼치더니 한
대목을 가리켰다. 구체적으로 화가의 이름이 밝혀져 있지는 않았
지만 그가 누구인지는 금방 짐작할 수 있었다. 아르놀트…… 내가 더
듬거리자 미루가 아르놀트 뵈클린……이라고 말했다. 곰곰이 생각
에 빠져 있던 미루가 윤교수의 강의를 듣고 싶다고 했다. 자기네 학

교도 가지 않으면서 남의 학교에서 강의를 듣겠다고? 의아했지만 나쁘지 않겠다는 생각이 들었다. 한번 그렇게 생각하자 윤교수의 강의가 미루를 변화시켜줄지도 모르겠다는 생각까지. 미루가 정상적인 학교생활로 돌아갔으면 좋겠다. 내가 그리 말하면 미루는 너야말로! 라고 반박한다. 미루가 점점 미래 누나 같아진다. 미래 누나가 찾아내지 못한 실종된 그 사람을 어떤 방법으로든 자신이 찾아내겠다고 한다. 이 세상에 없는 사람을 어떻게 찾아낸단 말인가. 미루로부터 그런 말을 들을 때마다 어찌해야 할지를 모르겠다.

오늘 윤교수의 강의시간에 정윤을 보았다. 나는 그녀의 이름이 정윤인 줄 알았는데 이름이 윤이고 성이 정이었나보다. 그동안 학교를 쉬었다가 이번에 복학한 듯. 예전과 달리 조금은 야위어 보였다. 정윤에겐 신입 때도 지금도 들뜸이나 기대가 느껴지지 않는다. 무슨 고민이 있는 걸까. 그녀는 나를 알아보지 못하는 눈치였다. 언젠가 앞서 걷는 정윤의 뒷모습을 보며 학교까지 걸어간 적이 있었다. 깊은 생각에 잠긴 채 걸어가는 사람의 뒷모습은 묘한 여운을 느끼게 한다. 정윤이 학교를 저 앞에 두고 걸음을 멈췄다. 학교에 들어가지 않고 바라보고만 서 있는 그녀의 뒷모습을 보며 나도 서 있었다. 정윤의 뒷모습들. 학교에서 에밀리 디킨슨을 홀로 읽고 있는 그녀의 뒷모습을 본 적도 있었다. 그녀는 고개를 숙이고 발로 바닥을 콕콕 몇 번 찧어보는 것 같더니 학교로 들어가는 반대편 길을 따라 내려가버렸다. 순식간의 일이었다.

그날 종일 그녀는 학교에 나타나지 않았다. 그녀가 학교에 휴학계를 냈다는 것도 나는 뒤늦게 알았다. 그녀는 늘 저만치 홀로 있었다. 생각해보니 말 한번 제대로 붙여본 적이 없다. 그녀가 대학 신입생으로 첫 학기를 다니고 있을 때 우리 모두 일영으로 MT를 갔던 날 밤. 그 많은 학생들 속에서 그녀는 유독 눈길을 끌었다. 지금도 잊지 않고 있다. 어깨까지 내려오던 검은 머리, 흰 셔츠 위에 입었던 검은 조끼, 눈처럼 희던 운동화, 고집스럽게 다문 입술. 모두들 강변에 둥그렇게 모여앉아 캠프파이어를 할 때 그 어떤 노래도 따라 부르지 않고 그저 타오르는 불꽃만 응시하던 그녀의 눈. 다음날 새벽 민박집에서 술에 취해 곯아떨어진 동기와 후배 들 틈에서 자다 깨어나 강가로 나갔다. 구토가 일어서 견딜 수가 없었다. 강가에 엎드려 끅끅거리고 있는데 어슴푸레한 물안개 저편에서 정윤이 모습을 드러냈다. 처음엔 방금 강물을 떠서 세수를 한 모양이라고 생각했다. 얼굴이 온통 물방울투성이였다. 혼자 있는 줄 알았다가 나를 발견하자 그녀는 화들짝 놀라며 고개를 숙였다. 세수를 한 게 아니라 강물 앞에서 울고 있었던 것 같다. 실컷 울고 난 사람의 퉁퉁 부은 눈이었다. 고개를 숙이고 나를 비껴가는 그녀를 따라갔다. 방금 전에 무릎을 꿇고 토하고 있었던 것까지 잊어버리고. 간밤의 캠프파이어 때 타다 남은 장작들이 쌓여 있는 곳에서 그녀가 걸음을 멈췄다. 타다 남은 검은 재들 위로도 안개가 내렸다. 그녀가 그 앞에 쪼그리고 앉았다. 나도 그 곁에 앉았다. 그녀가 무릎 위에 두 팔을 올리고 얼굴을 묻었다. 나도 그렇게 했다. 그녀가 묻었던 얼굴을 들어 괸 팔 위에 올려놓았다. 나도 그렇게 했다. 왜 나를 따라 해

요? 그녀가 안개 속에서 말했다. 웃게 하려고! 싱거운지 그녀가 안개 속에서 슬며시 웃었다. 나를 알아요? 아직은 몰라. 모르면서 어떻게 나를 웃게 해요? 그녀는 내게 또박또박 존댓말을 사용했다. 방금 웃었잖아. 그녀가 안개 속에서 나를 빤히 봤다. 여전히 눈이 퉁퉁 부어 있었다. 내가 강가에서 구토를 하고 있었던 걸 봤는지 그녀는 주머니 속에서 알약을 꺼내 내게 건네주고는 일어서서 안개 속으로 멀어져갔다. 고개를 푹 숙이고서.

―갈색노트 2

3. 우.리.는.숨.을.쉰.다

이 도시를 알기 위해 걷기로 한 것은 잘한 일이었다. 걷는 일은
스쳐간 생각을 불러오고 지금 존재하고 있는 것들을 바라보게 했
다. 두 발로 땅을 디디며 앞으로 나아가다보면 책을 읽고 있는 듯한
느낌이 든다. 숲길이 나오고 비좁은 시장통 길이 등장하고 거기에
는 나를 모르는 사람들이 말을 걸고 도움을 청하고 소리쳐 부르기
도 한다. 타인과 풍경이 동시에 있었다.

터널을 우회해 학교까지 가는 길을 발견한 다음부터는 걷는 일이
기쁘기도 했다. 어느 날 학교를 향해 걷다보니 또 터널 앞이었다.
어떻게 할까 생각하며 유심히 살펴보니 터널 옆으로 계단이 놓여
있었다. 그 계단을 따라 올라가보았다. 계단의 맨 꼭대기는 마을로
들어가는 길과 이어졌다. 그 길은 터널 맞은편에 닿아 있었다. 터널
위 비탈길을 따라 자리잡은 낡은 한옥이 늘어선 마을을 통과하는
길은 좁고 구불구불했다. 버스로는 일이 분이면 되었을 것이나 터

널 윗길을 택하면 이십여 분은 족히 걸어야 했다. 올라서고 내려서며 길을 걷다가 보면 계단으로 다시 이어지곤 했다.

터널 위 마을엔 이 도시에서는 볼 수 없는 풍경이 펼쳐졌다. 붉은 벽돌로 된 높은 굴뚝엔 목욕탕이라는 하얀 글씨가 큼지막하게 씌어 있었다. 크고 작은 옹기 항아리들을 파는 집이 늘 대문을 열어놓고 있었고, 사회과학도서관이라는 간판이 나타나기도 했다. 엄마 묘소에 있는 것과 같은 백일홍이 공터에 뿌리를 내리고 있기도 했다. 수령이 오래되었는지 엄마 묘소 것하곤 대볼 수 없게 둥치가 굵고 가지가 넓게 퍼져 있었다. 길은 그 사이로 끊어질 듯 이어졌다. 배낭을 멘 소녀 둘이 웃어대며 맞은편에서 걸어오면 옆으로 비켜줘야 할 만큼 좁은 길이 나타나기도 했다. 거기 사람들은 터널 아래 사람들과는 상관없이 느리게 살았다. 어깨 높이의 담장 위를 올려다보면 채반에 무를 썰어 말리고 있는 모습이 보였다. 푸른 플라스틱 화분에 줄맞춰 심어놓은 고춧대엔 고추가 빨갛게 익어 매달려 있었다. 이따금 때이른 소국을 심어놓은 화분이 대문 앞에 놓여 있기도 했다. 어느 길목에선 대문과 대문 사이에 나무로 짠 길다란 평상을 내다놓고 할머니들이 밀가루 반죽이나 늙은 호박 같은 것을 채썰고 있기도 했다. 내가 지나가면 다른 종의 사람을 보듯 하던 일을 멈추고는 가만히 바라보기도 했다. 처음엔 그 낯선 터널 위의 마을을 이리저리 살펴보며 걷느라 걸음이 더뎠다. 곧 그 마을을 십여 분 만에 빠져나올 만큼 친숙해졌다. 나중엔 내가 그 길에 있지 않아도 그 길이 나와 함께 있었다. 비가 내리면 담장 위에 올려놓았던 채반을 안으로 들여다놨을까? 생각하게 되었다. 그 길을 지나는 소녀들과 인

사를 나누는 소소한 기쁨도 누리게 되었다. 웃통을 벗고 땀을 흘리며 시멘트를 개고 있는 남자의 윗몸에 나 있는 러닝셔츠 자국이 힘겨운 노동을 상기시켜 고개를 숙이게도 했다. 학교에서 옥탑방으로 돌아오는 도중에는 오 분가량만 돌면 헌책방들이 나란히 줄서 있는 길을 통과해올 수 있다는 것도 알게 되었다. 그 길은 지하도를 건너서 야구경기장을 빙 돌아가야 했지만 나는 그 길을 택해 걸었다. 산더미만큼 쌓여 있는 헌책들을 보며 걷다가 쪼그리고 앉아 맨 밑에 깔려 있는 책 제목을 읽어보기도 했다. 그 길과 친해졌을 땐 이 도시의 길을 처음 걷기 시작할 때 가졌던, 가출해서 떠도는 것 같았던 감정상태가 누그러져 있기도 했다.

내가 이 도시에서 학교까지 걸을 수 있는 길을 탐색하는 거의 삼주 동안 나는 윤미루를 볼 수 없었다. 그 또한 윤교수의 강의시간 외엔 어디에 있는지 볼 수가 없었다. 강의실에 들어갈 때면 맨 먼저 그가 앉아 있나 확인하는 버릇이 생겼다. 처음 윤미루와 함께 앉아 있던 자리에 그 혼자 앉아 있었다. 언제나 같은 자리에. 강의가 끝나고 돌아보면 그는 홀연히 사라지고 없었다. 윤미루와 그에게 생긴 마음들을 다독이느라 가끔은 내가 어디쯤 걷고 있는지를 까마득히 잊어버리기도 했다.

내가 왜 그리 윤미루를 줄기차게 생각하는지 알 수가 없었다. 마음 한켠에 자주 윤미루가 어른거렸다. 윤교수 강의시간 외에 그는 대체 어디에 있는 것일까? 싶은 생각이 학교 이곳저곳을 두리번거리게 했다. 그에게 무슨 하고 싶은 말이 따로 있었던 것도 아닌데 나는 그러고 있었다. 나중엔 내가 궁금해하는 사람이 윤미루인지

그인지조차 분간할 수 없었다.

윤교수가 정리하고 내가 타이핑한 원고들이 마스터 인쇄되어 수업받는 학생들에게 한 부씩 배부된 날이었다. 그날은 그마저 강의실에서 볼 수가 없었다. 윤교수가 책자를 교탁에 쌓아놓고 학생들에게 한 권씩 집어가게 했다. 나는 내가 타이핑한 검은 글씨의 책자를 물끄러미 바라보다가 두 권을 더 챙겨 내 가방 안에 넣었다. 윤미루와 그를 생각하면서. 윤교수가 타이핑은 정윤이 한 것이네, 라고 말할 때 나는 무심코 그가 항상 앉았던 자리를 뒤돌아보았다. 강의실에 들어올 때 보지 못했지만 그사이 들어와 있을지도 몰라서. 그는 없었다. 타이핑은 정윤이 한 것이네, 라는 윤교수의 말을 그가 듣지 못한 것이 아쉬웠다. 단순히 타이핑을 했을 뿐인데도 인쇄되어 묶인 것을 보는 내 마음이 뿌듯했으니까. 완성된 책자의 맨 앞장엔 우.리.는.숨.을.쉰.다, 라고 씌어 있었다. 윤교수의 필체였다. 그래놓고 보니 그 책자의 제목이 우.리.는.숨.을.쉰.다, 로 여겨졌다.

폭력에 이로운 문장은 단 한 문장도 써서는 안 된다.

우.리.는.숨.을.쉰.다, 에 수록된 원고의 첫 문장이었다.

첫날 원고를 봉투에서 꺼내 그 첫 문장을 읽었을 때, 나는 등이 반듯하게 펴지는 느낌이었다. 그 문장을 종이를 갈아끼워가며 내 나이만큼 타이핑해봤다. 처음 옥탑방으로 윤교수의 원고를 가져왔던 때와 지금의 나는 달라진 것 같은 느낌이 들 정도로 나는 그 원고들을 타이핑하는 데 몰두했다. 이백자 원고지 안에는 윤교수가

직접 선정한 시와 소설을 중심으로 한 비평이 펼쳐져 있었다. 타이핑하는 일이 자네에게 도움이 될지도 모르니 조금만 미안해하겠네, 했던 윤교수의 말이 무슨 뜻이었는지 짐작이 갔다. 원고 사이에 끼어 있던 노트에 표시되어 있는 부분들은 원고의 부록 같은 것이었다. 원고에는 없는, 작품에 덧붙인 단상들과 짧은 메모들 중에서 원고와 이어졌으면 하는 부분에 화살표와 함께 포스트잇이 붙어 있었다. 일부러라도 찾아 읽어야 할 시들이 윤교수의 필체로 고스란히 적혀 있기도 했다.

나는 다음날 타자기를 빌려주는 곳을 찾아갔다. 종로의 서점에 나갔을 때 눈여겨봐둔 곳이었다. 대여할 수 있는 가장 짧은 기간이 한 달이었다. 타자기를 빌려 오른손에 들고 걸어오다가 얼른 버스를 탔다. 그 이후로도 학교에서 집으로 돌아오는 길에 이따금 버스를 타고 옥탑방으로 돌아오는 걸 서두르게 될 때가 있었는데, 어서 돌아가 윤교수의 원고들을 타이핑하고 싶은 충동이 강렬하게 일어날 때였다. 그 충동에 사로잡혀 있을 때는 십 분을 더 걸어 터널 위 마을을 통과해오는 일이나 오 분을 더 돌아 헌책방들이 늘어선 길을 지나오는 일이 불가능했다. 어느새 나는 버스 안에 올라 있었으니까.

타이핑을 막 시작했을 땐 한 글자라도 오타 자국이 남는 게 싫어서 한 글자만 오자가 나도 새로 종이를 끼우고 다시 타이핑을 하곤 했으나 점차 오타를 화이트로 수정해가며 진행시켜나갔다. 원고를 한 장 한 장 타이핑해나가는 일은 윤교수의 필체와 익숙해지는 일이기도 했다. 처음엔 이게 무슨 글자인가 싶어 이리저리 궁리하다

가 파악이 안 되면 표시해뒀다가 학교 도서관에 가서 책과 대조해보는 일이 잦았다. 윤교수에게 확인해보아도 되었으나 내키지 않았다. 윤교수에겐 어떤 질문도 하지 않고 온전히 타이핑된 원고를 가져다주고 싶었다.

밤에 원고를 타이핑하다 어깨가 아플 때면 창턱에 팔을 걸치고 바깥을 내다보았다. 낙산 밑의 촘촘한 아파트에서 쏟아져나오는 불빛을 응시했다. 사촌언니가 여기에 방을 얻게 한 것은 사촌언니가 살고 있는 곳과 가깝다는 이유에서였다. 나는 그 수많은 불빛들 속에서 저기가 언니네 집인가? 어림짐작하며 눈으로 따라가보다 하늘을 올려다보기도 했다. 하늘엔 별빛이 총총했다. 눈으로 별들을 제자리에서 떼어내 폭.력.에.이.로.운.문.장.은.단.한.문.장.도.써.서.는.안.된.다, 라고 써보기도 했다. 아주 멀리 남산 쪽의 타워를 주시하기도 했다. 한낮엔 별 느낌이 없던 타워는 밤이 되면 제 위치를 뚜렷이 드러내며 빛을 내뿜었다. 같은 자리에서 변하지 않고 빛나고 있는 무엇이 있다는 것은 그게 타워여도 든든한 느낌을 주었다. 낮에는 잊고 있다가 밤이 되면 무심코 타워 쪽을 바라보곤 했다. 구름이 짙은 밤, 구름이 타워를 가려버리면 더 자주 고개를 내밀어 구름이 걷히길 기다린 적도 있었다. 언젠가는 저 타워에 한번 올라가봐야겠다는 생각을 하기도 했다. 무심히 타워에 함께 올라가볼 사람으로 내가 윤미루나 그를 상상하고 있다는 것에 스스로 놀라기도 했다. 원고의 맨 마지막엔 학생들이 졸업하기 전까지 읽었으면 하는 책 스무 권의 제목이 빼곡히 적혀 있었다. 그것이 내가 타이핑한 마지막 원고였다.

우.리.는.숨.을.쉰.다, 를 받은 날 학교를 나서기 전에 나는 꽤 오래 지도를 들여다보았다. 옥탑방에 빨리 돌아가고 싶지 않았다. 내 방으로 돌아가는 가장 먼 길을 찾아내고 운동화 끈을 조였다. 원고를 타이핑하는 걸 마쳤을 때 그리 허탈해질 줄은 예상치 못한 일이었다. 걸음을 멈추고 버스를 탈 만큼 빨리 집으로 돌아가서 해야 할 일이 이젠 없었다. 아직 대여기한이 남은 타자기는 책상 위에 올려져 있었으나 다시 혼자 남은 것 같은 상실감이 밀려들었다. 이상한 일이었다. 그 상실감과 동시에 윤미루와 그에 대한 마음도 희미해지는 것 같았다. 그들을 향해 열려 있던 마음이 윤교수의 원고를 타이핑하는 기간과 맞물려 있다가 타이핑이 끝나자 떨어져나가는 듯한 기분까지 들었다. 내가 방으로 돌아가는 가장 먼 길로 택한 코스는 이 도시의 중심을 관통하게 되어 있었다. 번화해서 볼거리가 많고 복잡한 만큼 걸음이 더뎌 옥탑방에 늦게 도착할 것이라 여겼다.

시청 앞 지하도를 건너 프라자 호텔 쪽으로 걸어가 광화문을 돌아 안국동 쪽으로 해서 비원 앞을 지나 명륜동 쪽으로 돌아 혜화동 쪽으로 나아가려고 했다. 처음 걸어보는 길이어서 지도를 보며 머릿속으로 몇 번이나 체크를 해두었으나 시청 근처에 다다랐을 때 나는 더이상 앞으로 나아갈 수가 없었다. 시위대에 섞여 코리아나 호텔 유리문에 기대서서 어디로도 나아가지 못하고 있었다. 주변의 상점들은 모두 셔터를 내린 상태였다. 호텔 안으로 통하는 유리문도 굳게 잠겨 있었다. 종업원들이 안에서 소란스러운 거리를 내다보고 있었다. 호텔 몇 발짝 앞은 지하도였다. 혹여 지하도 쪽으로 가면 맞은편으로 건너갈 수 있을까 생각하며 그쪽으로 걸음을 옮기

는 순간, 한 무리의 시위대가 머리 위에서 터지는 최루탄을 피해 지하도 안으로 밀려들었다. 순식간에 떠밀려들어갔으나 지하도 안으로 통하는 셔터가 굳게 내려져 있었다. 더이상 어디로 나아갈 길이 없는데 위에서 사람들은 굴러떨어지듯이 밀려들어왔다. 어디로도 피할 길이 없었다. 셔터 앞에서 사람들이 사람들에 의해 겹겹이 쓰러지기 시작했다. 빠져나가야 한다는 생각조차 할 수 없는 상황이었다. 나도 누군가와 섞여 나뒹굴었고 내 위로도 누군가 엎어지는 걸 느낄 뿐 아무 생각도 할 수가 없었다.

정신을 차렸을 땐 덕수궁 못 미처 세실극장 뒤쪽이었다. 어떻게 그 지하도 계단을 벗어났는지 모를 일이었다. 얼마나 시간이 흘렀는지도 모른다. 쓰러져 있다가 겨우 몸을 일으켰다. 숨이 막혀오고 눈앞이 보이지 않았다. 무릎께에서 피가 흘러 바지가 젖어갔다. 실눈을 뜨고 지하도 위의 빛을 좇아 기신기신 발걸음을 뗐다는 생각만 났다. 숨을 쉬면 숨이 막히고 눈을 뜨면 눈물이 쏟아졌다. 숨을 참고 눈을 뜨지 않으려 하며 발길 닿는 대로 걸음을 떼어놨던 기억. 그리고 어딘가에 주저앉았던 느낌만 떠올랐다. 그로부터 또 시간이 얼마쯤 흘러갔다. 시멘트 바닥에서 몸을 일으켜 주위를 살펴보니 옆에 잔디밭이 있고 나무의자가 놓여 있었다. 나무의자로 몸을 옮기려니 무릎께에서 강렬한 통증이 느껴졌다. 피가 번졌다가 말라 있는 바지를 내려다보았다. 나무의자에 앉아 바지를 무릎에서 떼어보려고 했으나 피부에 들러붙어 떨어지질 않았다. 나는 무릎이 어떤 상태인지 확인하는 걸 포기하고 나무의자에 그냥 앉아 있었다. 거기에 또 얼마나 앉아 있었는지. 내가 맨발인 것도 발바닥에 잔돌

이 수없이 박혀 있다는 것도 가방이 없다는 것도 나중에야 알았다. 맨 먼저 가방 안에 무엇이 들었나? 를 생각했다. 우.리.는.숨.을.쉰. 다, 세 권이 들어 있지. 무릎으로 몰려오는 통증을 참아가며 긴 골목길을 걸어 도로변으로 나왔다. 시위의 뒤끝은 황폐했다. 그 많던 사람들은 어디로 몰려갔는지 보이지 않고 버려진 신발들, 내팽개쳐진 가방들이 길거리 여기저기에 흩어져 있었다. 눈에 보이는 것마다 혹시 내 것인가 싶어 살폈으나 아니었다. 내가 쓰러진 곳이 호텔 앞 지하도 안이니 그곳에 있을지도 모른다는 생각에 걸음을 옮기려는데 어디선가 산발적으로 구호 소리가 들렸다. 시위가 끝난 게 아니라 도로 한가운데서 뒤쪽으로 밀려난 모양이었다. 시위 군중이 몰려 있을 때는 겁에 질려 문을 굳게 닫아걸었던 호텔 유리문이 열려 있었다. 종업원들이 걱정스런 얼굴로 출입구 앞에 서 있었다. 물병을 들고 있던 종업원이 내게 물병을 내밀었다. 나는 그의 얼굴을 보지도 않고 물병만 받아 입에 대고 물을 마셨다. 지하도는 누가 청소해놓은 듯 깨끗했다. 눈으로 보아도 지하도로 통하는 계단에 아무것도 없는데 나는 아래까지 내려가보았다. 저편으로 건너갈 수 있는 통로는 여전히 셔터가 굳게 내려져 있었다. 무엇이 우리를 이렇게 저편으로 건너갈 수조차 없게 하는 걸까. 아무것도 찾지 못하고 다시 계단을 밟고 지상으로 올라오는 길은 무릎 때문에 힘겨웠다. 주저앉고 싶은데 전경이 내 앞을 가로막았다. 내가 광화문 쪽으로 나아가려는 것처럼 보였는지 막으려 들었다.

　─신발…… 가방.

　전경이 나를 빤히 바라보았다. 그의 눈빛도 붉디붉었다.

―저쪽으로…… 거기 가면 찾을 수 있을지도…… 흩어진 것들을 쓸어다 거기 쌓아놨으니까.

전경이 가리킨 저쪽은 호텔과 도로 사이에 나 있는 작은 공터였다. 무릎의 통증이 계속되고 있었다. 비척거리며 공터 쪽으로 걸어가려던 참이었다. 누군가 등뒤에서 정윤! 하고 불렀다. 돌아다보니 목에 카메라를 걸고 그가 서 있다. 폭풍처럼 시위가 휩쓸고 간 도시의 한복판에. 순간 내 머릿속은 텅 비어버린 느낌이었다. 그 충격을 무엇이라고 말해야 할까. 아버지가 엄마 묘소에 백일홍을 옮겨심어야겠다고 말했을 때 가졌던 느낌과 같은 것이었다. 나에겐 상상되지 않는 일. 아버지가 마당의 백일홍을 엄마 묘소에 옮겨심는 걸 지켜보면서도 실감나지 않았던 일. 백일홍이 제 그늘을 엄마 묘소 위로 차양처럼 드리울 때도 진홍색 꽃이 엄마 묘소의 푸른 떼 위에 나비처럼 나부껴내릴 때도 나에겐 마당의 백일홍나무가 거기로 옮겨심어져 있는 게 현실 같지 않았다. 나는 엄마 묘소에서 백일홍나무와 마주칠 때마다 마치 처음 보는 것처럼 응시하곤 했었다.

―정윤!

비현실과 마주친 것처럼 그를 보고 있자 그가 다시 한번 내 이름을 불렀다. 그가 거기 서 있는 것이 현실이라는 게 실감되자 그가 어디선가 비쳐드는 한 줄기 빛 같았다. 그 빛 속으로 그동안 부유하던 엄마의 죽음이 실감되며 상실감이 왈칵 밀려들었다. 예기치 않은 일이었다. 주머니 속에 엄마의 반지를 넣고 만지작거리며 다니면서도 실감나지 않던, 엄마를 다시는 만날 수 없다는 사실이 하필이면 이 상황에서 실감나다니. 엄.마.가.죽.었.다. 북을 울리며 누군

가 그 소식을 이제야 전하는 것 같았다. 다시 엄마의 손을 잡을 수 없다. 엄마의 아픈 몸 위에 포개어 잠들 수가 없다. 윤아! 부르던 엄마의 목소리를 들을 수가 없다. 나는 도시의 한복판에 선 채 두 손바닥으로 얼굴을 가려버렸다. 뜨거운 열기가 빠져나가고 몸이 차갑게 얼어붙었다. 나도 모르게 눈물이 흘러나오기 시작했다. 그가 성큼 내 곁으로 다가와 망설임도 없이 나를 안았다.

ㅡ무슨 일이야?

호텔 유리문 안에 우리를 내다보고 서 있던 종업원이 물병을 가져와 그의 손에도 쥐여주었다. 저쪽으로 가보라고 일러주었던 전경도 제자리로 돌아가다가 그와 나를 쳐다보았다.

ㅡ어디로 좀 가서 앉자.

그가 나를 안았던 팔을 풀고 손으로 내 어깨를 감쌌다. 대로변을 피해서 갈 길은 전경이 일러준 곳뿐이었다. 한번 터진 눈물은 쉴새 없이 뺨을 타고 흘러내렸다. 그만 울고 싶어도 마음대로 되지 않았다. 창피한 생각이 들어 내 어깨를 감싸고 있는 그의 팔을 풀어보려 했지만 그는 내 어깨를 꽉 잡고 놓아주질 않았다. 대로변의 빌딩들이, 골목의 간판들이, 벽들이, 보도블록들이 나를 구경하는 것 같았다.

ㅡ괜찮아.

그에게서 어깨를 빼려 하는 순간에도 눈물은 계속 흘렀다.

ㅡ내가 재밌는 얘기 해줄게.

그는 내 어깨를 풀어주지 않은 채로 엉뚱하게 라디오 방송에서 들었을지도 몰라, 하더니 이야기하기 시작했다.

—한 여학생을 짝사랑하는 순진한 남학생이 있었대. 별명이 낙수장이었어. 낙수장이 매일 학교에 가서 하는 일이 그 여학생을 찾으러 다니는 일이었어. 정작 다가가서 말 한마디 붙여보지도 못하면서 말야. 그 여학생이 다른 남학생이랑 열애중이었거든. 상황이 그래도 여학생을 향한 마음을 주체할 수 없었던 낙수장은 그 여학생을 늘 먼발치서 지켜봤어. 그러던 어느 날, 그 여학생이 남학생과 함께 도서관 앞의 잔디밭에 앉아 있는 걸 봤지. 두 사람 사이에 무슨 일이 있었는지 남학생이 여학생을 혼자 두고 가버렸어. 여학생이 혼자 남아 어깨를 축 늘어뜨리고 울고 있었지. 낙수장의 가슴이 너무 아팠어. 사랑하는 여자가 어깨를 축 늘어뜨리고 울고 있는데 가슴 안 아플 놈은 없거든. 낙수장은 용기를 내서 여학생을 위로해주기로 마음먹었어. 그때껏 제대로 말 한번 붙여보지 못한 낙수장은 일단 축 처진 네 어깨를 보니 내 가슴이 아프다……고 말해야지 생각하며 속으로 수없이 연습을 했어. 이 정도면 됐다, 싶었을 때 드디어 여학생 앞으로 나아갔어. 울고 있던 여학생이 무슨 일예요? 쏴붙이며 낙수장을 빤히 쳐다봤지. 낙수장이 얼른 대답한다고 한 말이 이랬어. 축 처진 네 가슴을 보니 내 어깨가 아프다……

내가 눈가에 눈물을 매단 채 그만 웃음을 터뜨렸다.

—웃었다!

그의 모습 속엔 청년과 소년이 동시에 들어 있었다. 그는 여러 사람이 함께 백 미터 달리기를 시작해 일등으로 마쳤을 때나 나오는 자세를 취하고 있었다. 나는 그의 목에 걸려 있는 카메라를 바라보았다. 그의 짙은 눈썹이 웃는 상으로 모아졌다. 그의 웃음은 가슴속

에서 뭉클거리며 끓고 있던 엄마에 대한 생각을 꿀꺽 삼키게 했다. 나는 방금 전까지 울고 있었다는 것도 잊어버리고 그를 바라보며 한번 더 소리내어 웃었다.

─또 웃었다!

내가 웃으면 그는 또 웃었다, 를 반복했다. 웃음이 셀 수 있는 것이라면 손가락이라도 꼽아가며 세어두고 싶은 모양이었다. 나는 그의 모습이 우스꽝스러워서 눈물이 흐르는데도 자꾸 웃음이 나왔다. 시위 뒤끝의 도시 한가운데서 그저 나를 웃게 했다고 기뻐하며 소리를 지르는 그를 무슨 일인가? 싶은지 오가던 사람들이 쳐다보았다.

─정윤이 웃었어요!

시위 도중에 상처 입은 보도블록들이, 빌딩의 유리창들이, 계단들이 기둥들이, 난간들이 이윽이 그와 나를 바라보았다.

─내가 정윤을 웃겼어요!

내게도 누군가를 저렇게 웃게 해주고 싶었던 적이 있었을까. 아버지의 얼굴이 스쳐 지나갔다. 시골생활을 잘못 보냈다는 생각. 엄마를 잃고 웃음을 잃은 아버지를 단 한 번도 웃게 해주지 못했다는 생각. 아버지 얼굴 위로 단이의 울적한 얼굴도 스쳐 지나갔다. 계속 흘러내리는 눈물을 손등으로 쓱쓱 닦아내며 나는 그제야 그를 살펴보았다. 그도 멀쩡한 모습이 아니었다. 청바지 끝은 축축하게 젖어 있었고 윗옷의 등 쪽이 찢겨 너덜거렸다. 웃음의 뿌리는 슬픔이기도 한 걸까. 웃는 동안에 나의 마음엔 서글프고 기쁜 감정이 동시에 머물렀다. 한 가지가 아닌 동시에 발생하는 여러 겹의 감정들. 나는 곧 웃음을 거두었으나 그 사이에 그와 나는 가까워져 있었다. 아무

것도 아닌 것 같은 유머가 뭔가 나아갈 길 없이 가로막히고 복잡하고 심각하게 여겨지던 내 상황을 그저 신발과 가방을 잃어버린 단순한 상황으로 만들어놓는 위력을 발휘했다.

─신발은 어떻게 된 거야?

맨발인 내 발을 그가 내려다보았다. 보도블록 위에 놓여 있는 내 발을 나도 내려다보았다. 양말까지 벗겨질 지경이었는데도 그 순간들이 낱낱으로 기억되질 않았다. 수많은 사람들과 함께 지하도 안으로 휩쓸려 넘어지고 엎어졌던 것밖에는. 잊고 있었던 무릎의 통증이 다시 느껴져 나도 모르게 발가락을 꿈지럭거렸다. 피가 배어나와 얼룩이 생긴 바지 무릎께를 그가 쳐다보았다.

─아프지 않아?

─아파.

─거리로 나오려면 무장을 단단히 했어야지. 신발끈 조이고 마스크 쓰고.

─시위하려던 게 아니야.

그가 물끄러미 나를 바라보았다.

─일단 저쪽으로 가서 신발 찾아보자.

─신발보다도 가방!

가방 안에 들어 있는 세 권이나 되는 우.리.는.숨.을.쉰.다, 가 떠올랐다. 가방을 잃어버린 걸 먼저 알았으면 아마도 그는 신발끈 조이고 마스크 쓰고 가방 같은 건 들지 말고……라고 말했을 것이다.

─정윤, 아주 거지가 됐구나.

그 순간의 나는 거지가 맞았다. 천원짜리 한 장 가지고 있지 않았

다. 그 순간의 나에겐 그뿐이었다. 나를 놀리는 듯하던 그의 표정이 슬몃 심각해졌다. 나와 같은 사람이 한둘이 아니었다. 골목으로 들어서서 작은 공터에 이르자 주인을 잃은 신발과 가방 모자며 양복 윗도리 같은 것들이 작은 산더미를 이루고 있었다. 가스와 물세례를 동시에 받아, 쌓여 있는 것들은 냄새를 풍기며 축축하게 젖어 있었다. 그제야 그가 내 어깨에서 팔을 풀고 나를 훑어보다가 다시 내 맨발을 내려다보았다. 이 도시는 예측할 수 없는 일들로 이루어진 곳이다. 이 도시의 한복판에서 누군가 내 맨발을 그렇게 빤히 바라보는 순간이 있을 줄은. 깨끗한 발도 아니고 깨지고 까이고 흙투성이인 맨발을.

　―울게도 생겼네.

　―신발 잃어버려 운 게 아니야.

　나도 모르게 꼬박꼬박 그에게 그게 아니란 말을 하고 있었다.

　―그럼 오늘 같은 날 뭐하러 이 도심에 나온 거야?

　―걸으려고.

　―걸으려고?

　그가 무슨 말인지 못 알아듣겠는지 잠시 나를 응시했다.

　― 가방 찾아야 돼.

　나처럼 어딘가로 피해갔던 사람들이 하나 둘씩 나타나기 시작했다. 처음엔 그와 나뿐이었던 곳에 잃어버린 물건들을 찾기 위해 사람들이 황망한 표정으로 모여들었다. 맨발인 사람들은 수두룩하고, 러닝셔츠 바람인 사람도 있고, 팔을 못 쓰겠는지 움켜쥐고 있는 사람도 있었다. 다들 누군가한테 뒤통수를 얻어맞은 표정들이었다. 나

는 그들 속에 섞여 다른 사람의 것들은 밀쳐내며 내가 잃어버린 것
들을 찾아보려 했다.

　―운동화지?

　―응.

　―하얀색이지.

　―그래.

　―가방은 긴 끈 달린 갈색.

　―어떻게 알아?

　―네 거니까 알지.

　네.거.니.까.알.지. 그가 방금 했던 말이 소나기처럼 귓가에 남았
다. 그는 곧 내 운동화와 가방을 찾는 일에 몰두했다. 그의 목에 매
달린 카메라가 출렁거렸다. 그가 무슨 생각이 났는지 목에 걸린 카
메라를 손에 들고 수북이 쌓여 있는 분실물들을 향해 셔터를 눌렀
다. 카메라를 목에 다시 걸려고 하다가 그는 내게 카메라를 건네고
는 다시 운동화 찾는 일에 몰두했다. 가방에서 빠져나온 필기구들,
모자며 손수건, 화장품 들이며 손톱깎이가 보이기도 했다. 안경다리
가 부러져 굴러다니고 허리띠가 눈에 들어오기도 했다. 구두에서
떨어진 굽들이 여기저기에 흩어져 있었다.

　―여깄다!

　그가 수많은 가방들 속에서 용케 내 가방을 찾아내 들어올렸다.
가방에 달려 있던 장식이 떨어져 달랑거렸다. 그가 젖은 가방을 윗
옷 자락으로 쓱쓱 닦아 내게 내밀었다. 닦는다고 해서 더럽혀진 게
닦이지 않는데도 그는 닦아보려고 했다. 나는 그가 건네주는 가방

을 받아 품에 안았다. 그는 다시 신발을 찾기 시작했다. 흰색 운동화 같은 것은 없었다. 흰색이었다 하더라도 그사이 아마 색깔이 변해버렸을 것이다. 내가 신고 다닌 운동화는 아무런 특징도 없는 걷기 편한 운동화였다. 찾아내도 당장 신을 수도 없을 거란 생각. 쌓여 있는 신발들은 물에 젖어 축축했다. 내 신발 찾는 일에 몰두해 있는 그를 물끄러미 보았다. 이 도시는 예기치 않은 일들로 이루어진 것이 사실이라 여겨졌다. 학교에서 그토록 찾아다녀도 보이지 않더니 이 거리에서 갑자기 만나다니. 내가 그만 찾자고 해도 하나하나 더 살펴보던 그는 낭패한 얼굴로 내 맨발을 내려다보았다. 그사이 어스름이 찾아와 가로등 불빛이 그의 얼굴을 비추었다. 그가 내 손에서 카메라를 받아들더니 다시 처음처럼 목에 걸고 나를 향해 등을 내밀었다.

—업혀.

—……

—무릎도 아프잖아.

나는 무릎이 깨졌다고 그에게 말하진 않았으나 계속되는 통증을 꾹 참고 있는 중이었다.

—가방은 어깨에 메고.

—……

—안 업혀?

그가 등을 내밀고 앉은 채로 얼굴만 내 쪽으로 돌렸다.

—걸을 수 있어.

—그 발로?

—걸을 수 있어.

—고집쟁이구나.

그가 무릎을 굽힌 채 내 쪽으로 뒷걸음질해 나를 업으려 해서 나도 뒷걸음질쳤다.

—걸을 수 있다니까…… 자, 봐봐!

나는 성큼 잃어버린 것들을 찾으려고 들어섰던 골목을 향해 발을 내디뎠다. 발바닥에 난 무수한 상처들이 일제히 통증을 동반하고 몰려들어 무릎을 휘청이게 했다. 무릎의 상처에 들러붙어 있던 바지가 떨어지면서 지혈되었던 피가 다시 흘러내리는 듯했다. 아니나 다를까. 바지 위로 다시 피가 배어나왔다. 뒤에서 내 불안한 모습을 바라보던 그가 다시 내 앞으로 와서 등을 내밀었다.

—그냥 업혀, 정윤!

그가 내민 등 쪽으로 찢어진 셔츠의 사이가 벌어졌다. 그의 단단한 등뼈의 형태가 선명히 드러났다. 강인하고 또렷한 등뼈의 선은 골짜기를 연상시켰다. 불현듯 손으로 그의 등뼈를 따라가보고 싶었다. 나 하나쯤은 가볍게 답삭 업고 이 도시를 내달릴 수 있을 것처럼 산뜻하게 그의 단단한 등뼈는 내 앞에 놓여 있었다.

—그럼, 신발가게까지만.

—알았어, 거기까지만.

나는 그의 등에 업혔다. 그의 말대로 가방을 옆으로 메고서. 손을 뻗어 매만져보고 싶었던 그의 등뼈가 나를 안전하게 받쳐주었다. 그가 나를 업고 대로변을 향한 보도블록에 발을 내디뎠다. 나는 그의 등뼈에 닿는 내 가슴과 배가 신경쓰였으나 그는 아무렇지도 않

은 듯했다. 그는 흔들림 없이 앞으로 나아갔다. 내가 팔을 뻗어 그의 목을 감았다. 어색하고 불안한 자세가 편안해졌다. 내 두 맨발이 그의 허벅지쯤에서 흔들거리는 게 보였다. 아주 어렸을 적에 엄마 등에 이렇게 업혀보았다는 생각. 나는 엄마 냄새라고 생각했는데 그 냄새는 땀냄새이기도 했었다는 생각. 그 든든하고 아늑한 엄마의 등에 코를 묻고 살풋 잠이 들었던 기억. 찢어진 그의 셔츠가 내 배에 닿아 있겠지. 나는 그의 등에 뺨을 묻고 싶은 충동을 누르고 공터를 뒤돌아보았다. 주인을 잃은 신발과 가방과 윗옷과 소지품들이 가로등 불빛 아래 아무렇게나 흩어져 있었다. 어떤 혼돈 속에서 나 혼자만 빠져나가는 느낌이었다. 보이지 않는 누군가에게 미안하고 보이지 않는 누군가 때문에 마음이 무거워지려 했다. 신발가게까지만, 이라고 했지만 신발가게를 찾으려면 어느 쪽으로 가야 할지는 그도 나도 알 수 없었다. 그가 걷다가 만나지면, 이라고 말했다.

—안 만나지면?

—걱정 마. 집까지 데려다줄게.

시위 때문에 버스가 끊겨 우리는 그렇게 걸을 수밖에 없었다. 그는 우리가 처음 만났던 곳에서 잠시 주춤거리더니 집이 어느 쪽이야? 물었다.

—동숭동.

—동숭동 살아?

—응.

—만날 수도 있었네.

104

―거기 살아?

―아니, 미루가 예전에.

윤.미.루.

그로부터 미루라는 이름을 듣는데 날이 어두워지고 느닷없이 소나기가 내릴 때같이 마음에 검은 휘장이 쳐지는 느낌이었다.

―지금 윤미루는 어딨어?

―……

―어딨어?

나는 나를 업고 있는 그에게 윤미루의 언니라도 되는 양 윤미루의 소재를 연신 묻고 있었다. 그가 잠시 숨을 고르는 것 같더니 대답은 않고 나를 받치고 있는 양손을 추슬렀다.

―지하도를 건너야겠지?

그는 윤미루 이야기를 하고 싶지 않은 것 같았다.

―건널 수 없어. 셔터를 내려놨어.

나는 그의 등에 업힌 채 신호등 앞에 섰다. 차가 지나다니지 않는데도 신호는 차례로 바뀌었다.

―윤미루는 어딨어?

―미루는 섬에 다녀왔어.

―섬?

그가 윤미루 이야기를 꺼내려 할 때 한 무리의 시위대가 어두운 골목에서 대로변으로 우― 몰려나왔다. 우리는 잠시 그들 속에 섞여 있었다. 누군가 우리를 툭툭 치고 지나가기도 했다. 뭐야? 질책하는 눈으로 바라보기도 했다. 나를 내려놔주었으면 좋겠으나 그는

더욱 팔에 힘을 주고 그대로 서 있었다. 시위대가 우리 사이를 파고들었다가 흩어진 건지 우리가 그들 사이로 파고들었다가 남겨진 건지 모를 시간이 짧게 흘러갔다.

그가 다시 길을 잡고 걸었다. 그가 나를 받친 손에 힘을 주었다. 신발가게를 찾는 일은 겨울 산에서 봄꽃을 찾는 격이었다. 건물들의 일층에 자리잡고 있는 대부분의 상점들은 굳게 셔터를 내리고 있거나 유리문을 잠근 채 불을 꺼놓고 있어 안이 들여다보이지도 않았다. 식당 앞에 놓여 있던 메뉴판이 넘어져 있었다. 자동차 전시장에서 흘러나오는 희미한 불빛이 반갑기조차 했다. 어쩌다 한낮에 이 도심을 걷게 될 때마다 거리를 메우고 있는 사람들을 보며 이 사람들은 이 시간에 일을 안 하고 왜 다 여기에 나와 있는 것일까? 궁금했는데 그것은 이 도시의 활기이기도 했던가보았다. 인적이 드문 도시의 거리는 죽은 도시 같았다. 시위대 속에 뒤섞였다가 벗어나는 사이에 그와 나 사이에 퍼져 있던 열기도 가라앉아 있었다. 서글픈 침묵이 그와 나 사이에 흘렀다. 그가 한 발짝 앞을 향해 나아가면 매운 공기가 코끝에 맡아졌다. 산발적으로 시위대의 함성소리와 진압하는 쪽의 고함소리가 동시에 귀에 스며들었다. 어디선가 물대포가 터지는 소리에 내 등이 곧추세워지기도 했다.

우리는 굳게 문을 닫은 신문 가판대 앞을 지났다.

―이 시대에 우리는 무엇을 할 수 있을 것인가.

그가 윤교수처럼 중얼거렸다.

―너는 무엇을 하고 싶어, 정윤?

가방 속의 우.리.는.숨.을.쉰.다, 를 떠올렸다.

—인생의 맨 끝에 청춘이 있어야 한다는 생각을 할 때가 있어.

나는 해보지 않았던 생각이다.

—그러면 어떻게 될까?

—지금의 우리 얼굴이 노인의 얼굴이겠지.

그의 늙은 얼굴도 나의 늙은 얼굴도 상상이 되질 않았다.

—누군가 약속을 해주었으면 좋겠다. 의미 없는 일은 없다고 말이야. 믿을 만한 약속된 무엇이 있었으면 좋겠다. 이렇게 쫓기고 고독하고 불안하고 이렇게 두려움 속에서 보내고 나면 다른 것들이 온다고 말이야. 이러느니 차라리 인생의 끝에 청춘이 시작된다면 꿈에 충실할 수 있지 않을까?

우리는 한 대의 버스도 보이지 않는 버스정류장 앞을 지났다.

—그렇지 않아?

그가 나에게 부질없는 동의를 구하고 있었다.

—가장 젊은 얼굴로 죽음을 맞이하고 가장 늙은 얼굴로 지금 이 시간을 보내게 될 텐데, 그건 괜찮아?

그가 문 닫힌 주얼리 상점 앞에서 걸음을 멈추었다. 보이진 않지만 아마도 그의 짙은 눈썹이 꿈틀거리고 있었을 것이다.

—그 생각은 못 해봤어.

나도 인생의 끝에 청춘이 있다면 어떨까, 하는 생각은 못 해봤다. 나는 그에게도, 그 누구에게도 아닌 말을 중얼거렸다.

—다들 어떻게 견디고 있는지 궁금해.

말을 뱉어놓고 보니 단이의 얼굴이 떠올랐다. 그리고 또다시 윤미루의 얼굴도.

─못 견디니까 바리케이드를 치고 보도블록을 깨서 던지고 도망치고 붙잡히고 끌려가고 하는 거겠지. 견딜 수 없는 것은 이런 상황이 나아지지 않고 계속된다는 거야. 작년이나 올해나 달라진 것 없이.

─……

─너무 비슷해서 시간이 정지한 것 같아.

─어떻게 되길 바라는데?

─무엇이든 좀 달라지기를. 아무리 애를 써도 변하지 않으니까 무기력해져. 책들이라도 누가 다 훔쳐가 도서관에조차 책이 단 한 권도 없었으면 좋겠다는 생각이 들 때마저 있어. 학교가 폐쇄되어 학교에 가고 싶어도 갈 수 없기라도 했으면. 똑같아. 등장인물만 바뀌며 시간이 흘러가는 느낌이야. 친구들과 뿔뿔이 흩어지고 쫓기고 반항하고 또 쫓기고…… 서로 벽을 보며 외롭다고 몸부림쳐. 돌아앉으면 될 텐데 벽을 본 채로 말이야. 이런 시간이 계속된다고 생각하면 암담해. 지난봄에도 똑같이 이러고 있었으니까.

─……

─너를 만나지 않았으면 나는 아마 작년의 오늘과 지금의 오늘을 구별하지 못했을 거야.

그가 혼잣말하듯 중얼거렸다. 그러니까 정윤…… 오늘을 잊지 말자, 고. 그의 얼굴이 보고 싶어졌다. 정윤…… 오늘을 잊지 말자, 고 말하는 그의 얼굴을. 나는 어떤 대답도 할 수 없었다. 오늘을 잊지 말자, 고밖에 말할 수 없는 그가 느끼는 무력감은 나의 것이기도 했으니까. 어쩌면 우리는 그 무력감을 물리쳐보려고 이 도심에서 서로를 발견한 것에 과장된 의미를 부여하고 있는 건지도 모를 일이

었다. 그의 목을 두르고 있던 손을 뻗어 그의 뺨을 만져보았다. 그의 뺨을 시작으로 이마를 코를 인중을 입술을 턱을 귀를 손으로 하나하나 짚어보았다. 그리고 그의 꿈틀거리는 눈썹을. 그는 내가 하는 대로 내버려두었다. 내가 눈을 만질 땐 앞으로 나아가기가 불편한지 잠깐 걸음을 멈추기까지 했다.

─윤아.

그가 나를 정윤이라 부르지 않고 윤이라고 부르기는 처음이었다.

─……

─네가 거리에 나와 있을 줄은 몰랐어. 오늘은 우리 쪽도 진압하는 쪽도 아주 거칠었어. 무리를 잃어버려 두려워하고 있는 참인데 눈앞에 너가 서 있는 거야. 정말 너일 줄은…… 눈을 부비고 다시 볼 만큼 깜짝 놀랐어. 정말 너일 줄은…… 왜 여기 나온 거야?

그가 침울하게 물었다.

─오늘은 집에 일찍 들어가고 싶지 않았어. 집까지 가장 멀리 돌아서 가려고 했던 게 이리 되었어.

나는 그의 등에서 내 빈방의 책상 위에 올려져 있는 타자기를 생각했다. 탁탁탁…… 소리가 음악소리처럼 잠깐 귀에 머물렀다. 가끔은 왜? 라고 묻지 않는 것 그 자체가 고마울 때가 있다. 그는 왜 집에 빨리 가고 싶지 않았는데? 라고 묻지 않았다. 그가 왜? 라고 물으면 대답이 궁한 참이었다. 그는 깊은 숨을 들이쉬었다가 내쉬었다. 등에 업혀 있는 내 몸이 그의 숨을 느낄 지경이었다. 그의 숨이 내게 전해지는 순간 나는 그의 등과의 접촉에 예민해졌다. 그의 눈썹에 머물러 있던 손이 거두어졌다. 손등으로 따가운 눈가를 쓱

쓱 문질러 닦고는 다시 팔을 그의 목에 둘렀다. 그가 숨을 들이쉬거나 내쉴 때마다 내 가슴에 배에 느껴지는 긴장에 집중되었다. 그 긴장은 바다를 처음 봤을 때, 겨울밤을 보낸 신새벽에 마당에 눈이 하얗게 쌓인 것을 발견했을 때, 생기를 잃고 말라비틀어져 있던 포도덩굴에 봄기운이 퍼져 새순이 파릇하게 올라오는 게 믿기지 않아 손톱으로 덩굴을 긁어보았을 때, 어린애의 분홍 손톱을 들여다볼 때와 같이 싸한 기쁨을 동반하고 있었다. 여름이 지나가는 하늘에서 흰 뭉게구름을 보게 되었을 때나 달콤한 복숭아 껍질을 벗기다가 한입 베어물었을 때나 산길을 가다가 무심히 주운 잣방울 속에 꽉 들어찬 흰잣들을 보게 되었을 때와 같은.

나는 그의 목덜미를 감은 팔에 힘을 주었다. 그에게서 풍겨나오는 체취가 바로 코끝에 맡아졌다. 거기에도 가스 냄새가 배어 있었다.

―날마다 거리에 나와 있었던 거야?

―……

―그러느라 학교에 안 나온 거야?

―새벽에 눈을 뜰 때마다 생각해. 학교에 갈까? 거리로 나갈까? 학교에 있어도 마음을 잡을 수가 없고 거리에 있어도 마찬가지야. 뭔가에 떠밀리듯 거리로 나오지만 어느덧 오늘처럼 나 홀로 떨어져 있곤 하지. 어느 때는 눈을 뜨면 코를 푼 휴지를 휴지통에 던지면서 제대로 쓰레기통에 들어가면 학교에 가고, 안 들어가면 거리로 나가고 그랬어. 어느 때는 누가 찾아내주기를 기다리면서 방안에 틀어박혀 있기도 하고.

―……

110

―학교에 너가 있어서 가기도 했어.

나? 그의 목을 감고 있던 내 손목의 힘이 풀렸다.

―오늘은 네가 학교에 있어서 안 갔지만……

―……

―너를 만나면 붙들고 뭐가 긴 이야기를 해야 될 것 같았거든.

―……

―그런데 이 거리에, 바로 내 눈앞에 네가 있잖아. 얼마나 놀랐는 지.

―놀란 것 같지 않던데.

―맨발인 채로 대뜸 울기 먼저 해놓고 내가 놀랐는지 안 놀랐는지 는 어떻게 알지?

그의 냄새가 좋았다. 그 냄새는 윤미루는 지금 어디 있어? 묻고 싶은 것을 밀어넣게 했다. 그녀에 대해 알게 되는 것은 그를 알게 되는 것이기도 할까? 그가 윤미루 얘기를 하고 싶어하지 않는 것에 서 나는 불안을 느꼈다. 그에게서 윤미루의 이야기를 듣고 나면 어 쩐지 나는 그의 등에서 내려 상처투성이의 맨발을 내디디며 이 어 수선하고 혼란에 휩싸여 있는 도시를 홀로 걸어가야 될 것 같은 예 감. 나는 갑자기 윤미루에 대해 격렬하게 솟구치는 나의 궁금증이 두려워졌다. 그렇게 알게 되는 것들은 그와 나 사이를 가깝게 할까, 멀어지게 할까? 서로에 대해 알게 되는 것, 비밀을 공유하는 것이 서로의 관계를 가깝게 해준다고 여겼던 적이 있었다. 가까워지기 위해서 내키지 않는 비밀을 털어놓은 적도. 혼자만 간직하고 있던, 말로 꺼내기 어려웠던 소중했던 비밀이 다음날 아무렇지도 않은 일

이 되어 다른 사람들 입에서 입으로 전해지고 있는 것을 알았을 때의 상실감. 누군가에게 마음을 털어놓는 일은 가까워지는 게 아니라 가난해지는 일일 뿐인지도 모른다는 생각을 그때 했던 것도 같다. 누군가와 가까워지는 일은 오히려 침묵 속의 공감을 통해 이루어지는 것일지도 모른다는 생각도.

그의 등뒤에서 바라보는 도시는 거미줄처럼 엉켜 있었다. 셀 수 없이 많은 유리창을 달고 있는 빌딩들이, 줄지어 서 있는 가로등들이, 좁다란 골목들이, 어느 집 것인지도 모를 정도로 어수선한 간판들이. 차량이 통제된 거리인데도 신호등은 규칙적으로 바뀌었다. 누구 하나 올려다보는 사람이 없어도 대형 광고판은 휘황하게 허공에서 색색의 빛들을 쏟아냈다. 어느 골목을 들여다보면 끝이 어딘지 짐작할 수도 없게 어둠이 깊었다. 그는 나를 등에 업고 작은 건널목을 건너고 빈 공중전화 부스 곁을 스치고 육교 밑을 지나고 다시 신호등을 건넜다. 우리 두 사람 사이에 야릇하게 움튼 침묵은 오래갔다. 내 옥탑방이 있는 방향으로 길을 잡고 걸어가고 있지만 그나 나나 어디로도 갈 곳이 없는 사람들처럼 여겨졌다.

그렇게 이십여 분은 걸었을 것이다.

─저기서 좀 멈춰봐.

내가 그의 등뒤에서 손가락으로 가리킨 곳은 꽃집이었다. 셔터를 내리거나 영업을 포기한 듯 문을 반쯤만 열어놓고 있는 상점들 가운데 작은 꽃가게가 얼굴을 내밀 듯 문을 열어놓고 있었다. 옥탑방의 토분에는 엄마 묘소에서 한줌 떠온 흙덩이가 담겨 있었다. 나는 옥탑방을 나올 적마다 토분을 바라보곤 했다. 거기에 무엇을 심

어볼 생각으로 토분을 사온 것이었으나 무엇을 심어야 할지 몰라 그냥 두는 사이 흙덩이는 단단하게 메말라 있었다.

—왜?

—내 방에 토분이 있어. 거기에 저걸 심고 싶어.

꽃집 문턱에 나와 있는 푸른 것을 가리켰다. 관엽인 것 같았으나 나는 그것의 이름도 알지 못했다. 그의 등에서 내릴 구실을 찾다보니 그것을 지목하고 있었을 뿐.

—야자 잎사귀같이 생겼네.

그가 말한 대로 작아도 잎사귀는 야자 잎사귀였다.

—내려줘.

그가 꽃집 앞에 나를 내려놓았다. 토분 속에 들어 있는 흙은 한줌뿐이었다. 무엇을 심든 흙이 더 있어야 할 것이었다. 꽃집은 두 평도 되지 않았다. 눈여겨보지 않으면 거기에 꽃집이 있다는 것도 모를 것 같은 자리였다. 도심의 건물과 건물 틈에 끼여 있는 꽃집 안에서 안경을 쓴 아주머니가 의자에 앉아 바깥을 내다보고 있다가 우리를 보고는 몸을 일으켰다. 어디선가 꽁치 굽는 냄새가 옅게 맡아졌다. 그 주변 어느 골목에 생선구이를 전문으로 하는 식당들이 자리를 잡고 있는 모양이었다. 냄새를 맡으니 뱃속에서 쪼르륵 소리가 났다.

내가 안을 기웃거리자 아주머니가 나왔다. 그가 야자잎같이 생겼다고 말한 그 관엽의 이름을 물었더니 그 이름이 진짜 테이블야자였다. 꽃집 안에는 싱싱하게 피어오르고 있는 것들보다 시들어가는 꽃들이 더 많았다. 꽃이 지고 잎조차 시들고 있는 물봉선이며 물달

개비가 여기저기 아무렇게나 놓여 있었다.

—젊은이들도 시위하고 오는 중이야?

뭐라 대답을 못 하고 그와 내가 바라보자 이마에 깊은 주름이 팬 아주머니가 깊은 한숨을 내쉬었다.

—이 나라는 언제나 시위가 없어질까 몰라.

—……

—가게 문을 열 수가 없어. 문 닫는 날이 더 많은데다 공기가 나쁘니 싱싱한 꽃도 없어. 저걸 봐. 새 조롱에 새 두 마리를 길렀는데 어제 죽어버렸다구. 내 얼굴도 좀 봐. 이 나이에 여드름이 나서 가시질 않아. 허구한 날 가스 밴 공기를 마셔서 이래.

—……

—맘에 드는 게 있으면 그냥 가져가. 시들시들해 돈 받기도 그래.

꽃집 아주머니는 시무룩한 표정으로 내가 이름이 무어냐고 물었던 테이블야자를 플라스틱 화분째 봉지에 담아주었다.

—집에 가져가면 다른 화분에 옮겨심고 물 충분히 줘…… 시위 안 해도 되는 세상 물려주지 못해 미안해…… 미안하다구.

꽃집 아주머니의 뜻밖의 사과 말을 들으며 물끄러미 내 발을 바라보고 있던 그가 길 건너의 공중전화 부스 쪽으로 뛰어갔다. 건물과 건물 사이에 얼굴을 내밀 듯 존재하는 꽃집의 아주머니는 이 도시에서 만난 또다른 이방인이었다.

—고양이가 알을 낳는다는 것처럼 얼토당토않은 말로 들리겠지만…… 젊은이들이 옳지만…… 그래도 시위를 계속하면 우리도 하려고 해…… 시위 좀 그만하라고 시위하려고.

꽃집 아주머니가 쓸쓸하게 웃었다.

―젊은이들이 잘못한다는 게 아니라 우리도 이렇게는 못 살겠어
서 그래.

―……

먹고는 살아야 하니까…… 처음 만난 나에게 꽃집 아주머니는 사
촌언니나 되는 것처럼 달래듯이 말했다. 나는 이 돌연한 꽃집 아주
머니의 말에 어떻게 대꾸를 해야 할지 난감했다. 잘못한 것도 없으
면서 아주머니를 향해 고개를 숙이고 있었다. 어서 빨리 그가 와주
었으면 싶었다. 아주머니가 뭐라 할수록 나는 길 건너 어둠 속의 공
중전화 부스에 들어가 있는 그를 안타깝게 바라보았다.

―우리는 못 그랬지만 젊은이들은 다음에 좋은 세상 물려줘.

꽃집 아주머니는 우울한 얼굴을 펴지 않은 채 꽃집 문을 닫아걸
었다. 방금 전에 누구의 얘기를 들었나 싶게 꽃도 아주머니도 사라
지고 차가운 셔터만 어둠 속에 남았다. 나는 다리에 힘이 풀려 셔터
에 등을 기대고 앉아 통화를 마치고 다시 내게로 뛰어오고 있는 그
를 바라보았다.

그가 내 옆으로 와서 털썩 주저앉았다.

―미루가 올 거야.

미루.

―신발 가져다달라고 했어.

―……

―발 사이즈가?

―이백삼십오.

—미루하고 같네.

그는 윤미루에 대해서는 모르는 게 없나보았다.

—미루는 어디서 오는데?

—명륜동.

우리는 안국동을 지나 있었다. 버스가 끊겨 윤미루도 명륜동에서 여기까지 걸어올 수밖에 없을 것이다. 오늘 옥탑방에 늦게 도착하기 위해서 지도를 들여다보며 나는 덕수궁 앞을 지나 시청을 지나 광화문을 거쳐 안국동으로 비원으로 명륜동을 거쳐 혜화동 쪽으로 걸어갈 생각이었다. 추측으로 두 시간이면 옥탑방에 도착할 것 같아 세 시간쯤 걸리는 더 먼 길을 찾아볼까도 생각했었다. 그런데 학교에서 걷기 시작한 지 몇 시간 만에, 그것도 시청쯤에서부터는 그의 등에 업힌 채로 나는 이제 겨우 안국동에 와 있는 것이다.

—윤미루는 동숭동에 살다가 명륜동으로 간 거야?

—동숭동에선 나도 같이 살았어.

—응?

—미루의 부모가 미루와 미래 누나를 위해서 구해준 집에서.

—미래 누나?

—미루 언니.

—윤미루 언니?

그가 고개를 끄덕이다 말고 정윤…… 하더니 안에 테이블야자가 들어 있는 비닐봉지를 만지작거렸다. 곧 그는 손을 뻗어 내 손을 찾아 쥐더니 자신의 무릎 위에 얹어놓았다. 그의 청바지에서 흙이 만져졌다.

—솔직한 내 마음은 너와 미루가 가까워지기를 바라지 않아. 그런데 너희 둘은 나를 보면 서로에 대해 물어.

윤미루가 나에 대해?

—집요하게들 묻지. 서로를 찾아. 미루가 누군가를 찾고 궁금해하는 게 얼마 만인지. 기뻐해야 되는데 걱정이 돼.

—무엇이?

그가 공허하게 웃었다.

—만날 사람은 만나게 되어 있는가봐. 우리가 이 복잡한 상황 속에서 이렇게 만난 걸 보면 말이지.

—왜 그렇게 심각해?

내가 심각했어? 되물으며 그가 또 웃었다.

미루를 기다리는 동안 우리는 내려진 꽃집 셔터에 기대 패잔병처럼 앉아 얘기를 나누었다.

—미루와 미래 누나와 내가 동숭동 언덕받이에 있는 집에서 같이 살았어. 우리는 어린 시절부터 같이 성장했어. 미래 누나가 한 살 많았지만 거의 같이 지냈어. 미래 누나 먼저 대학생이 되었을 땐 하숙을 하다가 나와 미루도 이 도시로 오게 되자 미루 부모님이 집을 얻었어. 그곳에서 함께 지냈어. 이해해?

—이해해.

—다들 이상하게 여기던데.

—왜?

—혈육도 아닌데다 동성도 아니잖아.

—태생지에서 함께 자랐다면서?

그가 나를 빤히 보았다. 나는 단이 생각을 하고 있었다. 단이는, 너는 나를 사랑하지 않으니까, 라고 말했지만 나는 단이와 있는 시간들이 좋았다. 단이와는 별말을 하지 않아도 함께 있을 수 있었으니까. 이야기가 끊겨 우리 사이에 침묵이 발생해도 어색하지 않았으니까. 우리는 마주 앉아 이야기를 하지 않고도 몇 시간씩이나 있을 수 있었다. 나는 책을 읽고 단이는 스케치북에 그림을 그리면서. 아무 말 없이 가만히 앉아 있는 일도 걷는 일도 우리에겐 자연스러웠다. 한 가지를 말하면 열 가지를 짐작하고 알아들었다. 단시일 내에 생긴 일은 아니었다. 우리가 같은 태생지에서 같은 것을 보고 느끼고 성장하는 동안에 쌓인 것들.

—넌 묘한 데가 있어.

—뭐가?

—길게 설명해야겠지 생각했는데 말이야, 이해한다고 하니까 맥이 빠져.

—이해하지 말걸.

그가 공허하게 웃었다.

—지금은 왜 같이 살지 않아?

—그 얘긴 하고 싶지 않아.

묘한 데가 있긴 그도 마찬가지였다. 듣기에 따라 냉정한 말을 그는 부드럽게 하고 있었으니까.

—윤미루는 누굴 찾아 다녀?

—사라진 사람.

—누군데?

—얘기 안 해도 되지?

—그렇지. 의무는 아니야.

—의무?

그의 목소리가 낮아졌다.

—내가 말하지 않아도 우리가 함께 있는 한 너도 알게 되겠지.

—......

—미루와 너는 이제 만날 거니까.

어둠 속 길 건너 큰길에 무엇이 펄럭인다고 여기다가 퍼뜩 나는 고개를 들었다. 펄럭이는 게 윤미루의 플레어 치마여서. 윤교수의 연구실로 가던 날의 풍경이 일순간에 스쳐 지나갔다. 그와 윤미루가 느티나무 아래를 걸어올 때 뒤에서 부는 바람결에 앞으로 부풀어 오르던 그 잔꽃무늬 치마. 기묘하게 주변의 모든 것과 부조화를 이루고 불안을 자아내며 눈에 띄던 그 치마였다. 윤미루는 건널목을 놔두고 도로를 가로지르려는 것인지 인도에서 도로 쪽으로 발을 내디뎠다. 그와 나는 동시에 윤미루를 응시했다. 윤미루는 천천히 걸었다. 여전히 어깨를 안으로 오므리고 고개를 숙인 채 자신의 심장을 들여다보며 걷는 듯한 걸음걸이. 이상한 일이었다. 옆에 그가 있는데도, 윤미루에게 전화를 건 사람은 그였는데도, 어째 윤미루는 오로지 나를 향해 걸어오고 있는 듯했다. 나는 나도 모르게 그와 조금 떨어져 앉았다. 윤미루가 우리에게 다가오기 전에 윤미루의 팔에서 하얀 고양이가 가볍게 도로로 뛰어내리더니 그를 향해 걸어왔다.

—어......

그가 고양이를 향해 스스럼없이 팔을 내밀었다. 그의 팔을 스친 고양이가 품안에 쏘옥 안겼다. 서로 아는 사이인 모양이었다. 윤미루의 플레어 치마의 잔꽃무늬가 내 눈앞에서 어른거렸다. 내가 윤미루의 얼굴을 보기도 전에 윤미루가 꽃집 셔터에 기대고 있는 그와 나 사이에 자릴 잡고 앉았다. 윤미루는 어깨에 메고 있던 가방의 지퍼를 열고 신문에 둘둘 말아온 운동화를 내 맨발 옆에 내려놓았다. 흰색 끈이 달려 있는 파란색 운동화였다. 어둠 속에서도 운동화는 잘 빨아서 말린 깨끗한 것이란 걸 알 수 있었다. 그와 통화를 하면서 설명을 들은 것인지 윤미루는 왜 내가 신발이 없이 맨발인지, 왜 여기에 이렇게 앉아 있는지에 대해서는 한마디도 묻지 않았다. 오랜만이라는 인사 비슷한 것도 없었다. 내가 파란색 운동화에 발을 집어넣고 흰 운동화 끈을 조이려 했을 때다. 윤미루가 슬몃 내쪽을 향해 팔을 뻗었다. 화상 입은 주름진 윤미루의 손이 눈 안에 가득 찼다. 운동화 끈을 매주려다가 불편한지 윤미루는 아예 일어나 내 앞에 앉더니 헐렁한 끈을 다시 풀고 하나하나 조이고 단단히 매듭지은 후에도 다시 잡아당겨 확인까지 했다. 너무나 자연스런 행동이어서 나는 내가 맬게, 라고 할 틈이 없었다. 윤미루에게 발을 내맡기고 있는 게 어색하지도 않았다. 발이 움츠러들지 않는 게 나도 이상했다. 나는 어둠 속에서 파란 운동화와 흰색 끈 사이에서 움직이는 윤미루의 화상 입은 손을 물끄러미 바라보았다. 그도 고양이를 안은 채 내 앞에 앉아 운동화 끈을 매주고 있는 윤미루를 물끄러미 바라보았다. 처음 강의실에서 만났을 때나 윤교수의 연구실에서 마주쳤을 때, 책상 아래로 내려놓고 있거나 주머니에 넣고 있던

윤미루의 손은 그와 내 앞에서 자유롭게 움직였다.

—언니가 신던 거야.

끈을 다 맨 윤미루가 웃지도 않고 다시 그와 나 사이에 앉으며 말했다. 윤미루의 목소리는 맑고 나직하고 느렸다. 윤미루는 금방 길바닥에 앉아 있는 그와 나처럼 되어버렸다. 우리는 방금 만난 사람이 아니라 온종일 같이 있었던 사람 같았다. 하루가 아니라 여러 날함께 여행을 다니다가 잠시 쉬고 있는 듯이 여겨지기까지 했다. 어떻게 이렇게 자연스러울 수가 있는지 전혀 예상치 못한 분위기였다. 그가 윤미루 이야기를 할 때나 내가 그에게 윤미루 이야기를 물어보려 할 때 퍼지던 긴장이 누그러지자 힘이 빠질 지경이었다. 윤미루를 보자 순간적으로 그와 떨어져 앉았던 나의 행동이 되짚어져우습기도 했다. 윤미루의 언니 것이라는 운동화조차 마치 처음부터내 신발이기라도 했다는 듯이 딱 맞았다. 좀 전에 내가 심각했어?라고 반문하는 그의 말을 들으면서 가슴 한켠이 서늘해졌던 감정이나의 일이 아닌 것처럼 여겨지기까지 했다. 엄마가 자신의 병을 알게 된 직후에 맨 먼저 한 일. 헤어지지 않으려고 하는 나를 이 도시로 떼어내듯 내보낸 일. 엄마는 모른 채 이 세상을 떠났지만 나는이 도시로 나온 후 그 무엇하고도 깊은 관계를 맺으려 하질 않았다. 친구가 생겼느냐고 묻는 엄마의 말에 나는 늘 아직……이라고 대답했다. 엄마가 나를 떠나보낸 게 서운해 나는 한동안 엄마에게 내쳐진 느낌이었다. 나는 이 도시에서 누군가와 얽히는 걸 원치 않았다. 누군가에게 나를 말하거나 함께 시간을 보내는 일에 늘 난감함을느꼈다. 복잡해지지 않기 위해서 곤혹스런 감정에 빠지지 않기 위

해서 내가 선택한 것은 혼자 있는 것이었다. 사촌언니는 그런 나를 보고 간혹 이 세상을 혼자 살아갈 수 있다고 생각하는 건 아니지? 라고 묻곤 했었다. 그 누구도 혼자 힘으로 살아갈 순 없어, 염려스럽게 말하곤 했다. 그와 윤미루가 그런 나의 내면을 뚫고 다가와버렸다는 것을 길에 주저앉아 깨달았다.

　－섬에 갔던 일은 어떻게 됐어?

　그가 윤미루에게 물었다.

　－아무것도 없었어.

　윤미루가 대답했다.

　－이젠 가지 마.

　갑자기 어색한 침묵이 흘렀다. 서먹한 기운을 바꿔보려고 내가 두 사람 배고프지 않아? 물었다. 그는 배고파, 라고 대답했고 윤미루는 아무 반응이 없었다.

　－내 방에 가겠어?

　그와 윤미루가 동시에 나를 바라보았다.

　－반찬은 깻잎김치밖에 없지만 밥해줄게. 쌀은 많아. 가자.

　내가 테이블야자가 들어 있는 봉지를 들고 일어섰다. 그와 윤미루도 뒤따라 일어섰다. 그의 품에 안겨 있던 고양이가 윤미루에게 건너갔다. 하얀 고양이였다. 희디흰 고양이 털이 어둠 속에서 부드럽게 움직였다. 윤미루의 화상 입은 두 손이 고양이 털 속으로 스며들어가 흰 목덜미를 매만졌다. 고양이가 윤미루의 품안에서 나를 물끄러미 응시했다. 새벽빛 같은 푸른빛을 띤 눈이었다. 큰길가로 나왔을 때 배가 너무 고프다고, 택시 타고 가자며 그가 택시를 향해

손을 들었다. 버스는 아직도 다니지 않고 있는데 드문드문 택시는 보였다. 시위는 이제 잠잠해진 것일까. 밤거리는 오가는 사람도 별로 없이 황량했다. 그는 택시 앞자리에 타고 윤미루와 내가 뒤에 앉았다. 내가 품에 안겨 있는 고양이를 응시하자 윤미루가 한번 안아볼 테야? 물었다. 신발을 가지고 와 만난 이후 윤미루가 처음으로 내 얼굴을 바라보았다. 윤미루의 새까맣고 뚜렷한 두 눈동자가 나를 응시했다. 나는 테이블야자를 바닥에 내려놓고 고양이를 받아 안았다. 꼬리가 한번 펴지더니 곧 차분히 내려앉았다. 보드라운 털이 내 뺨에 닿았다. 고양이는 내 품에 안겨 차창 바깥의 어둠이나 이따금 흔들리는 가로수 잎사귀들을 하염없이 바라보았다. 바람결같이 부드러운 꼬리털이 내 팔에 닿아 간지럽지 않았으면 그 존재를 느끼지도 못할 만큼 가벼웠다.

—니가 마음에 드나봐.

—응?

—가만있잖아.

나는 고양이를 좋아하지 않았다. 아주 오래전에 엄마를 만나러 가서 엄마 옆에 누워 낮잠이 들었을 때 고양이 한 마리가 우리 곁에 와 앉아 있었던 기억. 먼저 눈을 뜬 내가 깜짝 놀라 펼쳐져 있던 책을 내던지며 소리를 질렀을 때 저쪽으로 느릿느릿 걸어가던 고양이. 다음날이었다. 고양이는 또 나타나서 내 발이 닿는 곳에 오줌을 싸놓고 갔다. 그 오줌에 내가 쭉 미끄러졌다. 엄마가 거 봐라, 니가 책을 집어던지니까 개도 오줌을 싸놓은 거다, 했다. 그 기억이 고양이에게 가까이 가지 못하도록 막았다. 이 도시에 처음 나와 사촌언

니랑 살던 집에도 고양이가 있었다. 어찌 된 셈인지는 모르나 집주인이 세든 사람들만 남겨놓고 이사를 했었다. 그 빈집에 홀로 남아 있던 회색 고양이. 사촌언니가 고양이에게 먹이를 가져다주곤 했다. 왜 혼자 남아 있을까? 궁금해 물으니 사촌언니는 고양이는 사람을 따르는 게 아니라 공간을 따르는 성질이라 그래, 했었다. 빈집에 고양이가 많은 것도 그래서야, 라고.

　학기 첫날 윤교수가 강의실에서 말한 크리스토프 이야기가 계속 머릿속에서 맴돈다. 크리스토프의 이미지를 좀더 분명하게 알고 싶어서 도서관에서 이 책 저 책 뒤져보았다.

　첫째, 어린 예수를 업고 물을 건넜다는 점에서 크리스토프는 지금도 기독교 문화권에선 운전사 내지 항해자의 수호신으로 대접받고 있다고 한다. 크리스토프 상像을 부적처럼 앞유리창에 달고 다니는 택시 운전사나 트럭기사를 만나지 말란 법도 없을 듯하다. 그는 수고로운 노동으로 신의 뜻을 구현하는 고행자인 동시에 중요한 그 무엇인가를 실어나르고 전달하는 전령으로 다가온다.

　둘째, 그런 의미에서 예수 그리스도 자신이 크리스토프이기도 하다. 크리스토프란 이름 자체가 그리스도Christ에 옮긴다는 의미의 접사 ph가 붙어 만들어진 이름이다. 인류를 구원하기 위해 전 인류

의 죄와 고뇌를 십자가에 짊어지고 간 그리스도야말로 실은 전 세계를 등에 짊어진 고행자이자 신의 말씀을 지상에 전한 전령이었던 것이다. 그렇게 본다면 기독교의 크리스토프는 그리스 신화에 나오는 아틀라스와 헤르메스를 합친 형상이라고 볼 수도 있을 듯하다.

셋째, 예수는 십자가를 짊어졌고 크리스토프는 그런 예수를 짊어졌다. 뒤집어본다면 십자가가 예수를 실어날랐고, 예수가 크리스토프를 구원의 길로 인도했다. 그들에겐 온 존재를 다 바쳐 수행해야 할 소명이 있었고 그 소명이 이루어지게끔 한 운명적 만남이 있었다. 그렇다면 나에게 주어진 소명도 있을까? 내 인생이 짊어져야 할 운명의 과업이란 것도? 그 소명이 이루어질 수 있는 계기가 언젠가는 나에게도 찾아올 것인가. 스물을 훌쩍 넘긴 이 나이에도 나는 여전히 어둠 속을 더듬거리며 나아가고 있는 기분이다.

서점에서 책을 한 권 훔쳤다. 내게 꼭 필요한 책도 내가 꼭 읽고 싶어했던 책도 아니었다. 그 책을 서가에서 빼드는 순간 어떤 알 수 없는 충동이 머리끝에서 발끝까지 꿰뚫고 지나갔다. 그냥 들고 나와봤더니 아무도 나를 붙잡지 않았다. 싱거웠다. 훔친 책의 앞장에 날짜와 '이명서, 세상에 태어나 첫 책을 훔치다'라고 써넣었다. 뭔가 아쉬워 한 문장 더 써넣었다. '책을 훔쳐보지 않고는 성장할 수 없다.' 유치한 변명처럼 느껴져 날짜만 남겨놓고 모두 지웠다.

—갈색노트 3

126

4. 소금호수로 가는 길

옥탑방에 들어오기 전에 나는 그와 윤미루를 잠깐 옥상에 세워두고 먼저 들어와, 이 도시로 다시 돌아온 날 나 자신과의 약속들을 적어 책상 앞에 붙여놓은 종이를 떼어냈다. 왠지 그래야 할 것 같았다. 고양이는 방으로 들어오자 낯선 공간에서 자신이 머물 자리가 어디인지 탐색하는 것 같더니 창문 턱으로 뛰어올라 거기 웅크리고 앉았다. 그는 플라스틱 화분 속에 들어 있는 테이블야자를 토분에 옮겨심어 내 책상 위에 올려놓더니 의자에 앉아 아직 반납하지 않은 타자기를 탁탁 두드렸다. 윤미루는 부엌 쪽에 서 있었다. 부엌이라야 개수대와 가스레인지 조금 건너에 냉장고가 세워져 있는 게 다였다. 나는 쌀을 씻어 안쳐놓고 냉장고 안의 반찬통을 꺼내려고 싱크대 옆에 숨어 있는 간이식탁을 잡아당겼다. 식탁의 길이는 짧고 폭은 좁았다. 쓰지 않을 때는 접어서 밀어넣어두곤 했다. 셋이 밥을 먹으려면 아마 바싹 붙어앉아야 할 것이다. 냉장고 안의 반찬

통을 꺼내 뚜껑을 열었다. 사촌언니가 가져다놓은 반찬통에선 멸치볶음이, 장조림이, 깻잎찜이 한가득이었다. 내가 반찬통을 열 때마다 윤미루는 열무김치, 연근조림, 우엉볶음…… 책 제목을 낭독하듯 중얼거리다가 무슨 반찬이 이리 많아? 다 직접 한 거야? 의아해했다.

  ―근처에 사촌언니가 살아. 언니가 놓고 간 것들.

  ―깻잎김치뿐이랬잖아.

  ―나도 이렇게 여러 가지인 줄 몰랐어. 이건 처음 열어봐.

우엉과 연근조림이 담긴 통을 가리켰다.

  ―왜?

  ―혼자 밥 먹으면서 다 꺼내놓고 먹게 되지 않던걸.

그랬다. 배고파서 먹는 거였지, 맛있어서 먹는 게 아니었으니까. 사촌언니는 가지가지 반찬을 만들어 냉장고에 넣어놨지만 나는 손에 닿는 대로 세 가지만 꺼내놓고 먹었다. 타자기를 탁탁탁, 쳐보던 그가 식탁 앞으로 와 반찬들을 한 가지씩 접시에 담았다.

  ―아욱국 끓여줄까?

  ―하지 마…… 이것도 너무 많아.

사실이었다. 반찬들이 좁은 식탁 가득이었다.

  ―처음 같이 밥을 먹는 건데 국이 있어야지.

나는 냄비를 찾아 물을 붓고 가스레인지 위에 올려놓은 뒤에 냉장고에서 아욱을 꺼냈다. 아욱도 사촌언니가 넣어놓고 간 것이었다.

  ―아욱까지 있다니 놀라워. 이리 줘봐.

윤미루가 내 손에서 아욱을 가져가더니 아욱 줄기의 껍질을 금세

벗겨냈다. 푸른 아욱 줄기 사이를 윤미루의 화상 입은 손이 자연스럽게 움직였다. 뜻밖의 모습이었다. 망설임 없이 아욱의 얇은 겉껍질을 벗겨내고 거센 부분을 골라내면서 다듬는 것을 보니 윤미루는 아욱국을 많이 끓여본 모양이었다. 끓는 물에 소금을 조금 넣고 다듬은 아욱을 데쳐내더니 수돗물을 틀어 꾹꾹 힘있게 주무르기까지 했다.

—아욱을 데친 후에 끓이는 거야?

—이래야 아린 맛이 사라져.

—아욱국을 좋아하나봐.

—언니가 좋아했어. 어렸을 때 텃밭에 아욱을 길렀거든. 일어나면 맨 먼저 바구니를 챙겨들고 언니랑 아욱을 뜯으러 가곤 했어. 신기했어. 푸른 아욱들을 싹싹 베어오면 그 자리서 곧 또 자라나곤 했거든. 나는 아욱보다는 그 위의 이슬방울들 털어내는 재미로 따라가곤 했어. 돌아올 땐 바짓단이 축축했어.

아욱국 끓여줄까? 물었을 때 하지 말라던 윤미루는 직접 국을 끓이고 있었다.

—여기 보리새우도 있네.

냉장고 안의 비닐봉투를 꺼내 안을 들여다보던 윤미루가 반색했다. 언제 보리새우까지? 윤미루는 마른 보리새우를 씻어 국냄비에 넣었다. 엄마는 그냥 아욱을 푸른 물이 날 때까지 바락바락 주무른 뒤에 씻어내고 끓였다는 생각. 나는 아욱국을 끓여본 적이 없었다. 아욱을 능숙하게 다루는 윤미루의 모습이 내겐 낯설기만 했다. 엄마가 담가 보내주던 파란 깻잎김치와는 달리 사촌언니가 보내온 깻

잎은 간장으로 간을 해서 찐 것이었다. 배가 고픈지 그가 식탁 위의 깻잎을 한 장 손으로 집어먹었다. 윤미루가 눈을 흘기며 젓가락을 내밀었다. 젓가락을 받아들고 그가 깻잎 한 장을 더 집어먹었다. 그러는 그들의 모습이 너무나 자연스러워 보여 나는 잠시 그들을 가만 응시했다.

아욱국이 끓기 시작했을 때 창턱 위로 가볍게 뛰어올라가 몸을 잔뜩 웅크리고 있던 고양이가 등을 폈다. 앞발을 나란히 해서 쭉 뻗고 등을 곧추세우며 기지개를 켰다. 유연한 배가 창틀에 닿았다. 몸을 펴고 가볍게 바닥으로 뛰어내리더니 가만가만 걸어 윤미루의 플레어 치마를 긴 꼬리로 툭 치듯 휘감았다. 언제 그랬냐는 듯 얼굴은 윤미루 쪽이 아니라 반대쪽을 보며.

ㅡ얘네들의 언어야. 친밀감을 이렇게 표현해!

ㅡ……

ㅡ친해지면 너한테도 이럴 거야.

고양이가 윤미루의 발치 옆에 조용히 앉아 나를 쳐다보았다. 파란 눈이 너는 누구니? 묻고 있는 것 같았다. 세 개의 공기에 밥을 퍼 담았다. 이 방에서 이렇게 여럿이 밥을 먹어보는 건 처음이었다. 세 그릇의 밥을 푸고 세 그릇의 국을 뜨기 위해서 찬장 안의 그릇이 죄다 동원되었다. 상이 차려지자 윤미루는 내 책상에서 백지와 연필을 들고 와 날짜를 적고 식탁 위의 반찬들을 하나하나 적었다. 아욱국, 밥, 깻잎찜……

ㅡ뭐해?

ㅡ내 노트에 옮겨적어놓으려고.

─응?

─미루는 자신이 먹는 것은 모두 기록해놓곤 해.

그가 윤미루 대신 말했다. 먹는 것을 모두 기록해놓는다구? 내가 빤히 쳐다보는 것도 아랑곳 없이 윤미루는 식탁 위의 음식들을 종이에 빼놓지 않고 하나하나 적었다.

─왜 그렇게 적어?

─그래야 실감이 나.

─뭐가?

─오늘을 살았다는 거.

─태어나서 먹은 걸 다 적어뒀어?

─그럴 리가!

윤미루가 싱긋 웃었다.

─왜? 무슨 동기가?

나도 그만 웃고 말았다. 질문을 하다보니 내가 윤미루를 인터뷰하는 기분이 들어서.

우리는 수저를 들고 함께 밥을 먹기 시작했다.

고양이가 윤미루의 발치에 가만히 웅크리고 앉았다. 배가 고팠는지 그가 밥을 푹 떠서 입에 넣었다. 아욱국도 떠서 후루룩 마셨다. 윤미루는 밥은 손도 안 대고 숟가락으로 아욱국을 조금씩 떠먹고 있었다. 나는 아욱국에 밥을 반쯤 말았다. 윤미루가 끓인 아욱국은 간이 잘 맞았다. 파란 아욱이 입안에서 부드럽게 씹혔다. 보리새우의 붉은빛이 파란 아욱 속에 섞여 있었다. 우리가 머리를 맞대고 밥을 먹고 있다니. 내가 깻잎 한 장을 펴서 윤미루의 밥 위에 올려주

었다. 엄마가 내게 해주던 일이었다. 엄마는 언제 밥을 먹었을까. 밥상 앞의 엄마는 밥을 먹는 모습보다도 나와 아버지에게 반찬을 올려주고 있는 모습으로 기억되었다. 엄마는 아버지가 밥을 참 맛있게 먹는다고 흐뭇해하며 밥은 아버지처럼 먹어야 한다고 했다. 아버지는 엄마가 아프기 전까지 정말 밥을 맛있게 먹었다. 아버지가 밥을 먹는 모습을 보면 나도 어서 먹어야겠다는 생각이 들곤 했으니까. 같은 밥상을 놓고 앉아 있는데도 아버지만 다른 반찬을 먹는 느낌이 들 정도였다. 엄마가 없는 집에서 아버지와 둘이 밥상 앞에 앉을 때면 아버지와 나는 말은 하지 않았어도 우리 두 사람 사이에 앉아 있는 엄마를 느끼곤 했다. 시골집에서의 일 년 동안 가장 고독할 때가 그때였는지도. 엄마는 아버지의 밥 먹는 모습을 가장 사랑했다는 생각. 엄마는 끊임없이 아버지와 내 앞에 반찬들을 밀어주고 얹어주고 했다. 따뜻할 때, 고소할 때, 간이 뱄을 때…… 하면서. 내가 엄마의 밥 위에 반찬을 올려준 적은 있었을까. 그 생각을 하며 나도 모르게 아버지 앞에 반찬을 밀어놓았다. 내가 뜬 숟가락의 밥 위에 김을 얹어준 것은 아버지 자신도 모르게 했던 행동이었을 것이다. 그렇게 아버지와 나는 밥상 앞에서 엄마를 느끼고 있었다는 생각. 엄마가 돌아가신 후 아버지는 더이상 호박을 맛있게 씹지 않았고, 생선을 발라먹지 않았고, 국을 마시듯 후루룩 떠먹지 않았고, 밥을 비비기 위해 참기름을 찾지도 않았다. 늘 반쯤은 남아 있던 시골집에서의 아버지 밥그릇.

윤미루가 내가 밥 위에 올려준 깻잎에 밥을 싸서 입안에 넣으며 볼이 미어지게 웃었다. 나도 따라 웃었다. 이렇게 웃으며 내 방에서

밥을 먹을 수 있는 시간이 우리 사이에 발생할 줄은. 윤미루의 밥 먹는 모습을 엄마가 봤으면 좋아했을 것이란 생각. 뜻밖에 윤미루도 아버지처럼 밥을 맛있게 먹었다. 엄마가 봤다면 밥을 아주 복있게 먹네, 함박 웃으며 윤미루의 등을 토닥거려주었을 것이다. 엄마는 어떤 상황들을 밥 먹는 모습으로 표현하곤 했었다. 나쁜 일이 생기면 어째 밥을 그렇게 먹더라니, 좋은 일이 생기면 어째 밥을 복있게 먹더라, 했다.

—밥을 맛있게 먹네.

—나?

—응.

윤미루는 처음 듣는 얘기라는 듯 눈을 동그랗게 떴다.

—우리 엄마가 널 봤으면 좋아하셨을 거야. 엄마는 사람은 밥을 맛있게 먹을 줄 알아야 된다고 했어. 그래야 어디 가든 제 몫이 있는 거라고. 밥을 맛있게 먹을 줄 아는 사람이 밥 귀한 줄도 안다구.

이렇게 또렷이 남아 있는 엄마의 말들. 엄마는 밥을 맛있게 먹는다는 이유로 단이를 좋아했다. 단이가 우리집에 오면 밥상에 수저를 한 벌 더 놓고 밥을 먹고 가게 했다. 아버지와 내게 했던 것처럼 반찬을 단이 앞으로 밀어주고 얹어주고 하면서.

—언제 네 엄마 보러 가자.

그럴 수 있으면 좋을 것이다. 언젠가 엄마를 보러 갈 수 있으면.

—엄마는 돌아가셨어.

타인에게 엄마가 돌아가셨다, 고 말해보기는 처음이었다. 그와 윤미루가 동시에 나를 바라보았다. 폭풍처럼 시위가 휩쓸고 간 이 도

시의 한복판에서 어디선가 비쳐드는 한줄기 빛처럼 그를 발견했을 때 느닷없이 확인되던 엄마의 죽음이 윤미루 앞에서 다시 실감되었다. 엄.마.는.돌.아.가.셨.어. 처음 발음해보는 나의 말이 내 귀에 그대로 되울려왔다. 새벽바람 앞에 서 있을 때처럼 마음이 서늘해지는 것 같더니 이내 고요해졌다. 우.리.는.숨.을.쉰.다 안의 시들을 타이핑하는 동안 나는 엄마의 죽음을 받아들이게 되었는지도 모른다. 윤미루가 내 밥 위에 깻잎을 얹어주었다. 나는 젓가락으로 깻잎에 밥을 말아 입에 넣고 씹었다. 우리 윤이, 밥을 맛있게 먹네…… 엄마의 목소리. 내가 입안의 것을 삼키자마자 이번엔 그가 들고 있던 젓가락으로 깻잎을 한 장 떼어내 내 밥 위에 얹어주었다. 우리 사이엔 깻잎이 소통의 도구 같았다. 나도 그의 밥 위에 깻잎을 한 장 얹어주었다. 그가 또 윤미루의 밥 위에 깻잎을 한 장 얹어주었다. 우리는 깻잎에 밥을 싸서 동시에 입에 넣고 씹으며 풋, 하고 웃었다.

내가 식탁 위의 장조림을 집어 고양이에게 내밀려고 하자 윤미루가 막았다.

—소금기 있는 거나 양파 같은 거 먹이면 안 돼.

—응?

고양이에게 내밀려던 장조림을 내 입에 넣고 오물거렸다.

—소금을 소화시킬 능력이 거의 없대.

—그럼 뭘 주지? 배고플 것 같아.

—줘도 안 먹을 거야. 외모에 엄청 신경써. 식사시간 외엔 아무것도 안 먹어.

—진짜?

―응.

윤미루가 그렇지? 하는 표정으로 고양이를 바라봤다. 내가 장조
림을 입 가까이 갖다대었으니 냄새를 맡았을 텐데도 탐을 하지 않
고 얌전히 있는 걸 보니 윤미루의 말이 맞는가보았다. 새삼 내가 고
양이에 대해 아는 게 없다는 생각.

―왜 소금을 소화시키지 못할까? 맛은 다 소금에서 나온다던데.

엄마가 해준 말이다.

―그러게. 하긴 뭐, 소금호수에서 사는 고양이도 있다고 해.

―소금호수?

―어디였더라? 터키나 아님 그리스? 소금호수까지 가는 길엔 하
얀 소금이 깔려 있어. 밤이 되면 하얀 소금길이 달빛을 받으며 하얗
게 빛을 내. 소금호수로 가는 길을 어찌나 근사하게 묘사해놨는지
머릿속으로 그림이 그려지곤 했어. 그 하얀 소금이 깔린 길을 밟고
걸어가면 맨 마지막에 호수가 나와. 고양이가 사람들을 소금호수로
안내해. 몸이 아픈 사람들이 죽음을 앞두고 마지막으로 찾아가는
곳이 그 소금호수였거든. 소금으로 이루어진 호수에 몸을 담그고
살아온 이야기를 고양이에게 들려주지. 거기 고양이는 사람들 얘기
듣는 재미에 빠져 소금호수 입구에 앉아 사람이 나타나기를 기다린
대. 아픈 사람들이 지친 얼굴로 찾아오면 그들을 데리고 그 하얀 소
금길을 걸어서 호수로 안내하는 거지.

―어디서 들었어?

―책에서 읽었어.

―제목이 뭐야?

-제목이 뭐였더라? 언니 책 제목이 뭐였지?

윤미루가 그에게 물었다. 그가 생각하는 것 같더니 고개를 갸웃
했다.

-나는 소금길이 아름다워서 머릿속으로 소금호수를 그려보느라
정신이 팔려 있었는데, 언니는 엉뚱하게 고양이에게 생기는 속병은
대부분 소금 때문에 생긴다면서 소금호수의 고양이 걱정을 했었어.

-언니는 고양이에 대해 모르는 게 없었나봐.

-처음부터 고양이를 알았던 건 아니야. 언니가 고양이를 데려왔
을 때가 생각나. 언니 친구 집에 있던 고양이가 새끼를 다섯 마리
낳았는데 쟤가 막내였대. 힘센 형제들에게 치여서 제대로 먹지도
못하고 자꾸 꼬리를 물리는 모습을 보고서 언니가 데려온 거야. 너
무 작았어. 어디에 있는지조차 몰랐어. 노란 봉투 속에 들어가 있으
면 찾지도 못했어. 하얀 실뭉치가 떼구르르 굴러다니는 것 같았다
니까. 그렇게 작은데도 발톱이 자라나더라. 신기했어. 발톱이 자라
서 집의 온 가구를 긁어대는 통에 엄마와 언니가 자주 실랑이를 벌
이곤 했지.

그가 다시 깻잎을 한 장 윤미루의 밥 위에 올려주었다. 윤미루가
밥 위에 얹어진 깻잎을 물끄러미 바라보더니 정윤…… 하고 나를
불렀다. 나는 아욱국 속의 보리새우를 떠서 입에 넣고 씹다가 윤미
루의 눈을 보았다. 윤미루의 검은 눈과 내 눈이 서로 마주쳤다.

-밥 더 먹자.

-밥을 더? 정말?

그가 놀랐는지 윤미루를 쳐다보았다.

우리는 밥을 한 공기씩 더 먹었다. 아욱국도 한 그릇씩 더 떠다 먹었다. 반찬이 동나자 그는 다시 내 냉장고 안의 찬통을 꺼내 반찬들을 접시에 소복하게 담아 내놓았다. 윤미루가 밥을 먹는 모습을 그가 넌지시 바라보곤 했다.

배가 불러 우리 셋은 어질러진 식탁을 그대로 둔 채 방바닥에 내려앉았다. 고양이가 우리 셋 사이를 느릿느릿 거닐다가 이번엔 책상 위로 사뿐히 뛰어올라가더니 두 발을 모으고 등을 높다랗게 세우고 옹송그리듯이 앉아 우리를 내려다보았다. 누구도 밟지 않은 흰 눈이 거기에만 소복이 쌓여 있는 것 같았다. 사촌언니는 고양이는 독립적이라서 늘 사람으로부터 저만큼 떨어져 않는다고 했었다. 윤미루의 하얀 고양이는 그의 품속에서도 내게로 옮겨와서도 가만히 있었다. 고양이는 예민한 기척에도 온몸으로 반응하며 가르릉거린다는데 윤미루의 고양이는 침묵 속에 홀로 앉아 있는 듯했다. 발을 드는 것도 목을 휘는 것도 우아하고 고요했다. 어느덧 우리 셋은 책상 위 고양이만 쳐다보고 있었다.

　─귀머거리야.
　─응?
　─소리를 못 들어.
　─……
　─그래서 저리 고요한 거야.
최소한의 움직임만 보이며 적막 속에 앉아 있는 것 같은 고양이

가 그제야 이해가 되었다.

―저 종의 구십 퍼센트가 귀머거리래.

―무슨 종인데?

―터키 앙고라.

저렇게 작고 어여쁘고 부드러운 귀가 아무런 소리를 듣지 못하다니. 신발도 없이 맨발로 길에 나앉아 있는 나와 어울리지 않는 귀족 고양이네, 라고만 생각했었다. 귀머거리란 윤미루의 말에 고양이를 향한 낯선 마음이 누그러졌다. 가까이 있었으면 손을 뻗어 귀를 어루만져보았을 것이다.

―귀머거리인 줄은 처음에 어떻게 알았어?

―언니랑 내가 아무리 불러도 알아듣는 것 같지 않았어. 처음엔 고양이가 다 그런가보다 생각했어. 우린 쉴새없이 불렀어. 말도 마. 무슨 잠을 그리 자는지. 의자 밑에 누워서 잠든 걸 보고 아침에 나갔다가 저녁에 들어오면 그때까지도 거기서 자고 있곤 했어. 아무데서나 잤어. 어린애였을 땐 방석 밑에, 비닐봉지 속, 이런 데 들어가서 자더니 좀 자라서는 책장 위, 커튼 뒤…… 상자 속에 들어가서 자고…… 자고 또 잤어. 고양이가 아니라 무슨 잠덩어리 같았다니깐……

윤미루가 그리 말하니 잠덩어리란 동물이 따로 있는 것 같았다.

―잠을 좀 덜 자기 시작했을 때부터는 움직이는 것을 하염없이 바라보기 시작했어.

―움직이는 것?

―흔들리는 것……

―……

―바람에 흔들리는 나뭇잎, 공중에 매달린 종, 유리창에 번지는 빗방울, 굴러다니는 털실, 버려진 끈, 유리구슬, 그런 거…… 그런 것들을 바라보며 그것들이 이쪽으로 흔들리면 이쪽으로 고개를 돌리고 저쪽으로 흔들리면 저쪽으로 고개를 돌리고……

―……

―창턱에 앉아 등을 보이고 하염없이 무엇을 바라보고 있어서 다가가보니 첫눈이 오고 있었어. 바람이 불어 눈송이가 흩날리는 것을 보고 있었어. 허공을 날아다니는 눈송이를 따라 고개를 움직이며 온종일…… 우리가 번갈아 불러도 뒤도 안 돌아다보고. 언니가 이상하다고 했어. 아무래도 귀머거리 같다구. 귀머거리일 줄은 생각지도 못했는데 언니 말을 듣고 자세히 관찰해보니 소리를 듣고 반응하는 게 아니라 공기에 반응하더라구. 문을 열 때의 진동이나 발걸음의 울림이나 그런 거에 말야. 창가에 앉아 생각에 잠겨 있을 때 발소리를 죽이며 다가가 귓가에 대고 손뼉을 쳐봤지. 그런데도 창밖만 보고 있었어. 고양이를 개 병원에 데리고 가서 검사해봤더니 진짜 귀머거리였어.

―고양이를 왜 개 병원에?

―쟤네들의 전문 병원을 찾을 수가 없었어.

―이름이 뭐야?

나는 그제야 고양이의 이름을 물어보았다.

―에밀리 디킨슨.

윤미루에게 물었는데 그가 대답했다.

-응? 뭐라구?

놀란 내가 되물었다.

-언니가 붙인 이름이야. 에밀리 디킨슨.

윤미루의 말에 나는 멍해졌다. 단이의 얼굴이 스쳐 지나갔다. 고양이 이름이 에밀리 디킨슨이라구? 나는 몸을 일으켜 책상 앞으로 가서 이 도시로 돌아온 날 새로 구입한 에밀리 디킨슨의 시집을 꺼내와 손으로 시집 표지에 그려져 있는 에밀리 디킨슨의 초상을 가리키며 이 에밀리? 윤미루에게 눈으로 물었다. 윤미루가 고개를 끄덕였다. 에밀리 디킨슨은 우리가 서로 모르고 지내는 사이에도 우리 사이에서 부유하고 있었나보았다. 서로 모른 채로 성장했어도 우리는 모르는 시간 속에서 이런 식으로 서로 연결되어 있기도 했던 모양이었다. 단이는 에밀리 디킨슨의 시를 읽고 나에게 주고 또 어디선가 윤미루 언니는 고양이에게 에밀리 디킨슨이라는 이름을 붙여주며 우리는 그렇게 존재했던 모양이었다.

-디킨슨 할머니가 아시면 화내시겠지?

-응?

-귀머거리 고양이에다 자신의 이름을 갖다붙였다고.

나로서는 해보지 않은 생각이었다. 나는 책상 위에 앉아 있는 고양이를 향해 에밀리 디킨슨! 하고 불러보았다.

-에밀리라고 해. 언니도 에밀리! 라고 불렀어.

우리는 셋인데 자꾸 윤미루에게서 언니는 언니도 언니가, 라는 말을 듣다보니 방안에 셋이 아니라 넷이 앉아 있는 느낌이었다. 내가 가져온 시집을 펼쳐보던 그가 소리내어 시를 읊었다.

널빤지에서 널빤지로 난 걸었네.
천천히 조심스럽게
바로 머리맡에는 별
발밑엔 바다가 있는 것 같아 난 몰랐네— 다음 걸음이
내 마지막 걸음이 될는지
어떤 이는 경험이라고 말하지만
도무지 불안한 내 걸음걸이.

　발밑엔 바다가 있는 것 같아, 쯤에서 윤미루도 그를 따라 읊었다. 가끔씩 그렇게 같이 시를 읊어본 모양이었다. 둘의 목소리가 조화롭게 섞여들었다. 나는 그와 윤미루의 목소리를 들으며 생각난 듯이 내 가방을 열었다. 가방 안에 무사히 들어 있는 우.리.는.숨.을.쉰.다, 를 꺼내 그와 윤미루에게 한 권씩 나눠주었다. 예기치 않았던 이 도시에서의 긴 순례가 우.리.는.숨.을.쉰.다, 를 그들에게 전해주기 위한 일처럼 느껴졌다. 고단한 일을 마친 기분이라 깊은 숨이 새어나왔다. 그와 윤미루가 우.리.는.숨.을.쉰.다, 를 펼쳐보고 있는 사이 나는 세상의 그 어떤 소리도 듣지 못할 책상 위에 앉아 있는 고양이를 향해 에밀리— 하고 불러보았다.

　강의가 끝나면 맨 앞자리에 앉아 있는 윤이 뒤를 돌아다보기 전
에 강의실을 나왔다. 수업시간 내내 윤교수의 목소리도 잊을 만큼
앞자리 윤의 뒷모습을 바라보고 있었으면서도 몸은 그 반대의 행동
을 하곤 했다. 그런데 윤의 뒷모습을 시위가 휩쓸고 간 황폐한 거리
의 한복판에서 발견했다. 머리는 흐트러지고 손에는 아무것도 들지
않고 맨발로 빌딩과 빌딩 사이에 서 있는 그녀의 뒷모습이 처음엔
환영인가, 했다. 내가 놀라서 정윤! 하고 불렀더니 그녀가 뒤돌아보
았다. 정윤이 맞았다. 지난날 일영 강가의 안개 속, 그 신새벽에 그
녀를 처음 봤던 때가 스쳐 지나갔다. 강물을 퍼서 세수를 막 마친
듯 물방울이 묻은 그때의 얼굴과 시위가 휩쓸고 간 도시 한복판에
서 두 눈만 휑하니 남아 있는 것 같은 그녀의 얼굴이 같은 사람의
것이라는 게 믿기지 않았다. 그런 일이 아무렇지도 않게 일어나는
게 지금 내가 살고 있는 이곳의 현실이다.

1964년 3월 13일에 일어난 제노비스 사건에 대한 이야기를 훔쳐온 책에서 읽었다. 1964년이면 내가 태어나기 전의 일이다. 미국 뉴욕의 주택가 새벽 세시 십오분에 캐서린 제노비스란 이름을 가진 여성이 야간근무를 마치고 아파트로 귀가하다가 괴한을 만나 칼에 찔려 죽어가는 것을 서른여덟 명의 이웃이 듣거나 봤으면서도 아무도 도와주지 않았다고 한다. 칼에 찔린 제노비스가 도와주세요, 라고 외쳤을 때 아파트에 일제히 불이 켜졌으나 누구도 문을 열고 계단을 내려오진 않았다고 한다. 밖으로 나오지는 않고 창 안에서 누군가가 그 여자를 내버려둬—라고 고함을 치자, 괴한은 도망쳤다. 제노비스는 피를 흘리며 길바닥에 쓰러졌다. 그러나 누구도 제노비스를 돕기 위해 바깥으로 나오지 않았다. 아파트의 불들은 곧 꺼졌고 거리는 다시 조용해졌다. 황급히 자동차가 있는 곳으로 도망치던 범인은 조용해진 거리를 보자 다시 돌아와 상처입고 쓰러져 있는 제노비스를 또 찔렀다. 제노비스가 다시 비명을 내지르자 아파트의 불들이 다시 켜졌다. 범인은 다시 도망쳤다. 제노비스가 칼에 찔린 몸을 간신히 이끌고 자신의 집 쪽으로 가는 사이 좀 전처럼 아파트의 불은 또 일제히 꺼졌다. 몸을 숨기던 괴한이 다시 제노비스에게 다가와 범행을 마저 끝냈다. 삼십오 분 동안 세 차례에 걸쳐 연속적으로 칼에 찔린 제노비스는 결국 숨을 거뒀다. 도움을 청하는 제노비스의 비명에 불이 켜지면 멈췄다가 불이 다시 꺼지면 이어진 범행. 제노비스가 칼에 찔리고 쓰러지는 것을 창가에서 구경만 한 사람의 숫자는 서른여덟 명이었다고 씌어 있었다. 이것이 인

간일까. 나는 훔쳐온 책을 다시 그 자리에 갖다놓고 싶었다.

미루가 자주 웃는다. 윤이 때문이다. 두 사람은 자매 같다. 우.리.
는.숨.을.쉰.다, 를 윤에게 받은 후 미루는 허름한 인쇄본 책을 항상
가방에 넣고 다닌다. 이제 우리는 윤교수의 강의를 셋이 나란히 앉
아 듣는다. 강의가 끝나면 셋이 함께 윤교수의 연구실을 찾아가기
도 한다. 미루가 강의시간에 집중하는 것을 처음 본다. 윤교수는 강
의시간에 출석 체크를 할 때마다 맨 마지막에 미루의 이름을 부르
기까지 한다. 윤미루— 윤교수가 나직이 부르면 미루도 네— 하고
나직이 대답한다. 미루의 이름이 불릴 적마다 학생들 몇이 미루를
쳐다본다. 윤도 뒤돌아보며 미소짓는다. 윤교수는 강의 도중 한 걸
음 한 걸음 미루에게 다가가 등을 두들겨주기도 한다. 윤교수와 정
윤은 알까? 미루가 화상 입은 손을 어디에도 감추지 않고 자연스럽
게 드러내놓는 건 나 외에 그 두 사람뿐이라는 것을.

오늘 윤을 만나 명륜동의 성곽길을 함께 걸었다. 윤은 어디든 걸
어서 간다. 학교도 걸어서 오고 집도 걸어서 간다. 걷지 않는 윤을
생각할 수조차 없을 정도다. 윤을 따라 나도 새삼스럽게 이 도시를
순례하고 있다. 성곽을 걸으며 윤과 제노비스 사건에 대한 이야기
를 나누었다. 귀기울여듣던 윤은 제노비스의 비명소리를 서른여덟
명이 아니고 한 사람이 들었다면 그녀는 살았을지도 몰라, 라고 말
했다. 네 생각이야? 라고 물으니 윤은 심리학! 이라고 대답했다. 사
람의 심리 속에 그런 게 있대. 위험에 처한 대상을 혼자 보게 되었

을 땐 바로 행동하게 되지만 다른 사람들과 동시에 공유하면 무의
식이 행동을 지연시킨대. 상대방에게 미루는 건가? 내가 말하자 윤
은 떠맡긴다기보다는 분산되는 거겠지. 누군가 희생당하고 있는 것
을 목격하는 사람이 많을수록 책임감이 적어지는 것으로 봐, 심리학
에서는. 심리학 공부했어? 선택과목으로 듣고 있어. 윤이 우울한 얼
굴로, 그런데 인간이 누구나 심리학이나 정신분석학 같은 것으로 다
파악될 수 있는 존재일까? 물었다. 나는 윤의 얼굴을 빤히 봤다. 내
게 대답을 원한 건 아니었는지 윤이 내 손을 잡으며 혼잣말을 했다.
불이 꺼질 때마다 제노비스는 얼마나 두렵고 무서웠을까? 숨을 거
둘 때까지 칼에 찔린 고통보다 그 공포가 더 컸을 거야.

—갈색노트 4

5. 함께 길을 갔네

혼자 걷던 도시를 그와 윤미루와 셋이서 걷는 일이 많아졌다.

나란히 걷다가 좁은 길을 만나면 자연스럽게 그가 맨 앞에 윤미루가 가운데 그리고 내가 끝에 서서 걸었다. 좁은 길이 끝나면 다시 우리는 자연스럽게 나란히 걸었다. 혼자 걸을 때와 셋이 걷는 일은 달랐다. 셋이 걸으니 서로에게 신경쓰느라 혼자 걸을 때처럼 이 도시를 세세히 보지 못할 것 같았으나 오히려 셋이기 때문에 보는 것이 더 풍부해졌다. 우리 셋 중의 누군가 저것 좀 봐, 하며 어떤 것을 가리키면 우리 셋은 하나가 되어 일제히 그곳에 눈길을 주곤 했다. 거기엔 혼자라면 다른 것을 보느라 미처 보지 못했을 것들이 펼쳐져 있곤 했다. 윤미루는 주로 하늘을 가리켰다. 하늘의 먹구름, 흰구름, 불타오르는 노을, 밤하늘에 새촘하게 뜬 초승달, 자정의 달무리, 어둠을 가로지르는 새들을. 윤미루 덕분에 나는 이 도시의 밤하늘에 구름이 흘러가는 것을 유심히 보게 되었다. 어린 시절처럼 북

두칠성을 기준 삼아 카시오페이아나 안드로메다 같은 별자리를 눈으로 찾아보기도 했다. 그는 주로 사람을 가리켰다. 그가 저 사람 좀 봐! 하고 말해서 그곳을 바라보면 그곳에는 얼굴이 붉게 상기된 채 생존에 집중하고 있는 사람들이 있었다. 시장통 입구에 화덕을 내놓고 노릇하게 구워진 갈치를 열심히 뒤집고 있는 식당 아주머니나 허리를 기억자로 구부린 채 한 걸음을 뗄 때마다 일 분은 걸릴 것 같은 할머니. 그 할머니가 이 도시에 펼쳐놓고 팔고 있는 야채들이나, 그 순간에도 키가 자라고 있을, 튀는 공을 잡으려고 달리기하듯 돌진해오는 붉은 뺨의 아이들, 담배를 피워문 채 위험하게 육교에 걸터앉아 있는 취객도.

우리는 길에 넘어져 있거나 삐뚤어져 있는 것들을 발견하면 바로 세워놓기 게임을 하며 걷기도 했다. 넘어져 있거나 틀어져 있는 간판이나, 문 앞에 나와 있는 신발 같은 것을 보면 셋이 일제히 뛰어가 바로 해놓았다. 그 게임에 몰두한 것은 윤미루였다. 이후로도 미루는 길을 가다가 뭔가 제자리에서 벗어나 있는 것들이 눈에 띄면 그것을 바로 해놓는 일에 빠지곤 했다. 길목에 나와 있는 쓰레기통을 바로 세워놓고 전시용으로 심어진 꽃들을 다시 심어놓기까지 했다. 과일가게 앞을 지나다가 사과를 나란나란히 줄 맞추다가 과일가게 주인이 나오면 얼른 화상 입은 손을 주머니에 집어넣어 의심을 사기도 했다. 그는 우습게도 사이좋게 어깨를 나란히하고 지나가는 연인들을 보면 둘이 잡고 있는 손을 놓게 만들려고 그들 사이를 비집고 지나가는 장난을 하기도 했다. 윤미루와 나는 처음엔 왜 그래? 라고 만류했다가 나중엔 여기에서 저기 끝까지 가는 동안 몇

커플을 떼어놓는지 세어가며 함께 그 일에 동참했다. 우리는 때로 불안이나 고독과 겨루기 위해 그렇게 우스꽝스럽고 무모한 일에 몰두했다. 나중엔 길을 걷다가 저 앞에서 연인들을 발견하면 은근히 그들을 갈라놓을 그의 행동을 기대하게 되었다. 유난히 다정해 보이는 커플을 보게 되면 그가 그들을 무사히 갈라놓는지 지켜보다가 성공하면 뒤에서 손으로 브이자를 그리며 셋이 싱긋 웃곤 했다. 웃다가 그는 저기 좀 봐, 하고 방금 그 자신이 갈라놓은 연인들을 가리켰다. 돌아보면 방금 그가 갈라놓았던 연인들은 좀 전보다 더 가까이 몸을 밀착하거나 손을 더 꼭 잡고 걸어가고 있었다.

셋이 함께 길을 걸을 때 했던 행동들은 혼자 있을 때도 영향을 끼쳤다. 옥탑방에서 혼자 하늘을 올려다보게 될 때 푸른 밤하늘에 잔별들이 한 무리 내 쪽을 내려다보며 반짝이고 있는 것을 보면 나도 모르게 저기 좀 봐! 웅얼거리게 되곤 했다. 그러면 혼자 있어도 그와 윤미루도 그곳을 바라보고 있는 듯이 여겨졌다. 저게 은하수일까? 생각하다가 가만히 미루……라고 발음해보기도 했다. 옥탑방 아래의 찐빵집에서 잘 익은 찐빵이 들어 있는 솥뚜껑을 활짝 열어젖히는 얼굴이 붉은 아저씨를 보면 그가 생각나기도 했다. 그라면 분명 저기 좀 봐, 하며 그 아저씨를 가리켰을 테니까.

이 도시의 길에서 우리는 별일 아닌 일에도 자주 웃어댔다. 웃다가 기분이 야릇해져 슬몃 웃음을 거두기도 했다. 이 도시에서 그렇게 웃어본 일이 없었다. 이렇게 웃어도 될까? 하는 생각이 물처럼 스며들 때가 있었다. 윤미루는 여름이 지나고 가을이 지나도록 늘 그 플레어 치마를 입고 있었다. 그 플레어 치마를 입지 않은 윤미루

를 본 적이 없었다. 학교에서 그랬던 것처럼 길에서도 윤미루의 잔꽃무늬 플레어 치마는 눈에 띄었다. 가슴이 벅차도록 활짝 웃다가도 무심히 그 플레어 치마에 눈길이 머물면 나도 모르게 불안해져 종내엔 웃음이 키득거림으로 뭉개지곤 했다.

우리가 늘 셋이 걸었던 것만은 아니다. 그와 시위가 끝난 이 도시의 한복판에서 조우하던 날, 그 경황 속에서도 나를 웃게 했던 유머의 주인공 낙수장과 넷이 걸을 때도 있었다. 낙수장은 학교에 존재하는 실존인물이며 채수라는 이름보다 낙수장으로 불리길 원하는 건축가 지망생이었다. 낙수장Fallingwater이 미국의 건축가 프랭크 로이드 라이트가 폭포 위에 지은 그 전설적인 집 이름이라는 것을 나는 뒤늦게야 알았다. 채수의 별명이 낙수장인 이유도 그를 만나자 곧 알게 되었다. 그는 처음 만난 사람마다 펜실베니아 산악지대 비어 런의 숲속에 있다는 낙수장에 대한 이야기를 꺼내곤 했다. 낙수장은 집이 아니라 건축 조각품이라고 했다. 남성복 판매업자가 주말을 보낼 수 있는 집을 지어달라는 청에 의해 지어진 낙수장이 완성되어 오픈하자 사람들이 얼마나 놀랐는지를 얘기하는 채수의 표정은 동경에 가득 차 있곤 했다. 나무를 단 한 그루도 베지 않고 지어진 집. 보기도 전에 폭포 소리가 먼저 들리는 집. 집 아래로 비어 런의 물이 항상 떨어져내리고 지층에는 받침대 없이 물 위쪽에 거실과 네 개의 방이 떠 있단다. 내부 공간보다 더 큰 테라스가 딸려 있는 이유는 폭포 위에 걸린 다리를 건너 집 안으로 들어가게 하기 위해서라며, 건축물에도 영혼이 깃들어 있다는 것을 알게 해주는 집이라고 했다. 그는 채수라는 이름보다 낙수장으로 불리는 것

을 좋아했다. 낙수장은 이 도시에서 태어나 이 도시 바깥을 나가본
적도 없는 이 도시의 토박이였다. 낙수장의 네 축 처진 가슴을 보니
내 어깨가 아프다……라는 얘기를 전해주니 윤미루는 웃는 게 아니
라 서글픈 표정을 지었다. 길가의 전신주에 등을 대고 깊은 숨까지
내쉬었다.

　―이건 웃으라고 한 얘기야!

　―나에겐 슬픈 얘기로 들려.

　윤미루가 서글픈 표정을 풀지 않았다. 멋쩍어져 나도 전신주에
등을 대고 같이 서 있었다. 사진을 찍어줘야 되는데…… 그가 분위
기를 바꿔보려고 손가락으로 프레임을 만들어 전신주에 등을 대고
있는 윤미루와 나를 맞춰보다가 자신도 전신주에 등을 대고 섰다.
우리 셋은 그렇게 서서 오가는 사람들을 오래 바라보기도 했다.

　짝사랑했던 여학생 앞에서는 맹꽁이 같았던 낙수장은 이 도시의
길에 대해서 모르는 것이 없었다. 한옥들이 서로 기와를 맞대고 있
는 북촌에 데리고 간 것도 낙수장이었고 수령이 육백 년이 된 통의
동 백송을 보여준 것도 낙수장이었다.

　―네가 알고 싶다는 이 도시와 거의 나이가 같아.

　이 도시와 나이가 같다구? 나는 새삼스러워 백송 주위를 빙빙 돌
아봤다.

　―일제 강점기에는 이 나무가 성장이 멈추기도 했대.

　에이…… 우리가 비웃음을 날리자 낙수장은 나도 믿기지는 않아,
그냥 그렇게 믿고 싶은 마음은 있지! 하며 웃었다.

　어느 날은 청계천로를 따라 동대문시장 쪽으로 나아간 적도 있었

다. 그 길은 내가 혼자였을 때 헌책방 때문에 자주 걸어봤던 길이기도 했다. 낙수장이 안내한 길에는 헌책방만 있는 게 아니었다. 그날은 밤이었는데 낙수장은 우리를 시장통으로 안내했다. 거기에 밤과 낮이 뒤바뀐 사람들이 분주하게 움직이고 있었다. 시장들이 건물과 블록별로 서로 긴밀하게 연결되어 있어 나는 어디가 어디인지 잘 구별이 되지 않았다. 이름들을 다 외우지도 못할 정도로 시장들이 밀집되어 있었다. 북쪽의 광장시장 동대문시장 신발만 파는 신발도매상가, 동대문종합시장…… 동대문이라는 이름이 들어간 시장들은 내 눈엔 다 미로 같은데 낙수장은 탐험가처럼 척척 우리를 끌고 나아갔다. 평화시장 신평화시장 동평화시장 청평화시장을 순례하고 청계천로를 따라 북쪽인지 남쪽인지로 나와서 동일상가 통일상가 동화시장 홍인시장 남평화시장 수산물백화점…… 낙수장은 이 도시의 움직이는 고지도 같았다. 그가 우리 셋의 걷기에 낙수장을 자주 합류시킨 이유를 알게 되었다. 배오개길은 조선시대의 배오개시장의 이름을 따서 배오개길이 되었으며 광장시장을 두고는 근대에 들어서 가장 먼저 형성된 시장이라고 했다. 을사보호조약 체결로 일본인의 자본이 남대문시장의 상권을 장악함에 따라 조선인들의 발기로 설립된 시장이라고 말할 때는 낙수장이 향토사나 근대사를 전공한 교수 같기도 했다. 이 도시에 대해 설명하고 있는 낙수장을 보면 '어깨'와 '가슴'을 바꾸어 말한 맹꽁이 같은 사람이 낙수장이었다는게 믿기지 않아 나도 모르게 낙수장을 물끄러미 쳐다보게 되곤 했다. 내 마음을 알기라도 하는 듯 낙수장은 "그때가 1905년이야"라고까지 덧붙이며 싱긋 웃었다.

낙수장과 함께 길을 걷는 날은 내가 이 도시를 알기 위해 샀던 지도를 소지할 필요가 없었다. 나중엔 낙수장을 따라나서는 모임까지 생겼다. 1905년에 광장시장을 발기한 사람들처럼 구체적으로 모임을 발기한 것도 아니었는데 수업을 마치고 슬그머니 하나 둘 낙수장 뒤를 따르는 친구들이 생기더니, 내가 살고 있던 동숭동 근처를 낙수장을 따라 걸었던 날은 그 숫자가 아홉으로 늘었다. 마로니에공원이 대학 캠퍼스였으며 전차가 있었으며 음악감상실이 있었으며 아직도 그때 학생들이 차를 마시고 음악을 듣던 다방이 남아 있으며…… 낙수장이 가리키는 곳을 보니 거기에 학림다방이라고 쓰인 간판이 보였다. 자주 지나다니면서도 학림다방이 그렇게 오래된 곳인 줄은 까마득히 모르고 있었다. 내가 아는 마로니에공원은 처음부터 마로니에공원이었으니까.

누군가 낙수장에게 윤교수와 함께 이 도시의 성곽순례를 해보자고 제안했다.

—성곽은 하루에 다 돌지 못해. 구간을 정해야 돼.

—도시락을 싸서 온종일 돌아도? 그럼 이박삼일 정도 잡아서 할까?

모두들 이박삼일? 무슨 소리…… 하며 웃었다.

—만만치 않아. 서울 성곽은 정말 아름다워. 눈앞에 바로 보여서 짧은 것 같아도 구간구간 복잡하고 길고, 게다가 끊기고 이어지기도 해서 다시 내려왔다 올라가야 하고…… 제대로 순례하려면 이박삼일도 모자라. 놀기도 해야 하고.

누군가 선비처럼 물었다.

―낙수장! 그런 것들을 어찌 다 아는고?

낙수장이 그 운을 따라 대답했다.

―난 건축가가 꿈인고로!

―이게 건축과 무슨 상관이야?

―건축을 하려면 공간을 샅샅이 알아야 해. 그 공간의 과거와 현재를 다 알아야 한다구. 그래야 거기에 미래를 세우지.

―그럼 건축과를 갔어야지, 낙수장!

―떨어졌다구…… 어쨌든 난 건축가가 될 것이니 두고 봐! 이 도시는 내가 태어난 곳이야. 내 미래를 담아 멋지게 설계하고 보존하고 싶은 공간이라구. 성곽 가고 싶으면 여기서도 잠깐 오를 수 있어. 가볼까? 일단 낙산으로 올라야 돼.

우리는 낙수장을 따라 마로니에공원을 벗어나 내가 늘 내 옥탑방에서 바라만 보던 낙산을 향해 발걸음을 뗐다. 방향이 바뀌니 사촌 언니가 살고 있는 곳이 어디쯤인지 짐작이 되지 않았다. 이 도시에 이런 동네가 있었어? 누군가 놀란 목소리로 말했다. 좁은 골목길을 따라가다가 이 길 어디가 성곽하고 이어진다는 거야? 의심하는 이도 있었다. 낙산은 화강암으로 덮여 있다고 낙수장이 말했다. 산이 꼭 낙타의 등같이 생겼다는 낙수장의 말을 들으며 나는 늘 바라보기만 했던 낙산 쪽에 서서 반대로 내가 사는 옥탑방을 내려다보았다. 그곳에서의 내 모습이 마치 다른 사람의 움직임처럼 떠올랐다. 테이블야자에 물을 주거나 학교로 가기 위해 운동화 끈을 조여매거나, 이따금 깊은 밤에 옥상으로 나와 어린 시절 마당에 선을 긋고 네모 칸에 돌을 던지고 한쪽 발을 들고 그 돌을 집어 다시 처음으로

돌아오며 놀았던 것처럼 어둠 속의 옥상에 금을 그어놓고 돌을 던지고는 성큼성큼 뛰어보곤 했던 내 모습이.

낙산에서 내가 사는 옥탑방을 내려다보고 있을 때였다. 그가 홀로 떨어져 있는 내게 다가왔다. 내 귓가 가까이에서 그가 혼잣말하듯 말했다.

—좋아해, 정윤.

그의 갑작스런 고백에 나는 옥탑방을 바라보던 시선을 거둘 수가 없었다. 나도 모르게 불쑥 한마디가 툭 튀어나왔다.

—윤미루만큼?

그가 내가 보는 곳을 함께 바라보며 대답했다.

—내 십 년 후를 생각할 때만큼.

—윤미루만큼?

시창작 시간이면 맨 앞에 앉아 윤교수의 시선이 움직이는 대로 똑같이 따라다녀 지구의란 별명을 가지게 된 현태 옆에 서서 걷고 있는 윤미루를 바라보았다. 윤미루의 플레어 치마가 낙산의 화강암을 가만 덮었다가 다시 움직였다.

—어렸을 때 형들이랑 함께 외가에 간 적 있어. 밤에 형들이 어딘가로 몰려가기에 나도 따라나섰어. 형들은 외사촌형과 함께 참새를 잡으러 가는 중이었어. 나는 참새들이 초가지붕 속에서 살기도 한다는 것을 그때 처음 알았어. 내 위의 형이 플래시를 비출 때 오들오들 떨던 참새가 지금도 생각나. 웬 참새들이 그렇게 많았는지. 형들은 불빛을 받으며 파르르 떠는 참새들을 잡아 양손에 쥐고 있었지. 다섯 마리를 한꺼번에 쥐고 있는 형도 있었어. 참새들은 형들의

손아귀에서 꼼짝 못했어. 나중엔 손이 모자랐어. 형이 짚 속에서 꺼낸 어린 참새 한 마리를 보더니 내 손에 쥐여주며 가지고 있어라, 했어. 어둠 속에서 내 손에 쥐여진 어린 참새는 놀라서 파닥거리지도 못하고 잔뜩 움츠리고 있었어. 어찌나 따뜻하고 보드랍던지. 나는 참새가 날아갈까봐 슬몃 주머니에 넣었어. 손을 집어넣어 주머니 안에서 웅크리고 있는 참새를 가만가만 만져봤지. 손끝에 닿는 참새의 새털 감촉이랑 체온이 정말 좋았어. 아마도 내가 살아 있는 것들 중의 어린 것을 그렇게 만져본 건 그때가 처음이었을걸. 내 작은 주머니에 꾸물거리는 생명이 가득 차 있는 느낌이었어. 온 세상이 다 들어 있는 것 같았어. 몇살 때였는지 가물가물한데 그 기쁨이 뚜렷이 남아 있어. 그때의 그 기쁨만큼.

그.때.의.그.기.쁨.만.큼, 이라는 말이 나의 마음속에 빗방울처럼 떨어졌다. 나는 성벽에 손을 짚고 저만큼 앞서 걸어가고 있는 윤미루의 플레어 치마를 다시 바라봤다.

—윤미루만큼?

—형들이 참새잡이에 빠져 있는 중인데 외사촌형이 내게 좀 전에 가지고 있으라고 했던 참새를 달라고 했어. 건네주고 싶지 않았지만 주머니 속에서 꾸물거리고 있는 참새를 어둠 속에서 꺼냈어. 보고 싶기도 했거든. 정말 작았어. 아직 날지도 못하는 것 같았지. 외사촌형이 내 손바닥 위의 참새를 집어들고 어딘가로 갔어. 그때 주머니 속에서 꺼내지 말았어야 했는데. 한참 만에 외사촌형이 다시 돌아왔을 땐 참새들이 까맣게 태워져 있었어. 뼈들이 오돌토돌 튀어나와 있었지. 방금 전까지 내 주머니 속에 들어 있던 따뜻한 참새

가 어떤 것이었는지도 알 도리가 없었어. 털은 다 타버리고 형체를
그대로 드러낸 그을린 참새들을 보고 울음을 터뜨렸어. 내 참새 내
놓으라고 소리쳤지만 이미 늦은 일이었어. 내가 계속 내 참새 내놓
으라고 소리를 질러대니까 귀찮았는지 외사촌형이 그중 가장 작은
것을 내게 내밀며 이거야, 짓궂게 내 얼굴 앞에 들이밀었어. 까맣게
그을린 어린 참새를 손에 받아들었을 때 세상이 무너지는 것 같았
어. 그 보드랍고 따뜻했던 참새는 차갑게 변해 있었어. 내가 죽은
것을 처음으로 손에 쥐어본 순간이었어. 그때의 그 슬픔만큼.

그.때.의.그.슬.픔.만.큼, 이라는 말이 또 내 마음에 빗방울처럼 떨
어졌다. 나는 그와 눈을 마주치지 않으려 하며 또 말했다.

─윤미루만큼?

장난처럼 시작한 일이 점점 진지해져 기분이 야릇했다. 내가 무
엇을 확인하려 하는지 나도 모르겠는 기분이었다.

─이 도시에 나와 고등학교 시절 친구들을 처음 만났을 때야. 삼
월이었는데 눈이 퍼붓던 날이었어. 한 친구의 학교 앞에서 일고여
덟 명이 함께 만났는데, 새벽이 되도록 헤어지질 못하고 이 도시를
장소를 바꿔가며 배회했어. 남대문시장 안을 지나게 되었을 때는
늦은 밤이었어. 포장마차 안에 참새구이가 죽 놓여 있었어. 추위에
떨면서 마지막 술값을 모아 술과 안주를 고르고 있는데 누군가 참
새구이를 시키자고 했어. 참새구이? 모두들 반가워했지. 우리들 중
에 참새구이를 안 먹어본 놈은 나뿐이었어. 내가 떨떠름하게 참새
구이를 쳐다보고 있는데 참기름을 발라야 한다느니 소금만 뿌려야
한다느니 진짜는 숯불에 구워야 한다느니 야단이었어. 그물로 참새

를 잡을 때는 어째야 한다느니 참새는 엽총을 쏴서 잡을 때가 최고라느니, 쌀을 술에 담갔다가 참새가 다니는 곳에 뿌려놓고 한 시간쯤 지나 술 취한 참새가 자고 있을 때 집어오면 된다는 놈도 있었어. 마치 이 세상엔 참새를 잡아서 구이를 해먹어본 자와 아닌 자만 있는 것 같았지. 그사이 기름이 발라진 참새가 석쇠 속에서 구워져 우리 앞에 놓였어. 털이 벗겨지고 내장이 다 떼어내져 납작했는데 머리통은 그대로 붙어 있었지. 참 기이한 느낌이었어. 모두들 한 마리씩 들고 먹기 시작했지. 그 작은 참새 머리통에 금이 가 있었어. 내가 그걸 쳐다보고만 있으니까 너도 먹어보라고 하나 둘 참견하기 시작했어. 뭐야? 여기서 철학해? 합류하지 않는 나를 질책하는 기이한 분위기로 흘러갔지. 참새를 씹어먹고 있는 놈들의 눈동자가 일제히 나를 향했어. 언제까지 니가 버티나 보자, 하는 거 같았지. 눈이 내리는 왁자한 시장통에서 금이 간 머리통이 달린 참새를 집었지. 무슨 오기였을까. 피할 수도 있었는데 말이지. 머리통 쪽을 어금니로 깨물었어. 내 입안에서 새의 머리통이 오도독 부서지는 소리가 귓가에 생생하게 들렸지…… 그때의 그 절망만큼.

그.때.의.그.절.망.만.큼, 이라는 그의 목소리가 물처럼 스며들어 내 마음에 파문을 일으켰다. 왜 누군가를 좋아하는 일은 기쁨이지만은 않을까. 왜 슬픔이고 절망이기도 할까. 나는 성벽에 대고 있던 손을 거두고 일행들을 따라 걸음을 옮겼다. 뒤에서 그가 내 이름을 불렀을 때 나는 그가 하려는 말이 무엇인지 이미 알았다. 그를 향해 돌아섰다.

—오늘을 잊지 말자, 이 말 하려고 그랬지?

그의 짙은 눈썹이 위로 치켜지고 곧 입가에 쑥스러운 웃음이 번졌다. 그가 다가와 내 손을 쥐었다. 나는 손을 빼서 그의 손을 더 힘껏 쥐었다. 오늘을 잊지 말자, 고 말하는 그의 목소리는 울적해져 있었다. 상실될 걸 알고 있는 이의 고독이 묻어 있었다. 십 년 후, 이십 년 후…… 그때의 우리는 어떤 모습일지. 마음이 복잡해져 나는 그의 손을 더 세게 쥐었다. 그가 손을 빼더니 내 손을 더 세게 쥐었다.

　ㅡ미루도 좋아하는 사람이 생겼어.

　ㅡ누구?

　그의 얼굴이 어두워졌다.

　ㅡ사라진 사람?

　ㅡ윤교수.

　나는 처음엔 잘못 들은 줄 알았다.

　ㅡ누구라고 했어?

　ㅡ윤교수.

　윤미루가 윤교수를? 대뜸 안타까움이 밀려왔다. 여름장마를 못 이기고 채 붉어지지도 않은 푸른 사과가 과수원 흙바닥에 툭툭 떨어져 있는 것을 볼 때와 같은 아픔 같은 것이. 나는 그의 손에 쥐여 있던 내 손을 빼내고 고개를 들어 저 앞 윤미루의 뒷모습을 응시했다. 그녀의 플레어 치마가 눈 속으로 가득 차올랐다. 가파른 길인데도 윤미루는 주머니에 두 손을 집어넣고 고개를 숙인 채 걷고 있었다. 아마도 손이 닿을 수 있는 거리에 있었으면 그러지 마, 윤미루! 그녀의 어깨를 흔들었을지도 모른다. 나는 그를 내 뒤에 남겨두고

윤미루를 향해 뛰어갔다. 눈앞으로 낙산 아래의 동네가 획획 스쳐
지나갔다. 해가 지고 있어 잔양이 눈을 찔러대기도 했다. 내가 숨차
하며 뛰어가자 모두 나를 돌아다봤다. 무슨 긴요한 할말이라도 있
어 뛴 줄 아는지 내가 윤미루 곁에 멈춰 섰을 때 모두 내 얼굴을 주
시했다. 나는 윤미루 얼굴 앞에 가슴 가득히 차오른 숨을 하아, 내
쉬었다. 윤미루가 눈을 동그랗게 뜨고 나를 바라보았다. 여전히 두
손은 주머니에 넣은 채였다. 나는 윤미루 옆으로 서서 방금 그의 손
을 잡았던 내 손을 윤미루의 주머니 속에 넣었다. 윤미루의 흉터투
성이 손이 내 손에 잡혔다. 당황한 듯한 윤미루의 손이 주머니 속에
서 꼼지락거렸다. 나는 그의 손을 쥐었을 때보다 더 힘껏 윤미루의
손을 쥐었다. 그러고 있으니 가슴속을 휘몰아치듯 일렁이며 지나가
던 안타까움이 조금은 가라앉는 듯했다. 곧 주머니 속 윤미루의 손
도 조용해졌다. 내가 뛰어오는 통에 혼자 뒤에 처져 있던 그가 다가
올 때까지도 그러고 있었다. 잔양이 윤미루의 플레어 치마를 비추
는 것을 보며. 숨차게 달려와서 무슨 말인가를 할 줄 알았던 내가
윤미루의 주머니 속에 손을 집어넣은 채 서 있기만 하자 모두 싱거
운 표정들을 짓고 성벽 쪽으로 다시 걸어갔다. 그도 낙수장의 뒤를
따라 성벽 쪽으로 걸어갔다.

　―왜?

　뒤에 우리 둘만 남게 되자 윤미루가 내 눈을 빤히 들여다보며 물
었다. 윤미루는 아마 우.리.는.숨.을.쉰.다, 를 거의 외우고 있을 것
이다. 윤미루는 언제나 어디서나 우.리.는.숨.을.쉰.다, 를 눈과 손이
닿는 곳에 두고 있었다. 셋이서 도서관이나 커피집에 앉아 윤미루

가 하루 동안 먹은 음식 종류가 날짜별로 빼곡히 적혀 있는 노트를 펼쳐놓고 문장 이어쓰기 놀이를 할 때가 있었다. 그녀는 맑은 국수를 먹게 되면 그냥 국수, 라고 적는 게 아니라 멸칫국물을 낸 면발이 가는 흰 국수, 고명으로 얹어진 파와 표고버섯, 단무지 다섯 쪽과 각두기 크기까지 사진을 찍듯 세세하게 적어두었다. 그녀와 함께 밥을 먹게 되면 먼저 그 노트에 음식 종류를 적고 있는 그녀를 지켜보는 시간이 필요했다. 그녀가 자신이 먹는 것을 노트에 기록하고 있는 것을 바라볼 때면 단이가 거미를 두려워한다는 것을 처음 알게 된 때와 같이 낯설어서 그녀의 화상 입은 손을 물끄러미 바라보게 되었다. 섭취한 음식을 기록할 때의 그녀의 모습은 무슨 의식을 치를 때처럼 신중해 보였다. 그 노트의 다른 장에 우리 중 한 사람이 첫 문장을 쓰면 그 뒤를 다른 사람이 쓰고 또 다음 사람이 이어썼다. 처음엔 별 생각 없이 시작했다가 곧 우리는 진지하게 문장 이어쓰기 놀이에 빠져들곤 했다. 윤미루가 나는 사람이 가진 것 중에서 손이 가장 좋다, 라고 첫 문장을 쓴 적이 있었다. 내가 뒤를 이어 한시도 휴식이 없는 가엾고 고마운 손, 이라고 썼다. 그가 내가 쓴 문장에 이어서 손을 보면 그 사람의 일생을 알 수 있다, 고 썼다. 차곡차곡 손에 대한 문장이 쌓여가는 것을 바라보는 일은 콩나물콩 시루에 물을 주며 싹이 나오기를 기다릴 때처럼 성실해지는 느낌이었다. 윤미루가 그나 내가 써놓은 문장 뒤를 이어쓸 때면 우.리.는.숨.을.쉰.다 위에 왼손을 올려놓고 쓰곤 했다는 생각.

　─무슨 일 있어?

이번엔 윤미루가 근심스럽게 내 얼굴을 주시했다. 빛이 나는 눈

이었다. 가늘게 진 쌍꺼풀 모양이 왼쪽이 더 깊어 보이는 눈이었다. 언제나 화상 입은 윤미루의 손이 먼저 눈에 띄어 자세히 들여다본 적이 없는 눈이었다. 새까맣게 윤기나는 머리카락이 바람에 흩날려 그녀의 반듯한 이마를 가렸다. 손에 대한 문장을 이어쓰던 날의 윤미루가 썼던 문장 속의 손 이야기는 상상이 아니라 사실이었던 것일까. 노동으로 투박해진 모든 손에게 경배, 그가 쓴 문장 뒤에 윤미루가 아주 긴 문장을 이어썼다. 손을 잡으면 놓을 때를 잘 알아야 한다. 무심코 잡은 손을 놓는 순간을 놓치면 곧 서먹해지고 어색해진다. 버스에서 내리다가 학교 앞 지하도에서 올라오는 그와 마주쳤다. 인사를 한다는 것이 그의 손을 잡아버렸다. 야위고 뼈만 남은 듯한 손이 내 손안에 있었다. 강인한 손뼈의 감촉. 야위었지만 그의 손은 거친 연장 같았다. 눈으로 반가워하며 그도 내 손을 꼭 쥐어주었다. 바로 손을 놓았어야 했는데 손을 잡은 채 걷기 시작했다. 반가움은 사라지고 곧 침묵 속에 놓이게 되었다. 자연스럽게 놓으면 될 순간을 놓치고 나니 점점 더 내 손이 의식되었다. 턱 내려놓자니 어색하고 그렇다고 계속 잡고 가자니 손바닥에 땀이 밸 정도로 긴장이 되었다. 그도 마찬가지인 듯했다. 우리는 말없이 걷기만 했다. 우리는 어정쩡하게 손을 잡은 채 학교 쪽으로 올라갔다. 언제 손을 놓아야 할지 계속 신경쓰다보니 손바닥에 식은 땀이 배어나왔다. 한 걸음 한 걸음이 가시밭길 같더니 나중에는 마음이 고요해졌다. 거리는 소란스러웠지만 아무 소리도 들리지 않았다. 주변의 아무것도 보이지 않았다. 알아보는 사람들이 있을까 신경쓰이던 마음도 눈처럼 녹아버렸다. 그렇게 그의 손을 잡고 영원히 걸어가고 싶었다. 도로변의 호텔을 지났다. 서점을 지나고 옷가게를 지났다. 우동 냄새가 새

어나오는 식당을 지나고 은행나무가 줄서 있는 계단을 오르고 학교 정문이 보이는 큰길 신호등 앞에 설 때까지도 우리는 침묵 속에서 손을 잡고 걸었다. 길을 건너고 대극장이 마주 보이는 곳에 다다를 때까지도. 학교 안은 소란스러웠다. 게시판이나 공중전화나 나무의자마다 학생들이 앉아 있거나 서 있었다. 그가 나를 바라보며 이제 손을 놔도 되겠나? 물었다. 허락을 구하는 말투였다. 나는 그때야 그의 손을 놓았다. 내 어깨를 두드려주고 성큼성큼 학교 안으로 그가 먼저 걸어들어갔다. 그날 윤미루가 이어쓴 문장 속에 '그'라고 지칭되며 등장한 손이 윤교수의 손이었을까.

　—정윤, 손 좀 놔줘…… 아파!

　나는 윤미루의 손을 쥐고 있는 주머니 속의 내 손에서 힘을 슬쩍 뺐다.

　—명서의 손도 이렇게 잡아?

　—응?

　—너무 세게 잡잖아!

　우리 둘은 서로를 바라보며 풋, 웃음을 터뜨렸다. 미루의 손이 내 손을 빠져나가려고 또 움직거렸다. 나는 놓지 않았다. 윤미루가 문득 토요일 오후 세시에 동숭탕 앞에서 만날까? 물었다. 동숭탕? 잠깐 생각하다가 목욕탕? 내가 반문했다. 굴뚝만 봤을 뿐 직접 가본 적이 없는 동네 목욕탕이었다. 옥탑방에서 내려다보면 낡은 집들 사이로 붉은 벽돌 굴뚝이 치솟아 있고 거기에 흰 글씨로 '동숭목욕탕'이라고 씌어 있었다.

　—나랑 목욕탕에 가자는 거야?

－응.

윤미루와 단둘이 하는 약속은 처음이었다. 영화관이나 카페도 아
니고 목욕탕에서? 나는 낙산 성벽에 서서 자신이 나침반인 양 저기
가 동쪽, 하더니 삼선동이고 창신동이라고 일러주고 있는 낙수장을
바라보았다. 우리가 올라온 쪽은 낙산에서 서쪽이며 저기가 동숭동,
저기가 이화동, 저기가 충신동이라고도 설명하고 있었다. 해가 지고
있는 중이라 낙수장이 가리키고 있는 낙산에서 보면 서쪽 동네들이
금빛 잔양에 뒤덮여 반짝반짝 빛이 나고 있었다. 그 빛을 받으며 그
가 윤미루와 나를 돌아다보고 있었다. 높은 곳에 올라 해가 지고 있
는 이 도시를 내려다보기는 처음이었다.

    일본의 존경받는 근대 작가라고 할 수 있는 나쓰메 소세키는 국비 장학생으로 영국 유학을 갔다. 영국에 건너가 보게 된 풍경으로 인해 충격이 어찌나 컸던지 그는 한때 신경쇠약에 걸렸다. 훗날 소설가가 된 그는 소설에 전념하기 위해 명예로운 직책이었던 동경제국대학의 교수직을 그만두었다. 그에게 소설쓰기는 어쩌면 정신적 외상을 안겨주었던 근대의 충격을 받아들이고 이겨낼 수 있는 유일한 길이었는지도 모른다. 말년에 그는 오전에는 영문학을 공부하며 터득한 근대소설을 쓰고 오후에는 한시를 지었다고 한다. 하루의 시간을 나누어서 동양과 서양을 오갔다고도 볼 수 있다. 이것으로 그가 지닌 교양의 넓이를 말하는 사람도 있지만 내겐 어느 쪽으로도 침몰되지 않기 위한 정신적인 고투로 여겨졌다.

    오늘 윤이 옥탑의 평상에 앉아 있다가 이것 좀 봐, 하며 미루의

노트를 내 앞으로 밀었다. 오랜만에 셋이서 문장 이어쓰기를 하려던 참이었다. 미루는 시작하기 전에 손 좀 닦고 오겠다며 안으로 들어간 뒤였다.

미루의 노트엔 의문을 남기고 사라진 사람들의 이름과 사건 경위들이 줄을 잇고 있었다. 미루가 미래 누나의 그 사람이 실종 후 어떻게 되었는지 알아내 경위를 쓸 수 있을까. 미루와 함께 미래 누나의 그 사람을 찾으러 다닐수록 알게 되는 것은 사라진 다른 사람들이 얼마나 끔찍한 모습으로 발견되었는가뿐이었다. 그나마 미루가 찾고자 하는 그 사람은 흔적조차 없었다. 미루의 노트를 골똘히 들여다보고 있는 윤의 검은 머리를 쓸어올리고 얼굴을 들여다보았다. 이게 뭐야? 의문이 가득 담긴 윤의 검은 눈과 마주쳤다. 혹시라도 미루와 함께 길을 나서서는 안 돼. 내가 통제력을 상실한 사람처럼 큰 소리로 말하자 윤이 물끄러미 나를 봤다. 약속해. 미루를 위하는 일은 미루와 함께 그 사람을 찾으러 다니는 게 아니야. 이유를 알지 못하는 윤이 무슨 일이야? 물으며 미루의 노트를 다시 들여다보았다. 미루를 떠나지 못하게 해, 정윤. 이해가 가지 않는 듯 노트와 나를 번갈아 응시하던 윤이 갑자기 내 입술에 키스를 했다.

—갈색노트 5

6. 빈집

　토요일이 되어 윤미루를 만나려고 막 옥탑방을 나서는데 그가 전화를 했다.

　—뭐하고 있어?

　—윤미루와 약속이 있어서 나가려는 참이야.

　—미루하고?

　그렇다고 간단히 대답하면 될 일인데 머뭇거리게 되었다. 윤미루와는 늘 그를 사이에 두고 만나왔었으니까.

　—어디서?

　—목욕탕에 가기로 했어.

　—동승목욕탕?

　—어떻게 알아?

　수화기 저편에서 그가 대답 대신 깊은 숨을 내쉬었다. 그의 숨소리를 듣고 있자니 그를 떨어뜨려놓은 것 같은 미안한 마음이 들었

다. 그렇다고 그에게 목욕탕엘 함께 가자고 할 수는 없는 일이다. 그가 정윤! 하고 내 이름을 불렀다. 잠시 침묵이 흘렀다. 목욕바구니를 물끄러미 바라보며 나도 아무 말을 하지 않았다.

   ―다행이다.

   무엇이 다행이라는 것인지 그의 말뜻을 정확히 알 수가 없어서 나는 듣고만 있었다.

   ―미루 곁에 네가 있는 것.

   그는 작별인사도 없이 전화를 끊었다. 길가의 넘어진 간판을 바로 세우고 줄이 흐트러진 화분들을 바로 놓는 윤미루를 뒤에서 바라보며 그와 함께 길을 걸었던 일들, 커피를 마시고 함께 '젊은 작가 12인전'에 가거나 문장 이어쓰기를 하거나 함께 윤교수의 수업을 들었던 일들이 아주 먼 일처럼 느껴질 만큼, 미루 곁에 네가 있는 것, 이라고 말하는 그의 말투는 뜻밖에도 아쉬움이 느껴질 만큼 단조로웠다. 그가 전화를 끊은 후에도 나는 잠시 수화기를 들고 서 있었다. 사촌언니와 함께 이 옥탑방에 다니러 온 아버지의 손에 들려 있던 게 전화기였다. 아버지는 전화번호를 신청하고 전화기가 놓일 자리를 마련해주고 돌아갔다. 방이 너무 높은 곳에 있다고 염려하면서. 아버지는 이른 아침에 그리고 늦은 밤에 이따금 전화를 걸었다. 나는 아버지가 걸어오는 전화를 정확히 알아맞혔다. 전화벨이 울릴 때 아버지다, 하는 생각이 들었다. 한 번도 틀린 적이 없었다. 아버지와 사촌언니 다음으로 이 옥탑방에 전화를 걸어온 사람이 그였다. 나는 그와 윤미루의 손바닥에 똑같이 전화번호를 적어주었다. 윤미루는 딱 한 번 전화를 걸어서 정윤, 네 전화번호 맞구

나, 하고선 끊은 게 다였다. 타월과 머리빗, 샴푸 같은 것이 들어 있는 목욕바구니를 한 손에 들고 나오는데 우편배달부가 우편함에 막 편지를 집어넣고는 돌아서는 중이었다. 옥탑방 주소지에서 편지를 받아본 적이 없어서 지나치다가 우편함 바깥으로 삐죽 나와 있는 편지의 글씨체가 낯익어 무릎을 굽히고 들여다보니 단이의 글씨체였다. 단이가? 나는 우편함 앞에 선 채로 단이의 편지를 뜯어보았다.

　　윤.
　　네가 있는 곳에 갈 일이 생겼어. 며칠 후 기차를 타기 전에 전화할게. 주소와 전화번호는 아저씨께 물어서 알았어.
　　　　　　　　　　　　　　　　　　　　　　10. 9. 단이가.

　　단이의 활달한 필체로 쓰인 내용은 전보용지에나 쓰일 만큼 짧디짧았다. 잘 있느냐는 말도 잘 있다는 말도 없었다. 나는 단이에게 한마디 말도 없이 이 도시로 돌아왔다. 새 주소와 전화번호가 생겼어도 단이에게 알리지 않았다. 섭섭했을 텐데도 단이는 그 점에 대해서 단 한마디도 하고 있지 않았다. 나는 단이의 편지를 엄마 반지가 들어 있는 주머니에 넣고 골목으로 걸어나왔다. 차갑게 느껴지는 바람이 목덜미를 파고들었다. 윤미루를 만나려고 고개를 숙이고 묵묵히 걸어내려가는 동안 주머니에 손을 넣어 단이의 편지를 세 번이나 만져보았다. 이렇게 오래 단이와 연락을 끊고 지냈던 적이 없었다는 생각. 그와 윤미루를 거의 매일 만나면서 단이에게 새 주소도 전화번호도 알리지 않고 있었다. 알리지 않은 게 아니라 알리

지 못하고 있었을 것이다. 단이 생각을 할 때마다 너.는.나.를.사.랑.
하.지.않.으.니.까, 라고 했던 단이의 그 말이 되살아나서.

목욕탕 쪽을 향해 고개를 돌리자마자 그녀의 플레어 치마가 눈에
가득 들어왔다. 치마 때문에 윤미루는 어디에 있어도 눈에 띄었다.
계절이 바뀌면서 더욱 그랬다. 여름에는 주변과의 부조화 때문에,
다른 계절엔 여름옷이어서. 윤미루는 입욕권을 끊어 손에 쥐고 있
었다. 내가 다가가자 사물함 열쇠 하나를 내게 건넸다. 우리는 나란
히 목욕탕 안의 탈의실에 들어가 61번 62번 사물함 앞에 섰다. 옷을
벗어 개다가 플레어 치마의 호크를 풀고 있는 윤미루를 보았다.

─왜 그 치마만 입어?

윤미루가 내 질문에 잠시 멈칫하더니 대답 없이 벗은 치마를 개
어 사물함 안에 넣었다. 윗옷도 벗어 개어 넣었다. 함께 있을 때도
지금 무슨 생각을 하고 있는지 물어보고 싶을 만큼 윤미루는 자주
다른 생각에 빠져 있곤 했다. 윤미루는 속옷을 벗어 개어놓은 옷 위
에 가지런히 올려놓았다. 브래지어도 팬티도 플레어 치마 위에 입
은 셔츠도 하얀색이었다.

토요일인데도 목욕탕 안에 사람이 많지 않았다. 한쪽 구석에서
네 살쯤 된 여자아이의 머리를 감기고 있는 젊은 엄마와 탕 안의 나
이든 할머니와 며느리인 듯한 중년여자뿐이었다. 우리는 나란히 샤
워기 아래로 가 몸에 물을 끼얹었다.

─나 살던 곳에도 아주 가까운 곳에 이런 목욕탕이 있었어. 언니
와 나는 어렸을 때부터 함께 목욕탕에 다녔지. 우리 둘이 목욕탕에
가는 걸 좋아하니까 엄마가 아예 한 달치 입욕권을 끊어주곤 했어.

언니와 나는 아침에 깨어나면 목욕탕으로 가서 거기서 세수하고 머리 감고 장난치고 놀고……

윤미루가 갑자기 무슨 생각이 났는지 물방울 속에서 미소를 지었다. 목욕탕의 열기로 윤미루의 뺨이 발그레했다.

—그 목욕탕집에 아들 넷이 있었는데 말이야. 목욕탕집 아저씨가 술을 마시면 아들 넷을 쭈르륵 목욕탕 앞마당에 앉혀놓고 그 집의 가훈을 말하곤 했었어. 지나가던 사람들이 다 구경을 했지. 그 집의 네 아들이 다 탐나게 생겼었거든. 목욕탕집 아들들 하면 거기서는 공부 잘하고 잘생기고 운동 잘하고 인사성 바른 남자아이들을 통틀어 지칭하는 말이었어. 목욕탕집 아들들은 그 동네 아이들의 비교 대상이 되곤 했어. 걔는 공부도 잘하는데 넌 왜 그 모양이냐! 하는 거 있잖아. 심지어 걔는 키도 그렇게 큰데 너는 왜 이렇게 작냐! 라는 말을 할 정도로. 목욕탕집 아저씨는 아들들 자랑하고 싶은 마음에 술을 마시면 그렇게 아들들을 죽 앉혀놓았는지도 모르겠어. 그때면 아저씨 얼굴에 웃음이 함빡 피어나 있었거든. 언니랑 나도 가끔 거기 서서 아저씨의 말을 듣곤 했었어. 나중에 동네 사람들이 목욕탕집 아저씨 말을 다 외울 정도였어.

뭐랬는데? 라고 내가 묻자 그녀가 근엄한 표정으로 한 문장씩 끊어서 말했다.

—사람에겐 다 때가 있다

—우린 앉아서 때를 기다리면 된다

—잘하면 우린 떼돈을 벌 수 있다

나도 윤미루처럼 풋, 하고 웃음을 터뜨렸다. 윤미루의 얘기를 들

고 있었는지 어린 딸의 머리를 감겨주고 있던 젊은 엄마도 저쪽 수증기 속에서 웃음을 터뜨렸다. 탕 안에 몸을 담그고 있던 할머니의 입가에도 미소가 번졌다.

─그 아들 중의 하나가 명서야!

─응?

나는 그만 샤워기 아래 풀썩 주저앉아 더 크게 웃음을 터뜨렸다. 그가 목욕탕집 아들이었다구? 그치려고 할수록 웃음이 더 커져 나중엔 눈물이 나오려고 했다. 뿌연 수증기 아래에 서 있는데도 윤미루의 몸은 선이 단정했다. 늘 플레어 치마가 가리고 있던 다리는 쭉 뻗어 있었고 등은 곧았으며 긴 머리를 틀어올려 금빛 핀을 꽂고 있는 아래로 드러난 목선이 부드럽게 어깨로 이어졌다. 우리가 샤워를 하는 동안 탕 안이 비었다. 내가 먼저 탕 안으로 들어가자 윤미루도 따라 들어왔다. 우리는 나란히 타일 벽에 등을 대고 발을 뻗고 물속에 앉았다. 사촌언니가 목욕탕에 함께 가자고 할 때마다 나는 무슨 목욕을 함께 하자 그래…… 하며 피했다. 사촌언니가 등도 밀어주고 좋잖아, 할 때마다 나는 방으로 들어가버리곤 했다. 윤미루와 함께 탕 안에 들어와 있는 나를 보면 사촌언니는 어떤 표정을 지을까. 엄마 외에는 다른 사람과 목욕을 함께 해본 적이 없었다. 어린 시절 부엌 뒤쪽에 물을 끓여 큰 통에 붓고 찬물을 섞은 후에 팔꿈치를 넣어 물의 온도를 재던 엄마의 모습이 스쳐 지나갔다. 떠오르는 엄마의 모습은 아주 젊었다. 팔꿈치로 물의 온도를 재고 있는 젊은 엄마를 따라 내 팔꿈치를 물속에 넣어보는 어린 나도 떠오를 듯했다. 엄마는 복숭아꽃이 필 때는 그 꽃을 따다가 목욕통 안의 물

에 띄워놓았다. 우리 윤이 얼굴이 뽀얘져라, 하면서. 큰 대문을 열고 나가면 골목이 끝날 때까지 양편으로 피어 있던 붓꽃을 잘라와 큰 솥에 넣어 삶은 물로 목욕물을 만들어 나를 씻기기도 했다. 부드럽고 은은한 향이 코끝에 맡아져 엄마가 내 등이며 뺨을 문지를 때에 나는 물속에서 그만 꾸벅꾸벅 졸았던 기억.

나는 갑자기 서글퍼져 물속 윤미루의 발을 내 발로 톡, 건드렸다. 무슨 대답이라도 하듯이 윤미루도 물속의 내 발을 톡, 찼다. 내가 다시 윤미루의 발을 좀 전보다 더 세게 건드렸다. 윤미루도 따라서 좀더 세게 내 발을 톡톡, 찼다. 우리의 발이 서로를 노크하는 듯했다. 우리 발이 톡톡거릴 때마다 물방울이 뽀글뽀글 솟아올랐다. 처음에 슬며시 시작했던 장난질이 나중에 첨벙첨벙 소리가 날 만큼 소란스러워졌다. 노파의 머리를 감겨주고 있던 며느리처럼 보이는 여자가 우리를 바라보았다. 민망해진 내가 탕 안의 타일 턱에 팔을 괴고 몸을 뒤집어 엎드리자 윤미루도 따라 엎드렸다.

윤미루의 화상 입은 손이 물속에서 어른거렸다. 내 손도 물에 불어 주름투성이였다.

―목욕탕 안에 있으면 항상 바깥 날씨가 궁금하다고 했어.

―누가?

―언니가.

―……

―너도 궁금하니?

―가끔. 목욕탕에 들어오면 바깥세계와는 다른 세상에 놓여 있는 것 같잖아. 비가 오나 싶기도 하고 눈이 오나 싶기도 하구.

—언니도 그렇게 말했어.

—언니는 어떤 사람이야?

윤미루가 물속에 얼굴을 담갔다가 들었다. 물방울이 속눈썹까지 매달려 있었다.

—사 년 동안 여름만 되면 언니가 입던 옷이 있었어. 어느 해 여름이 와서 그 옷을 꺼냈는데 더 입을 수 없게 닳아 있었어. 소매 쪽이 해지기까지 했어. 언니는 그 옷을 들고 옷 만들어주는 집을 찾아갔어. 똑같은 옷감으로 똑같이 만들어달라고 했지. 옷 만드는 사람이 언니의 해진 옷을 이리저리 살펴보더니 똑같이 만들어줄 순 있는데 똑같은 옷감은 없다고 했어. 이제는 생산되지 않는 옷감이라면서 그보다 더 좋은 옷감이 있으니 그걸로 만들어주겠다고 했지. 언니는 그냥 나왔어. 내가 더 좋은 걸로 만들어주겠다잖아, 하니까 그 옷감이 아니면 무슨 소용이야…… 이랬던 사람.

—……

—어머니가 초등학교 때 묵은 털실로 떠준 스웨터를 중학생이 될 때까지 입었던 사람이기도 해. 점점 키가 자라서 나중엔 그 옷을 입으면 잔등이 다 나왔는데도 입고 다녔어. 중학생이 되던 해에 언니 키가 십사 센티미터나 컸어. 더는 그 스웨터를 입을 수가 없었지. 언니는 어머니에게 생일선물로 그거와 똑같은 스웨터를 떠달라고 했어. 그때의 어머니는 뜨개질을 더이상 하지 않았는데 언니가 조르니까 똑같은 색깔의 새 털실로 스웨터를 다시 한 벌 짜주었어. 예전의 스웨터엔 없던 주머니까지 하나 정성스럽게 달아주었어. 그러느라 뜨개질법을 새로 배우기까지 했지. 정작 스웨터를 받아든 언니

는 주머니가 생겨 그전 거와는 다르다며 안 입었어…… 그런 사람.

—……

—사실은 나도 잘 몰라. 언니가 어떤 사람이었는지. 언니와 나는 연년생이었어. 부모님 사이에 십이 년 만에 태어난 아이가 언니였어. 아이가 생기지 않아 포기했는데 포기하고 나니 언니가 잉태되었대. 언니가 태어나자마자 두 달 있다가 또 내가 생겼대. 그래서인가봐. 나는 꼭 배 속에서부터 언니를 지켜봤다는 생각이 들어. 언니가 꽤나 마음에 들었나봐. 언니가 하는 행동들을 어려서부터 다 따라했거든. 언니가 단발머리를 하면 나도 단발머리를 했고 언니가 피아노를 배우러 다니면 나도 피아노를 배우러 다녔어. 어린 시절에 아이들하고 숨바꼭질 같은 거 할 때 언니를 찾아내면 나도 찾은 거나 다름없었어. 나는 항상 언니 옆에 있었거든. 언니라는 생각보다 그 존재가 그냥 내 곁에 있어서 나 같았어. 이해 가니?

혼자 자란 나는 모르는 세계였다.

—언니에게서 발레리나가 되겠다는 말을 처음 들은 건 언니가 아홉 살 때였어. 그때 언니 얼굴이 생각나. 언니는 일곱 살에 초등학교에 입학했는데 여섯 살인 나도 언니를 따라 학교에 갔어. 언니가 이학년이 될 때 나는 일학년으로 계속 남았지만 말이야. 내가 이학년이 되었을 때 삼학년이 된 언니가, 난 발레리나가 될 테야, 라고 말했어. 그 말을 하던 때의 언니 얼굴이며 목소리가 그대로 생각나. 언니하고는 비밀이 전혀 없다고 생각했는데 언니가, 나는 발레리나가 될 테야, 라고 말했을 때 나는 발레가 뭔지조차도 모르고 있었거든. 발레 때문에 처음으로 언니에게서 떨어져나온 기분이었지. 그때

174

그렇게 떨어져나왔으면 좋았을 텐데……

윤미루의 어깨에 물방울이 똑똑 떨어졌다.

—나도 안간힘을 다해서 언니가 되겠다는 발레리나가 되어야겠
다, 고 생각했어. 언니와 나는 학교가 끝나면 발레학원에 다니기 시
작했어. 학원에서 여섯 살 때부터 발레를 배웠다는 아이를 만난 날,
언니가 격렬하게 울음을 터뜨렸어. 여섯 살 때부터 발레를 해온 아
이하고 겨뤄볼 수가 없으니 감정이 폭발한 거야. 난 여섯 살 때 뭘
한 거야! 기가 넘어갈 정도로 울어댔어. 겨우 아홉 살에 난 여섯 살
때 뭘 한 거야! 분에 겨워 어깨를 들썩이며 가슴이 터질 것같이 우
는 여자애가 언니이기도 했어. 기억은 나지 않지만 언니가 여섯 살
때는 아마 다섯 살인 나와 놀고 있었겠지. 언니를 결혼 십이 년 만
에 낳았기 때문에 부모님에게 언니는 아주 각별했지. 언니의 절망
을 해결해주기 위해서 부모님은 학원에서 발레를 강습받게 하고도
연습할 수 있게 집 안에 바를 만들어줬어. 발레 선생님을 모시고 와
특별지도를 받도록 했지. 나는 그냥 언니를 따라했어. 언니는 발레
를 위한 체형이라고, 발레 선생님이 내게 미안한 표정을 지으며 조
심스럽게 말하는 것도 들었지. 그 말은 나는 아니라는 것이기도 했
지. 틀린 말이 아니었어. 나는 언니처럼 몸이 유연하지도 않았고 즐
거움도 못 느꼈어. 언니가 하는 것이니 따라하고 있었으니까.

계속 떨어지고 있는 물방울이 간지러운지 손바닥으로 쓱 닦아내
던 윤미루가 쿡, 웃었다.

—유연이 다 뭐야. 완전 뻣뻣 그 자체였거든. 유연성에 있어서는
그야말로 우린 자매 같지도 않았다구.

—……

—발레에서는 기본 동작에도 들지 못하는 다리벌리기조차 제대로 안 되는 게 나였어. 연습은 언니 위주로 진행되었어. 언니가 상체를 거의 구십 도로 일으켜세우고 버티게 되었을 때 나는 겨우 바에 서서 다리를 붙이고 발을 좌우로 벌리는 정도였지. 상관없었어. 나날이 실력이 늘어가며 아름다워지는 언니를 보는 것만으로도 좋았어. 언니와 견주거나 앞지르려는 마음이 없었기 때문에 나도 아무런 불만이 없었지. 우리가 가장 행복했던 때야. 언니에게 큰 기대를 걸었던 부모님도 그때는 행복해 보였지.

목욕을 하던 사람들이 하나 둘 빠져나가고 목욕탕 안에 우리 둘만 남았다.

—발레는 음악을 잘 받아들여야 하잖아. 나는 발레를 하는 것보다 언니의 몸짓이 나날이 정교해지고 섬세해지고 깊어지는 것을 보는 것이 좋았어. 무엇보다 언니와 함께 음악을 듣는 게 말이야. 언니는 발레를 몸으로 받아들였어. 꽤 복잡한 동작들도 빨리 이해하고 빠져들었어. 발레리나가 되기 위해 무엇을 해야 하는지를 알고 태어난 사람 같았어. 연습을 하지 않을 때는 발레에 관한 책을 보았어. 발레의 역사나 발레 의상에 대해 얘기할 때는 언니가 아니라 선생님 같았어. 발레리나나 발레리노 들의 이야기들을 접하게 되는 날은 그 이야기들을 내게 전해주느라 뺨이 붉어지곤 했어. 울라노바며 파블로바, 니진스키나 누레예프 같은 발레의 전설적인 이름들을 언니에게서 처음 들었어. 내게 발레에 대한 이야기를 해주는 밤에 달이 떠 있으면 맨발로 달빛 아래서 춤을 추곤 했지. 언니가 언젠가

꼭 해보고 싶어했던 것은 '빈사의 백조' 역이었어. 달빛 아래에서 춤추는 언니는 그야말로 한 마리 백조였어.

ㅡ언니에 대해서 너처럼 말하는 사람 처음 봐.

ㅡ다른 사람들은 뭐라는데?

ㅡ보통 자매들은 말이야, 언니나 동생을 두고 너처럼 말하는 게 아니라 대부분 싸운 얘기를 해.

ㅡ싸운다구?

ㅡ더 좋은 방을 차지하려고 한다거나 마음에 드는 옷을 먼저 입고 나가려고 한다거나 책을 먼저 읽으려고 한다거나 드라이어를 서로 먼저 쓰려고 한다거나 하면서 밀치고 엉기고 하는 게 보통 자매일 걸. 너는 너 자신보다 언니를 더 위하잖아.

ㅡ나보다 언니가 다 나았으니까.

윤미루의 말이 아프게 들렸다.

ㅡ우리가 특이한 자매 같아?

나는 아무 대답도 하지 않았다.

ㅡ그래?

윤미루가 다시 물었다.

ㅡ평범한 자매로 느껴지진 않아.

ㅡ그러니?

ㅡ그건 너도 알고 있지 않아?

윤미루가 숨을 한번 내쉬었다. 그사이 탕 안의 물이 식어 있었다. 내가 손을 뻗어 더운 물을 더 틀었다. 물소리가 쏴아 하고 쏟아졌다. 윤미루가 물속에 얼굴을 담갔다. 숨을 멈추고 있는 듯했다. 너

무 오래 그러고 있어 내가 윤미루! 부르려고 했을 때 푸— 하고 윤미루가 얼굴을 들었다.

　—윤, 내가 살던 집에 함께 가줄 수 있어?

　—언제?

　—목욕 마치고……

　윤미루가 침울해 보여 나는 좋아, 라고 대답했다. 내 대답을 듣고 윤미루가 다시 물속에 얼굴을 담갔다.

　그 집은 꽤 높은 언덕에 있었다. 윤미루가 대문 옆에 놓여 있는 돌을 들어내고 열쇠를 찾아 녹색 대문을 열었다. 현관으로 통하는 사이의 작은 뜰에 잡초가 무성했다. 담장 가까이에 심은 해바라기가 씨앗을 무겁게 매단 채 고개를 숙이고 있었다. 꽤 오랫동안 인기척이 끊긴 흔적이 여기저기서 보였다. 나무로 짠 평상이 색깔이 바랜 채 뜰 가운데 버려지듯 놓여 있고 빨래 건조대가 녹슨 채 평상 옆에 엎어져 있었다. 뜰의 무성한 잡초들은 곧 현관까지 쳐들어갈 듯했다.

　—빈집이야?

　내가 묻자 윤미루가 지금은……이라고 말했다. 무성한 잡초 속에서 실파처럼 줄기들이 솟아올라와 있는 게 눈에 띄었다. 줄기 끝에 조그만 흰 꽃들이 매달려 있었다. 내가 그 꽃들을 바라보자 윤미루가 실란이야, 라고 말했다. 나는 실란 앞에 쭈그리고 앉아 흰 꽃들을 들여다보았다. 황폐한 주변 때문인지 실란의 흰빛이 창백해 보였다. 열쇠를 든 채 서너 개쯤 되는 계단을 올라가 현관문 앞에서

한참 머뭇거리던 윤미루가 다시 돌아서 내게로 왔다.

—안 되겠어.

—……

—그냥 돌아가자.

—……

—너랑 함께라면 들어가볼 수 있을 것 같았는데, 안 되겠어.

윤미루의 목소리에서 떨림이 느껴졌다. 윤미루가 어느새 대문까지 가 있어서 나도 목욕바구니를 들고 일어섰다. 윤미루는 대문을 잠그고 열쇠를 다시 대문 옆의 돌 밑에 밀어넣었다. 우리는 목욕바구니를 든 채 올라갔던 언덕길을 내려왔다. 목욕탕에서 나와 그 집으로 올라갈 때만 해도 햇빛이 남아 있었는데 어스름이 내리고 있었다. 나는 언덕길을 내려오다가 뒤돌아보았다. 벌써 불이 켜지고 있는 집들 사이에서 빈집이 우리를 바라보고 있는 듯했다. 지금은 비어 있는 저 집에서 그와 윤미루와 윤미루의 언니가 살았던 것일까? 윤미루가 또다시 제 심장을 바라보듯 고개를 숙이고 걷고 있었다.

—네 생각이 맞아.

—응?

—아까 그 집, 명서랑 언니랑 나랑 살았던 집 맞다구.

—왜 지금은 살지 않아?

—언니가 없으니까.

—……

—언니가 없는데 명서랑 나랑 둘이 한집에서 사는 것은 좀 그렇잖아. 언니가 있을 땐 그런 생각 안 했는데 자연스럽게 그렇게 되더라

구. 그래서 흩어졌어. 명서는 종암동의 친척집으로 나는 명륜동으로…… 너무 오래 비워뒀나봐. 집이 폐가가 된 것 같아. 처음엔 부모님이 우리를 위해서 세를 얻었다가 나중엔 언니 명의로 그 집을 샀어.

—……

—무슨 생각 하는 줄 알아.

—내가?

—응.

—무슨 생각 하는 것 같은데?

— 우리 부모님이 부자인가보다…… 그 생각 하는 거 아니야?

윤미루가 그리 말하니 그 생각을 했던 것도 같았다. 어스름이 윤미루의 얼굴에도 내려앉았다. 윤미루는 동숭동을 지나 혜화동을 지나 명륜동 쪽으로 길을 잡고 걸었다. 걷는 동안 우리는 아무 말도 나누지 않았다. 목욕바구니를 든 채 길을 걷고 있는 우리를 지나가는 사람들이 쳐다봤다. 저녁바람이 윤미루의 플레어 치마를 위로 치켜올리기도 했다.

명동성당 쪽에서 단식투쟁을 벌이는 해직 노동자들을 지지하는 시위가 있었다. 나와 낙수장이 명동성당 쪽에 나와 있는 것을 어떻게 알았는지 윤이 찾아왔다. 윤은 그 많은 사람들 속에서도 눈에 띄었다. 나도 윤의 눈에 띄었는지 윤이 수많은 인파 속의 한 사람으로 자리를 잡고 앉아 구호를 외치고 있는 나에게 다가와 옆에 앉았다. 명동 쪽으로 나아가려던 우리가 진압대에 쫓겨 헤매다가 피해간 곳이 작은 서점이었다. 서점 안에는 우리 같은 사람이 꽉 차 있었다. 다른 곳은 다 문을 닫았는데 서점만 문을 열어놓아 그런 모양이었다. 곁에 낙수장이 없다는 것을 서점 안으로 피해 들어와서야 알았다. 윤과 나는 눈이 붉어진 채 서점 벽에 등을 대고 서 있었다. 어떻게 이곳에 왔느냐 물으니 윤은 꼭 나를 만나려고 온 것은 아니라고 했다. 네가 여기 있기 때문에 온 거야, 라고. 윤이 시집 한 권을 매대에서 집어 펼쳤다. 누가 읽다가 올려놓았는지 엎어져 있었다. 책을

볼 때면 항상 발행일자를 먼저 살펴보는 윤이 1975년 8월 20일 초판, 이라고 가만가만 읽었다. 나는 시집의 가격을 봤다. '값 350원' 이라고 씌어 있었다. 윤이 시집의 앞장을 펼쳐봤다. 윤이 시집의 서문 한 부분을 나직하게 읽어주었다. 나는 지금 장난꾸러기들의 조롱을 받으며 고개를 숙이는, 무거운 짐을 진 당나귀처럼 길을 가고 있습니다. 윤이 내 귀에만 들리게 속삭이듯 뒷부분을 조금 더 읽어주었다. 당신이 원하시는 때에, 당신이 원하시는 곳으로 나는 가겠나이다. 윤이 붉은 눈으로 프랑시스 잠— 하고 시인의 이름을 읽었다.

루쉰은 젊은 시절 일본 유학생이었다. 루쉰은 중국의 근대를 대표하는 작가이다. 민족주의자들이나 사회주의자들 모두에게 존경받았다. 그런 루쉰이 일본 유학생이기도 했다는 게 아이러니처럼 다가왔다. 일본이 러일전쟁에서 승리했을 때 아시아 사람들은 침략국가로서의 일본을 비판하기보다 혹시 아시아가 최초로 유럽을 꺾었다는 승리감을 공유했을 수도 있었을까요? 윤교수에게 물었다. 생각에 잠겨 있던 윤교수는, 루쉰은 일본이 중국을 침공했을 때 집중적으로 비판한 사람이다. 러일전쟁 전후로 아시아 여러 나라에 일본을 배우자는 열풍이 불어, 당시 루쉰이 일본으로 건너가 선진 학문이었던 서양의학을 배우고자 한 것은 자연스러운 선택이었을 것이다, 라고 했다. 윤교수는 이런 얘기도 해주었다. 루쉰이 일본 유학생이었을 때 일본인 선생이 참배할 곳이 있다며 루쉰을 비롯한 학생들을 뒤따르게 했는데, 데리고 간 곳이 오차노미즈에 있는 공자 사당이었단다. 공자로 상징되는 전근대적인 것으로부터 멀어지

기 위해 유학을 온 루쉰으로서는 그때의 참배가 상당한 충격이었을 거라고 말했다. 새로운 문물을 배우기 위해 찾아온 머나먼 타향에서 만난 은사가 자신이 버리고 온 옛것 앞으로 데려가 참배하게 했을 때 루쉰의 마음이 어떠했을까.

깊은 생각에 잠기게 했다.

윤에게 그 시집을 사다주려고 어제 그 서점엘 찾아갔다. 서점 주인은 팔지 않는 시집이라고 했다. 삼십 년 전에 첫사랑이 선물로 준 자신의 소장본이라고. 매우 아쉬워하며 나오는데 서점 주인이 학생! 하고 나를 부르더니 첫사랑에게 받았다는 시집을 내주었다. 시집 값을 치르려고 하니 주인이 내 어깨를 툭툭 쳤다. 얼마를 주려고? 삼백오십원? 그럼 얼마를? 학생에게 주는 게 더 의미가 있을 것 같아. 나중에 학생만 지니고 있는 책을 원하는 사람이 있거든 학생도 그 사람에게 주도록! 다시 서점 안으로 발길을 돌리는 서점 주인의 뒷모습을 바라보았다. 윤교수님 말씀이 생각났다. 사람은 모두 다 자기 방식의 가치기준이 있다는.

내가 지금 무엇을 할 수 있는지 생각해본다. 할 수 있는 일보다 할 수 없는 일들만 떠오른다. 진실과 선함의 기준은 무엇인가. 올바름과 정의는 어디에 숨어 있는가. 폭력적이거나 부패한 사회는 상호간의 소통을 막는다. 소통을 두려워하는 사회는 그 어떤 문제를 해결할 수 없게 된다. 나중엔 책임을 전가할 대상을 찾아 더 폭력적으로 된다.

나부터 독립적이고 당당하길 바란다. 숨김이 없고 비밀이 없으며 비난하지 않는 인간관계를 원한다.

－갈색노트 6

7. 계단 밑의 방

윤미루가 어느 집 앞의 허리께만큼 닿는 나무문을 밀자 문이 저항 없이 열렸다. 여러 세대가 공동으로 쓰는 문인 모양이었다. 나무문 안에는 바깥에서는 예상할 수 없는 꽤 넓은 잔디밭이 나타났다. 윤미루는 잔디밭 쪽으로 나아가지 않고 나무문에서 몇 발짝 떼면 시작되는 계단 앞에 섰다.

—조심해야 해.

밑으로 내려가는 계단이 계속 이어졌다. 이제는 끝이겠지, 싶어 돌면 또 계단이 이어졌다. 방금 언덕길을 올라온 만큼 계단을 타고 아래로 내려갔을 것이다. 윤미루의 방은 그 계단 끝에 있었다. 윤미루가 주머니에서 열쇠를 꺼내 구멍에 밀어넣었다. 문을 열자마자 안쪽으로 손을 뻗어 불을 켜고서 에밀리! 하고 불렀다. 나는 방금 우리가 걸어내려온 계단 쪽을 돌아보았다. 지상과는 단절이 되어버린 느낌이었다. 계단 밑의 윤미루의 방은 좀 전에 함께 목욕탕에 갔

던 날 들렀던 빈집과는 정반대로 어두웠다. 한낮에도 불을 켜놓고
지내는 듯했다.

　－들어와.

　윤미루가 먼저 신발을 벗고 안으로 들어갔다. 신발장 앞에 언젠
가 윤미루가 들고 나왔던 운동화 한 켤레가 가만히 놓여 있을 뿐 다
른 신발은 보이지 않았다. 그날 저 운동화 끈을 매주던 윤미루의 모
습이 떠올랐다. 내가 내 옥탑방 수돗가에 쪼그리고 앉아 빨아다준
신발이었다. 햇볕이 가장 잘 드는 난간에 올려놨는데 밑으로 굴러
떨어져 뛰어내려가 찾아들고 와서 다시 빨아 널었던 저 신발을 신
고 그날 우리는 시위로 인해 어지럽혀진 거리에서 내 방으로 와 밥
을 해먹었지. 윤미루의 손을 잡았던 날도 그날이었다. 화상을 입지
않았다면 가늘고 긴 하얀 손가락이었을 것이다. 내 손안에서 윤미
루의 손가락들이 떨고 있는 게 전해졌다. 방바닥에 엎드려 내가 건
네준 우.리.는.숨.을.쉰.다, 를 펼쳐보는 윤미루의 손을 힘주어 쥐었
던 기억. 무심히 내가 내 손을 들여다보고 있을 때면 사촌언니가 너
지금 외롭구나, 하면서 내 손을 꼭 쥐어주곤 했었다. 사람들이 외로
우면 자신의 손을 들여다보곤 한다는 게 사촌언니의 분석이었다.
그런 생각을 해본 적이 없었는데 그 이후로 손을 볼 때마다 사촌언
니의 말이 떠오르곤 했다. 함께 사는 사람들의 행동은 무의식적으
로 전염이 되기도 하는 모양이다. 사촌언니가 내게 했던 행동을 그
때 내가 윤미루에게 똑같이 하고 있었으니까. 늘 주머니 속에 있던
윤미루의 손이 그날 이후 내 앞에선 자유로웠다는 생각.

　－에밀리.

186

안으로 먼저 들어간 윤미루가 에밀리, 에밀리 나직이 서너 번 더
불렀다.

－정윤, 이리 와봐.

에밀리를 부르던 윤미루의 목소리가 이번엔 나를 불렀다. 윤미루
가 벗어놓은 신발 곁에 내 신발을 나란히 벗어놓았다. 윤미루가 내
려놓은 목욕바구니 옆에 내 바구니도 내려놓고 윤미루 곁으로 가보
았다.

－에밀리 자는 것 좀 봐.

윤미루가 창문 아래에 놓여 있는 조그만 박스 안에서 몸을 뒤집
어 배를 내놓고 네 발은 쳐들고 입을 벌리고 자고 있는 에밀리를 가
리켰다. 나는 그만 쿡쿡, 웃어버렸다. 우리가 들어온 줄도 모른 채
천연덕스럽게 자고 있었다. 코와 귀가 분홍색이었다. 작은 발톱 사
이도. 고양이가 자고 있는 모습을 그리 가까이에서 보긴 나로서는
처음이었다.

－고양이들은 원래 이렇게 자?

－아니야…… 웅크리고 잘 때도 있고 물처럼 퍼져 잘 때도 있어.
놀랍게도 선 채로 눈을 감고 잘 때도 있어. 제 팔에 얼굴을 묻고 잘
때도 있고…… 몸이 얼마나 유연한지 다리는 뒤로 쭉 뻗고 얼굴은
외로 꼬고 몸통은 반만 돌린 채 잘 때도 있어. 난 에밀리가 저렇게
잘 때 제일 좋아. 태평스러워 보이잖아.

태평스러워 보인다는 윤미루의 말은 맞았다. 누가 들어와도 나는
모른다, 하는 자태로 에밀리는 흰 털을 뭉개며 자고 있었다. 꼬리를
쳐들며 우아하게 걷는 모습은 찾아볼 수가 없었다. 뺨 부근의 흰 털

에 풀물이 들어 있었다.

　-웬 풀물이야?

　윤미루가 창 쪽을 가리켰다. 창밖은 처음 이곳에 들어섰을 때 보았던 잔디밭이 펼쳐져 있던 곳과 이어졌다. 창 가까이에 심어져 있는 푸른 식물들이 창 안을 기웃거리고 있었다. 에밀리는 그곳으로 나가 엎드리고 있다가 풀물이 든 모양이었다.

　-배 안 고파?

　-조금.

　-뭐 좀 사가지고 들어올걸 그랬나봐. 여긴 먹을 게 없는데 어쩌지?

　-괜찮아. 많이 고프진 않아. 나중에 집에 가서 먹을게.

　에밀리가 누워 자고 있는 박스 안을 들여다보다가 나는 창 쪽으로 다가갔다. 계단을 많이 내려와 지하인 줄 알았는데 창밖으로 푸른 순이 보이는 게 신기했다. 창만 열면 안으로 줄기가 쓰윽 들어올 것 같았다. 외출하면서 문단속을 하지 않은 모양이었다. 가만 밀었을 뿐인데 창이 스르륵 열렸다. 짐작대로 푸른 순이 달린 기다란 식물이 창 안으로 가지를 뻗치며 안으로 쏟아져들어왔다.

　-백합이야.

　-백합?

　-여긴 지하야. 지대가 높아서 다른 곳에 비하면 일층이구. 이쪽에 서면 바깥도 보이잖아. 내가 이곳으로 이사한다고 하니까 명서가 와서 보고는 화를 냈어. 햇볕이 들지 않는다고. 볕을 좋아하는 에밀리에게는 미안한 일이지. 계단을 쭉 타고 내려오는 게 마음에

들었는데 명서는 햇볕을 구경할 수 없는 데서 살면 안 된다고 우겼
어. 지하 동굴 같은 데서 왜 살려고 하냐면서. 그래도 내가 여길 고
집하니까 짐 옮기던 날 명서가 저기에 양파같이 생긴 구근을 잔뜩
묻어뒀어. 햇볕이 잘 들지 않는 곳에서도 잘 자라는 게 백합이더라
면서. 어찌나 많이 묻어뒀는지 싹이 돋기 시작했을 때 옮겨심어줘
야 할 정도였어. 지난봄에 줄기 끝에서 두세 송이씩 꽃이 올라왔을
땐 이 주변에 백합 향이 진동했어. 꽃들이 다 땅을 바라보며 고개
숙이듯 피더라. 에밀리가 없어져서 찾아보면 백합꽃 밑에 들어가
웅크리고 있곤 했지.

　나는 그가 심었다는 백합 줄기를 손으로 쓸어보았다. 지난봄과
여름 사이에 힘껏 꽃을 피워내고 남아 있는 기다란 줄기들은 얼마
간 거세었다. 푸른 줄기 아래 땅속엔 감자알 같은 백합 뿌리들이 흙
속에 파묻혀 있을 것이다. 저 줄기들은 시들어도 알뿌리들은 땅속
에서 겨울을 나고 봄이 되면 또 새순을 땅 위로 밀어올리고 하얀 통
꽃을 피워내고 이 주위는 또 향기가 진동할 것이다. 나는 백합 줄기
를 밀어내고 창을 닫았다. 그때까지도 에밀리는 작은 박스 안에서
배를 내보이고 발을 쳐들고 고개는 외로 꼬고 뒤집어진 채 잠을 자
고 있었다. 나는 그제야 윤미루의 방을 자세히 둘러보았다. 바닥이
마루로 되어 있었다. 에밀리가 자고 있는 박스 옆 쪽으로 바닥재와
같은 색깔의 나무 사다리가 놓여 있었다. 사다리 끝을 올려다보니
거기 침대가 있었다.

　―저기서 자는 거야?

　―응.

―자다가 화장실 가고 싶으면 어떻게 해?

―내려오지…… 내려오다가 떨어진 적도 있어.

허공에 떠 있는 침대 밑에 윤미루의 책상이 놓여 있었다. 책상 위에는 우.리.는.숨.을.쉰.다 맨 마지막장에 씌어 있는 스무 권의 책이 쌓여 있었다. 윤미루가 읽고 있거나 읽으려고 하는 책인 모양이었다. 나는 책상과 침대 사이의 틈에 붙어 있는 그림을 유심히 들여다보았다. 사이프러스나무일까? 검은 바닷물이 출렁이는 섬으로 들어가는 작은 배 한 척이 보였다. 아르놀트 뵈클린, 죽음의 섬, 이라고 씌어 있었다. 배에는 흰옷을 입은 남자가 흰 천에 싸인 관을 앞에 두고서 등을 보이고 서 있었다. 그 앞에 노를 젓고 있는 사공이 보일 듯 말 듯했다. 섬은 잔잔해 보였지만 병풍처럼 무겁고 황폐한 절벽이 양쪽으로 날개처럼 펼쳐져 있었다. 그 사이에 검은 사이프러스나무들이 검푸른 바닷물 같은 어둠을 이루며 구름이 짙게 깔린 하늘을 밀어내듯 솟아올라 있었다. 작은 배는 바다를 흘러와 지금 막 검푸른 물이 출렁이는 섬에 도착한 것처럼 보였다. 양편의 검은 사이프러스나무는 섬으로 들어가는 문처럼 보였다. 배는 막 사이프러스나무 아래의 검은 물속으로 미끄러져가고 있는 중이었다. 고개를 숙이고 죽음의 섬을 들여다보느라 윤미루가 옆에 다가온 줄도 몰랐다.

―처음 제목이 '고요한 곳'이었대.

고요한 곳처럼 보이긴 했다. 절벽 때문인지, 검은 사이프러스나무 때문인지, 검은 물 때문인지 배가 더이상 나아갈 곳은 없어 보였다.

190

―같은 꿈을 반복해서 꾸고 난 뒤에 그린 그림이래.

―꿈?

―비슷한 그림을 다섯 점이나 그렸대.

나는 처음 보는 그림이었다.

―언젠가 바젤에 함께 가보자.

―스위스 바젤?

―응, 이 그림이 바젤 미술관에 있대.

―이 세상에는 없는 섬 같아.

―베니스에 가면 이와 비슷한 묘지 섬이 있대. 거기도 가보자.

왜 그런 생각이 들었을까. 바젤에 가보자는 말도 베니스에 가보
자는 말도 윤미루는 내게 하고 있는 것 같지가 않았다. 그림 속의
검은 물이 흘러나와 윤미루와 나의 발목을 적시고 있는 듯해 나는
윤미루의 손을 찾아 거머쥐었다. 창 밑의 작은 박스 안에서 뒤집어
져 자고 있던 에밀리가 바스락거리며 박스 안에서 얼굴을 내밀고
우리 쪽을 바라보았다. 풀물이 들어 있는 뺨 한쪽이 여전히 파랬다.
박스 안에서 나온 에밀리가 앞발을 나란히해서 쭉 뻗고 등을 곧추
세우며 기지개를 켰다. 배가 바닥에 닿을 듯이 유연했다. 에밀리는
가만가만 걸어 내 곁으로 오더니 긴 꼬리로 내 다리를 툭 치고는
지나갔다. 먹을 게 아무것도 없다더니 윤미루가 어디선가 사과를
찾아와 과도로 깎아 접시에 담았다. 배고픈 참에 먹는 사과는 달고
맛있었다. 윤미루가 노트를 꺼내 날짜 밑에 사과 네 쪽, 이라고 적
었다.

　―카메라가 있으면 좋겠다.

—카메라?

—그렇게 적는 거보다 사진을 찍어두면 한눈에 볼 수 있잖아.

—난 쓰는 게 좋아.

나는 윤미루의 노트를 물끄러미 바라보았다. 그와 함께 라면을 먹을 때도 노트를 펴놓고 라면, 이라고 적는 윤미루였다.

윤미루가 머그컵에 물을 받아 에밀리의 스테인리스 물통에 부어주었다. 그 옆에 사료가 담긴 에밀리의 밥그릇이 놓여 있었다. 자세히 보니 그 옆의 작은 화분에서는 새싹들이 자라고 있었다. 내가 화분 속의 새싹들을 쳐다보자 윤미루가 호밀 싹이야, 라고 말했다. 호밀 싹을 방안의 화분에 기르고 있는 건 처음 보았다.

—털을 핥다가 조금씩 삼키기도 해. 그게 뱃속에서 쌓이면 동그랗게 뭉쳐서 장을 막아. 호밀 싹 같은 거 잘라 먹이면 그 털을 토해내.

—……

—이건 스크래처.

에밀리는 좀 전부터 삼줄이 감겨 있는 기둥을 발톱으로 긁어대고 있었다. 세워져 있는 기둥 모양의 기다란 것이 스크래처인가 보았다. 윤미루가 옆에 세워져 있던 낚싯대 같은 걸 들어서 높이 쳐드니까 에밀리가 스크래처에서 발을 떼고 껑충 뛰어올랐다. 에밀리의 활달한 점프에 윤미루의 얼굴이 환하게 밝아졌다. 에밀리가 닿을 듯하면 윤미루는 좀더 높이 올려 흔들었다.

—이렇게 장난도 치고 운동도 시키는 거야.

윤미루는 낚싯대를 내려놓고 다시 식탁 앞으로 돌아왔다. 에밀리가 안타깝게 낚싯대를 바라보다가 윤미루를 따라와 우리 곁에서 풀

물 든 뺨을 자꾸만 핥았다. 한쪽 발을 뻗어 목덜미를 긁기도 했다. 잠을 자고 났으니 이젠 세수를 하는 모양이었다. 에밀리는 천천히 기지개를 펴고 침을 묻혀 아무것도 듣지 못하는 귀도 닦았다. 손을 뻗어 귀를 매만져봤다. 흰 털에 감싸여 있는 두 귀는 부드러웠다. 에밀리가 등을 낮추고 네 발을 모으더니 얼굴을 묻듯이 자세를 바꿨다. 쌓여 있던 눈이 스르르 녹는 듯했다.

　—자고 갈래?

　윤미루의 검은 눈이 응? 하고 물었다. 그 무엇도 거절할 수 없게 만드는 눈빛이었다. 나는 아직도 사과 맛이 맴돌고 있는 입안의 침을 삼키며 응, 하고 대답했다. 허공에 떠 있는 침대 위로 올라가 윤미루와 나란히 누운 시간은 자정이 지나서다. 침대 아래 바닥에 배를 깔고 엎드려 책을 읽는다는 게 스르르 잠이 들었다. 정윤, 정윤…… 윤미루가 흔들어 깨웠다. 목소리에 다급함이 묻어 있었다. 눈을 떴을 때 윤미루의 얼굴이 초조하게 나를 내려다봤다. 내 눈과 마주치자 윤미루의 눈에 반가움이 실렸다.

　—침대로 올라가서 잘래?

　윤미루는 시범이라도 보이듯 내 앞에서 사다리를 타고 침대로 올라가 나를 내려다봤다. 그 눈이, 올라올 수 있겠어? 묻고 있었다. 나는 몸을 일으켜 윤미루가 했던 대로 사다리를 타고 올라갔다. 허공의 침대 여기저기에 책들이 어지럽게 놓여 있었다. 밤이면 이 허공의 침대에서 책을 읽다가 잠이 드는 모양이었다. 윤미루는 내가 누울 수 있게 흩어져 있는 책들을 모아 침대 머리맡에 올려놓았다. 어젯밤 읽다 엎어놓은 것 같은 책이 그 옆에도 놓여 있었다.

—안쪽으로 누울래?

바깥쪽은 사다리와 연결되어 있는 나무난간 쪽이었다. 안쪽으로 누우니 사다리 아래의 창이 한눈에 들어왔다. 침대 밑에 윤미루의 책상이 있을 것이라고 생각하니 침대가 아니라 꼭 책상 위에 누워 있는 것처럼 여겨졌다. 윤미루가 스탠드를 켜고 천장의 형광등 불을 껐다. 어두워지자 창밖의 푸른 백합 줄기가 창에 그림자를 드리웠다. 나는 누운 채로 손을 뻗어보았다. 천장에 손바닥이 닿았다.

—불편하지?

—아니……

불편한 게 아니라 낯설었다. 잠을 자기 위해 사다리를 올라와보기는 처음이었다. 매일 밤 이 사다리를 올랐을 윤미루를 상상하니 마음이 애잔해지기까지 했다. 일어설 때 조심하지 않으면 머리를 천장에 찧을 것이었다. 윤미루가 내 곁에 누우며 가만 눈을 감았다.

—어렸을 때 말이야, 나는 사람들이 잠드는 게 신기하고 이상했어. 무섭기도 했던 것 같아. 주위의 누군가가 눈을 감고 잠들어 있는 모습을 보면 불안했어. 영원히 깨지 않을 것 같았거든. 식구들의 잠든 얼굴을 들여다보면서 언제 깨어날지 가슴 졸이며 기다리곤 했다니까. 지금도 가끔 잠들 때마다 이 잠에서 깨어나지 않으면 어떡하나 하는 생각이 들어. 사람들은 어떻게 겁도 없이 씩씩하게 잠을 자지? 싶은 생각도.

—그래서 좀 전에 나를 그리 흔들어 깨운 거야?

—잠든 네 얼굴 보고 있는데 네가 안 깨어날 것 같잖아.

—윤미루……

나는 윤미루의 얼굴을 내 쪽으로 돌렸다.

─우리 엄마는 나에게 누군가 미워지면 그 사람이 자는 모습을 보라고 했어. 하루를 보내고 자는 모습이 그 사람의 진짜 모습이라고. 자는 모습을 보면 누구도 미워할 수 없게 된다고. 나는 화가 나거나 힘겨우면 일단 한숨 자는걸. 자고 나면 좀 누그러져 있지 않아? 사람은 자면서 새로 태어난다고 생각해봐.

동의하지 않는지 윤미루가 대답을 하지 않았다. 그사이 에밀리가 침대와 연결된 사다리를 타고 사뿐사뿐 올라왔다. 에밀리는 윤미루 옆의 침대 머리맡으로 가볍게 오르더니 등을 동그랗게 세우고 발들을 흰 털 속에 파묻고 윤미루를 응시하며 턱을 침대 머리맡에 내려놓았다. 윤미루가 몸을 바로 하고 손을 뻗어 에밀리의 목덜미를 어루만졌다.

─책 제목 생각났어.

─무슨 책?

─소금호수와 고양이가 나오는 책 말이야.

─뭔데?

─여행이 끝나면 남들한테도 말하리.

─여행이 끝나면 남들한테도 말하리?

─응.

소금호수에 몸을 담그고 고양이에게 인생의 마지막 얘기를 털어놓은 사람들에게 '남'이란 소금호수를 지키는 고양이였을까. 나는 그 책이 읽고 싶어졌다.

─그 책 갖고 있어?

ㅡ언니가 그 사람에게 준다고 가지고 나갔었던 기억이 방금 났어.

스탠드 불빛을 받고 있는 윤미루의 화상 입은 손이 소리를 듣지 못하는 에밀리의 귀를 어루만졌다. 나는 고개를 돌려 물끄러미 윤미루의 손을 바라보았다. 자꾸만 윤미루가 귀를 어루만지자 에밀리가 몸을 납작하게 엎드렸다. 윤미루가 상체를 일으켜 침대 머리맡에 놓여 있는 초에 불을 붙이고는 스탠드를 껐다. 촛불이 흔들릴 때마다 천장 벽에 우리의 그림자가 하나인 것처럼 떠다녔다.

ㅡ세상이 너무 조용하지?

윤미루에게서 세상이 너무 조용하지? 라는 말을 듣는 순간, 문득 이 방에 들어서면서부터 나는 이 방 바깥의 일은 까마득히 잊고 있었다는 걸 깨달았다. 그는 어디서 무엇을 하고 있을까. 언제부턴가 그는 토요일 오전이면 전화를 걸어 내가 그쪽으로 갈까? 라고 묻곤 했었다. 우리는 토요일엔 아침부터 만나 저녁까지 함께 있었다. 토요일 오후에 윤미루와 목욕탕에 함께 다니기 시작하면서 우리는 토요일에는 만나지 않았다. 나와 함께하지 않은 토요일을 그는 어떻게 보내는지 갑자기 궁금해졌다. 윤미루가 몸을 일으키더니 손을 뻗어 미니 오디오의 버튼을 눌렀다. 음악이 흘러나왔다.

ㅡ8분 1초.

ㅡ응?

ㅡ황제 2악장. 8분 1초.

ㅡ베토벤?

ㅡ응.

아주 먼 곳으로 이끄는 것도 같고 아주 가까이에서 목덜미를 휘

감는 것도 같은 피아노 소리가 허공에 매달린 침대 위의 우리 네 귀에 스며들었다. 에밀리의 두 귀는 이 소리도 듣지 못하겠지.

—잠이 오지 않을 때 이 음악을 틀어놓고 8분 1초 안에 잠들어야지…… 주문을 걸곤 했어.

—그러면 그렇게 돼?

—가끔 성공하기도 해. 내가 여기에서 잠들어 있다는 걸 아무도 모를 텐데…… 싶을 때가 있었어. 내가 깨어나지 않아도 아무도 모를 텐데. 이 음악을 듣고 있으면 그런 마음이 누그러지곤 했어. 나도 모르게 잠이 들기도 했고.

윤미루의 말이 내 마음을 흔들었다. 옥탑방에서 혼자 잠들 때면 나도 윤미루와 같은 생각을 할 때가 있었다. 그런 밤엔 나는 창을 열고 어둠 속의 도시를 내려다보곤 했다. 남산 쪽의 타워를 가장 오래 바라보았다. 비 내리는 밤에 타워의 불빛이 자욱한 안개에 가려졌다가 서서히 다시 나타나는 모습을 바라보는 게 좋았다. 가끔은 옥상으로 나가 바닥에 금을 그어놓고 돌을 던졌다가 집어오기를 반복하기도 했다. 내가 잠이 오지 않는 밤에 옥상에서 그러고 있을 때 윤미루는 이 지하에서 이 음악을 들었던 것인가. 어쩌면 그 순간이 겹칠 때도 있었을 것이다. 누군가의 방에 가서 함께 밤을 보내는 일은 그 사람이 곁에 없을 때 뭘 하고 있을지 상상할 수 있게 되는 일이기도 한 모양이었다. 오늘 밤을 지내고 나면 나는 윤미루가 이 도시에서 어떤 밤을 보내고 있을지 떠올릴 수 있게 될 것이다.

—미루야.

내가 이름을 부르자 윤미루가 눈을 감은 채 가만있었다. 내가 윤

미루를 두고 미루야, 라고 불러보는 것도 처음인 듯했다.

　—그런 밤엔 우리 서로 전화하기로 하자.

　—그래서?

　—너가 있는 이 명륜동과 내가 있는 동숭동은 가깝잖아. 중간에서
만나는 거야. 그래서 내 방으로 가서 자든지, 아님 여기로 오든지.
어때?

　—윤……

　윤미루가 나직하게 내 이름을 불렀다.

　—이러면 어때? 그 집에 들어가 우리 함께 살면?

　에밀리가 침대 머리맡에서 내려와 윤미루의 배 위로 올라왔다.
촛불 때문에 에밀리의 그림자가 커다랗게 어른거렸다. 에밀리는 윤
미루의 배에 엎드리는 것 같더니 곧 두 발로 윤미루의 배를 가만가
만 밟았다. 윤미루의 뜻밖의 제안에 얼떨떨했다. 나는 손을 뻗어 윤
미루의 배 위에서 그루밍을 하고 있는 에밀리의 흰 털을 쓰다듬었
다. 내 대답을 기다리고 있는 윤미루의 간절한 숨소리가 전해져왔
다. 허공에 매달린 침대 아래의 창 쪽으로 밀치고 들어올 듯했던 백
합 줄기의 그림자들이 휴식하고 있는 보초병처럼 기대어 있었다.
그는 윤미루의 창 밑에 백합을 심어주며 무슨 생각을 했을까. 많은
밤들을 백합 향이 이 방으로 스며들어 윤미루의 코끝에 맡아졌을
것이다. 이제 서리가 내리면 지난 시간에 꽃을 다 피워내고 남아 있
는 저 줄기들은 쇠락할 것이다. 땅속에 파묻혀 있는 백합 뿌리만이
침묵 속에서 겨울을 날 것이다. 시간은 그렇게 흘러간다. 함께 살면
어떻겠느냐는 윤미루의 청에 대.답.해.야.한.다.고 절실하게 생각하

는데도 자꾸만 다른 생각들이 밀고 들어왔다. 하얀 실란이 피어 있는 그 빈집의 풍경이 잠깐 눈앞에 스쳐 지나가기도 했다. 인기척이 끊긴 마당에 무성하게 자라고 있는 잡초들도. 지금은 비어 있는 그 집에서 윤미루와 그와 윤미루 언니의 일상은 어땠을까. 나로서는 짐작할 수가 없는 일이었다.

　—니가 괜찮다면 명서도 함께.

　윤미루는 그의 의견은 따로 묻지 않아도 되는 것처럼 말했다. 윤미루가 그리 하자고 하면 그는 그렇게 할 사람인 걸까. 나는 잠시 멍해졌다. 그러니까 윤미루는 언니와 함께 살던 그 빈집에서 보낸 시간 속으로 다시 돌아가고 싶은 것인가. 째깍째깍 시간이 흘러가고 있는 것이 감지되었다. 일 분 안에 대답하지 않으면 윤미루와 나는 곧 어색해지고 말 것 같은 느낌까지 들었다. 한 번도 보지 않은 윤미루 언니라는 존재가 갑자기 내 앞에 들이닥친 느낌도.

　—시간을 좀 줘.

　—시간?

　—응.

　—간단히 생각해…… 집이 한 채 비어 있어. 우리는 각각 방 하나씩을 얻어 떨어져 살고 있잖아. 더구나 명서는 친척집에 가 있고. 각기 떨어져 있는 방을 한 공간에 합치는 거라고.

　함께 산다는 일이 그렇게 간단한 일이라면 사촌언니와도 헤어지지 않았을 것이다. 미루의 배 위에서 그루밍을 하고 있던 에밀리가 이번엔 내 배 위로 건너왔다. 윤미루가 에밀리, 하고 불렀다. 에밀리는 어느새 내 배도 가만가만 밟고 있었다.

―에밀리도 함께 살자고 하잖아.

―응?

―에밀리가 그루밍을 하는 것은 최상의 선물이야. 사랑한다는 뜻이라구. 명서가 그렇게 에밀리를 아끼고 예뻐해도 명서에겐 이러지 않았어. 그래서 명서가 서운해하곤 해. 에밀리는 네가 좋은가봐.

나도 모르게 에밀리의 목덜미에 손을 밀어넣고 에밀리의 털을 어루만졌다. 에밀리가 가릉가릉거렸다.

―최고로 기분 좋을 때 내는 소리야. 우리가 함께 살면 에밀리는 나보다 너를 더 좋아할 것 같은걸.

촛불이 만들어낸 우리의 그림자가 허공에 매달린 침대를 둘러싸고 어른거렸다. 윤미루가 잠을 청하기 위해 듣는다는 피아노 소리는 8분 1초라는 시간을 벌써 세 번이나 반복해 지나가고 있었다. 에밀리의 흰 털만큼이나 부드럽고 침울하며 아름다운 선율이었다.

―정윤.

윤미루가 나를 윤이라고 하지 않고 다시 정윤이라고 불렀다.

―너무 뜻밖이지?

―사실 그래.

―그래…… 좋아하는 것하고 함께 산다는 것하고는 다른 일이지. 내가 어떤 사람인지 너는 잘 모르고 나도 겨우 너를 알기 시작했는데. 내가 갑자기 억지를 부린 셈이지. 그래, 알았어. 좀더 생각해봐. 그런데 너무 오래 생각하지는 말아줄래?

―……

―이 방으로 들어올 때 나는 여기서 일생을 지낼 생각이었어. 이

방에서 나가고 싶다는 생각을 하게 될 거라고는 짐작도 못 했어…… 학교로 돌아가고도 싶어.

내 배 위에서 그루밍을 하고 있던 에밀리가 사뿐사뿐 사다리를 타고 내려갔다. 침대 아래로 내려간 에밀리가 창턱으로 사뿐 뛰어올라가 앉는 게 보였다. 백합 줄기가 밤바람에 흔들리는 것을 보고 있던 에밀리가 앞발을 들어 자꾸만 그림자를 잡으려고 했다. 소리없는 에밀리의 몸짓이 고즈넉했다. 허공에 매달린 침대 위의 우리 두 사람 사이에는 피아노 선율과 촛불의 움직임만 있을 뿐 침묵이 흘렀다. 윤미루의 숨소리가 나직하게 전해져왔다. 그 숨소리를 듣고도 윤미루가 원하는 대답을 하지 않는 내가 모진 사람처럼 느껴졌다.

  ─윤미루.

에밀리가 일곱 번쯤 그림자를 잡으려다 놓치는 걸 보다가 나는 더이상 침묵을 견디지 못하고 윤미루의 이름을 불렀다.

  ─나도 네가 궁금했어.

  ─……

  ─이해가 될지 모르지만 나는 엄마와 떨어져 살기 시작한 이후로 다른 사람과 함께인 것보다 혼자가 좋아. 그게 익숙해. 조금만 더 생각해볼게. 너 때문이 아니고 나 때문이야.

  ─똑같은 생각을 하고 있었나봐.

  ─응?

  ─나도 혼자인 게 좋아. 내가 너를 아프게 할까봐 네 곁에 가까이 가지 않으려고도 했었어. 혹시 말이야, 나 때문에 마음 아픈 일이 생겨도 나를 미워하진 말아줘.

—……

—내가 너를 아프게 하면 나를 잊어버려. 기억하지도 말고.

—왜 그런 말을 해?

—아니야…… 정윤, 나를 기억해야 해. 잊지 말아야 해.

윤미루의 목소리가 흔들리고 있었다. 천장을 보고 바로 누워 있던 나는 윤미루 쪽을 향해 돌아누웠다. 팔을 뻗어 윤미루의 손을 잡았다. 주름투성이 윤미루의 손에서 따뜻한 온기가 전해졌다. 이 순간이 안타까웠다. 우리가 만나기 전에 서로 다른 시간 속에서 떠돌던 마음들과도 이렇게 만날 수 있다면. 가엾고 연약한 존재. 윤미루가 이 방으로 이사를 했을 때 창 밑에 백합을 심어준 그의 마음을 알 것도 같았다. 나는 윤미루의 손을 좀더 힘있게 쥐었다.

—우리, 오늘을 잊지 말자.

무슨 일이 생길 때마다 오늘을 잊지 말자, 고 말하던 그가 내게 했던 말을 내가 고스란히 윤미루에게 하고 있는 걸 깨닫고 나는 흠칫했다. 오늘을 잊지 말자, 고 말하곤 했던 그도 지금 나와 같은 마음이었을까. 알 수 없고 수수께끼 같던 윤미루가 오늘은 그저 이렇게 가엾게 느껴지는 것처럼, 그 순간의 나도 그에게 이런 안타까움이었던 것일까. 어떤 말도 위로가 될 것 같지 않고 앞으로 나아갈 길이 없어 보이는 안타까움에 휩싸여 내뱉은 말이, 우리 오늘을 잊지 말자는 것이었을까.

—언니도 그랬었어.

—응?

—함께 살 때 언니가 명서랑 나에게 자주 말했지. 우리, 오늘을 잊

지 말자……고.

　계속 반복되고 있는 〈황제〉 2악장 피아노 선율 사이로 희미하게 전화벨 소리가 울렸다. 윤미루와 내가 누워 있는 허공의 침대 밑 책상 쪽에서였다. 전화벨은 끊임없이 계속 울리다가 끊어졌다. 윤미루는 전화를 받으려고 하지 않았다. 전화를 걸어온 사람이 누군지 알고 있는 듯했다. 전화는 다시 끊겼다가 또 울리기 시작했다. 윤미루는 전화벨 소리를 듣지 못하는 사람 같기도 했다.

　―그 여름에……

　―응?

　―만약에 그 여름에 우리에게 그런 일만 일어나지 않았다면 아마도 언니는 뜻대로 프리마 발레리나가 되었을 거야.

　―무슨 일인데?

　―언니와 함께 외할머니 집에 갔었어. 부모님의 관계가 별로 좋지 않을 때였어. 엄마가 언니에게 나를 데리고 외할머니 집에 가서 며칠 머물다 오라고 했어. 계획된 일이 아니라 갑작스러웠어. 엄마가 외할머니께 전화를 걸었는데 받지 않았어. 엄마는 우리가 출발했다고 외할머니께 전화를 걸어놓겠다고 했어. 외할머니 집은 산청에 있어. 외할머니는 전쟁이 났을 때 갓난아이였던 엄마를 등에 업고 혼자서 남쪽으로 내려온 분이었지. 외할머니는 산청의 외딴 곳에 할머니가 어린 시절에 살았던 집과 거의 비슷한 집을 지어 가꾸며 살고 있었어. 언니와 나는 외할머니 집을 아주 좋아했어. 그곳에는 외할머니와 온갖 게 다 있었으니까. 외할머니 집까지 데려다주고 오라는 지시를 받은 기사 아저씨를 언니가 돌려보냈어. 언니가 우

리 둘이 버스를 타고 가자고 했어. 재미있을 것 같았어. 우리는 시외버스에서 내려서 걷고 걸어 외할머니 집엘 갔어. 소풍 가는 것처럼 즐거웠던 기억이 나. 언니의 머리카락이 살짝 열린 차창의 바람결에 흩날려서 내 얼굴을 간질이던 것도. 시골길을 걸어갈 때마다 언니가 나무며 꽃이며 하늘을 가리키며 미루야, 저것 좀 봐! 속삭이던 목소리도.

오래전의 시간 속으로 흘러들어간 윤미루의 가라앉은 목소리 사이로 잠잠했던 전화벨 소리가 다시 울렸다.

ㅡ외할머니 집에 도착했을 때는 늦은 오후였어. 우리가, 할머니! 부르며 대문을 밀치고 들어갔는데 집이 텅 비어 있었어. 마당에 할머니와 함께 식구처럼 살고 있는 나무들이 다정하게 담 쪽으로 서서 그늘을 드리우고, 현관 가까이까지 색색의 여름 꽃들이 만발해 있었어. 안으로 들어가려면 현관문을 통과해야 했는데 문에 자물통이 채워져 있었어. 당연히 안으로 들어갈 수가 없었어. 언니와 나는 마당의 나무그늘에 놓여 있는 평상에 앉아서 할머니를 기다렸어. 엄마가 외할머니에게 전화를 걸어놓겠다고 했으니까 당연히 할머니가 집에 계실 줄 알았지. 그전에도 연락 없이 외할머니 집에 간 적이 있었는데 언제나 할머니는 거기 계셨어. 모자를 쓰고 품 넓은 바지를 입고 호미를 들고 마당이나 그 마당에 딸린 텃밭에서 뭔가를 하시다 우리가 할머니, 부르며 대문을 들어서면 항상 아이구, 내 강아지들! 하며 달려오시곤 했지. 나도 막 달려가 할머니 품에 폭 안기곤 했어. 할머니에게서 맡아지는 땀냄새가 참 좋았거든.

할머니가 안 계시는 빈집은 낯설고 두렵기까지 했어. 어서 할머

204

니가 나타나기를 간절히 바랐지. 시간이 얼마나 지났는지 몰라. 할머니가 곧 돌아오시겠지, 생각했는데 담장가에 심어져 있는 노란 해바라기들 사이로 짙은 그늘이 지기 시작할 때까지 할머니는 오시지 않았어. 서서히 배도 고파왔어. 우리 둘 중 누군가의 뱃속에서 쪼르륵 소리가 났지. 내가 배고프다, 언니…… 하니까, 언니가 나도…… 그랬어. 언니가 어떻게 할 수 있는 것도 아닌데 나는 그저 동생이라는 이유로 언니, 배고프다…… 자꾸 그랬어. 할머니가 오실 거야, 하며 나를 달래던 언니의 뱃속에서도 계속 쪼르륵 소리가 났어. 할머니가 나타나기를 바라며 나보다 더 간절히 대문을 바라보고 있던 언니가 어느 순간 일어나서 잠겨 있는 현관문 앞으로 갔어. 안에 안 계신 거 이미 확인했으면서도 할머니! 부르며 문을 쾅쾅 두드렸어. 나도 언니 옆으로 가서 할머니! 같이 불렀지. 지친 우리 둘은 닫힌 현관문에 기대고 앉아서 할머니가 오시면 해달랄 것을 손으로 꼽아보기 시작했어. 할머니 집에는 놋그릇과 놋수저들이 많이 있었어. 할머니가 살았던 북쪽 마을에는 귀한 손님이 오면 놋그릇과 놋수저에 음식을 담아 내놓는 게 마음의 표시였대. 할머니는 찐 감자, 옥수수, 콩, 수제비, 미숫가루 들을 놋그릇에 담아주곤 했어. 할머니가 둥근 모양의 만두피에 소를 많이 넣어 통통하게 만들어주는 편수는 진짜 최고였지.

　―편수가 뭐야?

　―할머니가 자란 마을에서는 만두를 편수라고 부른대. 맑은장국에 띄워 먹어. 편수만이 아니라 겨울방학에 할머니 집에 가면 할머니가 해주셨던 보쌈이랑 조랭이떡국이랑 토장 만두전골이며 뭐며

쉰 가지쯤을 꼽을 때까지도 할머니가 오시지 않았어. 나는 배고파, 배고파, 배고파…… 계속 중얼댔어. 그럴수록 배가 점점 더 고파졌지. 달리 어쩔 수 없었던 언니도 할머니가 곧 오실 거야, 같은 말만 계속했어. 안 오시면? 하고 내가 물었어. 할머니가 왜 안 오셔? 조금만 기다리면 오셔…… 언니가 나를 달랬어. 여행을 가셨을 수도 있잖아, 나는 점점 더 비관적으로 할머니가 그날중으로 오시지 않을 수 있는 이유들을 나열해갔어. 언니가 자꾸 문을 두드렸어. 문만 열고 안으로 들어가면 먹을 것 천지인데…… 싶으니 더욱더 안으로 들어가고 싶어졌어. 문이 열리지 않을수록 할머니가 어쩌면 안 오실지도 모른다는 생각이 더 들었어. 외할머니 집이 그렇게 문이 잠겨 있는 것도 처음 봤어. 내가 할머니가 먼 데 가서 며칠 있다 오시면 어떡하지? 하니까 언니가 가만 일어섰어.

언니는 집 안 구석구석을 돌아다니며 단단하고 가늘고 뾰족한 것들을 가지고 와서 현관문에 매달려 있는 자물통 구멍에 넣고 돌려봤어. 맞는 게 없었어. 해는 지려고 하고 배는 고프고 우리는 점점 애가 닳았어. 우리는 할머니를 기다리는 것도 잊어버린 채 어느새 현관문 따기에 열중했어. 열쇠구멍에 들어갈 만한 뾰족하고 단단한 것들을 찾으러 다니는 일에 골몰했어. 마당의 감나무, 자두나무, 앵두나무 들이 바삐 움직이는 우리를 굽어보았지. 맨드라미 같은 것을 막 밟으며 뾰족한 것들을 찾으러 다녔던 것 같아. 언니가 할머니네 헛간에서 공구들이 담긴 나무상자를 발견하고 낑낑거리며 현관문 앞으로 들고 왔을 때는 해가 거의 저물었을 때였어. 우리는 현관문 앞에 쪼그리고 앉아 공구상자 안에 들어 있는 끝이 뾰족한 것들을

다 열쇠구멍에 밀어넣어봤어. 그 구멍에 맞는 건 아무것도 없었어.

그사이 전화벨 소리가 그쳐 있었다. 피아노 선율도 멎었다. 사방이 고요해졌다. 나는 슬며시 고개를 들어 창 쪽을 내려다보았다. 여전히 백합 줄기의 검은 그림자가 창가에 비쳤다. 창턱에 등을 곧추세우고 앉아 밤바람에 흔들리는 그림자를 따라 고개를 움직이던 에밀리는 보이지 않았다. 사방이 너무 고요하니 나도 모르게 에밀리를 찾게 되었다. 아마도 이 방에서의 무수한 밤, 윤미루도 이렇게 나처럼 에밀리를 찾곤 했겠지.

─잠긴 문은 어떤 희생을 원하는 듯이 무엇을 밀어넣어도 열리지 않았어. 우리는 실망한 채로 공구함을 바라보았지. 할머니가 정갈하게 나란나란 정리해놓은 공구들이 온통 뒤죽박죽 어지럽게 나뒹굴었어. 오줌 누고 올게, 언니가 자물통 앞에서 몸을 일으켜 자두나무 밑으로 갔지. 언니는 할머니네 집을 좋아하면서도 할머니네 재래식 화장실에 가는 것을 나보다 더 두려워했어. 화장실에 갈 적마다 할머니나 나를 화장실 바깥에 세워두고 일을 봤어. 안에서 가끔, 할머니! 미루야! 이름을 부르며 우리가 있는지 확인하곤 했지. 할머니나 내가, 할미 여깄다! 나 여깄어! 대답하면, 거기 꼼짝 말고 있어야 돼, 다짐을 받곤 했어. 빈집이라고 화장실에 안 가고 자두나무 아래서 일을 보려는 언니가 우스워서, 언니 겁쟁이, 라고 혼잣말을 했어. 언니가 자두나무 아래에 앉아 치마를 걷어올리는 것을 보면서 공구함 안에서 손잡이가 달린 송곳을 꺼내 열쇠구멍에 밀어넣어봤어. 언니가 오기 전에 문이 열리면 얼마나 좋을까 생각하면서 열려라, 열려라, 열려라…… 주문을 외웠어. 언니가 해도 열리지 않았는

데 내가 한다고 뭐가 달라지겠어. 애를 써보다가 나는 와락 화가 났어. 들고 있던 송곳을 힘껏 내팽개쳐버렸어. 언니가 자두나무 아래서 미루야! 하고 불렀지. 얼굴을 들어보니 오줌을 다 눈 언니가 어느새 하얀 치마를 치켜올리며 발을 들어올리고 있었어. 나뭇가지가 바나 되는 듯이 한 손으로 잡고서 말이야. 언니는 높이 뛰어올랐다가 착지했어. 언니의 몸짓은 음악을 타는 듯했어.

—……

—미루야! 포킨이 파블로바에게 뭐라고 했다고 했지? 포킨은 파블로바를 위해 '빈사의 백조' 곡을 만든 사람이야. 늘 언니는 자신이 읽은 책 속의 발레 이야기들을 그런 식으로 내게 들려주곤 했어. 한 번 이야기를 해주고는 나중에 꼭 확인을 했어. 모든 음악을 발레로 만들 수 있다……라고 말한 사람이 누구라고 했지? 이런 식으로. 무슨 문제를 내듯이 말이야. 나는 거의 못 맞혔어. 어쩌다 가끔 눈을 반짝 뜨며 조지 발란신……이라고 대답하면 언니가 머리를 쓰다듬어줬어. 그게 우리가 발레 얘기를 나눌 때의 화법이었어. 공연이 시작되기 전에 솔리스트들이 무대 위로 나와 맛보기처럼 살짝 춤을 보여주잖아. 그것처럼 언니는 자두나무 아래에서 몸을 한껏 회전했지. 토슈즈를 신지 않았는데도 언니는 몇 번이고 사뿐사뿐 몸을 회전하며 또 내 이름을 불렀지. 미루야! 포킨이 파블로바에게 뭐라고 했냐니까? 당신은 한 마리 백조입니다…… 언니가 가장 좋아했던 말이야. 당신은 한 마리 백조입니다……라는 말. 내 대답을 들으며 언니는 자두나무 아래 사뿐히 그리고 가만히 엎드렸어. 지상에서 마지막으로 날개를 접는 백조의 날갯짓을 표현한 거지. 나

는 자두나무 아래 몸을 한껏 접고 있는 언니에게서 눈길을 뗄 수가 없었어. 정말 백조 한 마리가 자두나무 아래에 쓰러져 있는 것 같았거든. 아주 오래전에, 언니와 내가 태어나기 아주 훨씬 전에 찍은 파블로바의 '빈사의 백조' 필름을 언니랑 함께 본 적이 있었어. 상태가 아주 나쁜 필름이라 빗줄기 같은 선들 때문에 나는 눈만 아팠는데 언니는 눈물을 흘리며 봤어. 자다가 보면 언니가 침대 아래서 날개를 접은 백조의 모습으로 엎드려 있곤 했지. 나는 자두나무 아래 엎드려 있는 언니를 보며 울음을 터뜨렸어. 언니가 그렇게 다시는 일어서지 않을 것 같아서 말이야. 너무 아름다워서 말이야. 내 울음소리에 놀란 언니가 백조의 날개를 접고 내가 있는 현관문 앞으로 사뿐사뿐 날아왔어. 왜 그래? 왜 그래? 미루야! 언니가 다급하게 물었어. 내게로 다가오는 언니의 등뒤로 어둠이 밀려왔어. 왜 그러냐니까! 언니가 내 얼굴을 들여다보며 묻는데 대답을 할 수도 울음을 그칠 수도 없었어. 나는 느끼고 있었던 것 같아. 그게 언니가 발레를 하는 마지막 모습이리라는 것을. 불안하고 괴로웠어. 설명할 수 없이 두렵고 슬펐어. 내가 울음을 그치지 않으니까 언니가 다시 문을 열어볼 생각으로 현관문의 자물통을 손으로 붙잡고 바닥에 무릎을 꿇었어. 그 순간 언니의 날카로운 비명소리가 내 귀를 확 뚫고 지나갔어. 절벽에서 뛰어내리는 기분이었지. 언니— 울음을 그치고 놀라서 무릎을 움켜쥐고 있는 언니 곁으로 다가갔을 때, 아…… 내가 화가 나서 내팽개친 송곳이 마룻장으로 된 현관 바닥 틈에 끼어 거꾸로 세워져 있다가 언니의 무릎에 박혀버렸어. 언니가 현관문 앞에 등을 구부리고 고꾸라졌어.

숨이 멎는 것 같았다.

기척이 없던 에밀리가 사다리를 타고 우리가 누워 있는 허공의 침대 위로 올라왔다. 그 어떤 소리도 의식하지 못하는 사이 전화벨 소리가 다시 울렸다. 촛불은 꺼져 있었다. 에밀리가 윤미루 머리맡에 배를 바닥에 낮게 대고 웅크리고 앉았다. 혼자 울리던 전화벨 소리가 그치자 사방이 고요했다.

—그날 이후로 언니는 발레를 더이상 못 하게 됐어.

이렇게 아무 말도 할 수 없는 순간들이 살아가는 동안 얼마나 많이 다가올까. 한 인간이 성장한다는 것은 아무 말도 할 수 없는 순간들을 하나씩 통과해나가는 일인지도 모른다. 나는 나도 모르게 일어나 앉아 어둠 속에서 윤미루를 물끄러미 봤다. 윤미루는 한 손은 에밀리의 목덜미를 쓰다듬고 다른 한 손은 이마 위에 얹고 있었다. 나는 이마 위에 얹어 있는 윤미루의 손을 잡아봤다. 화상을 입은 주름투성이 손에서 따뜻한 온기가 내 손에 전해졌다.

—얘기 듣기 힘들지, 정윤?

괜찮아, 라고 말할 수는 없었다.

—윤미루.

—……

—마저 얘기해…… 마음속에 남겨두지 말고.

—괜찮겠어?

—함께 싸워줄게.

—왜?

—우린 지금 함께 있으니까.

나는 어둠 속에서 머리맡의 에밀리의 목덜미를 하염없이 쓰다듬고 있는 윤미루의 다른 손을 바라보았다. 함께 공유하면 상처가 치유될까. 잊을 수는 없겠지만 그때로부터 마음이 멀어지길. 바래진 상처를 딛고 다른 시간 속으로 한 발짝 나아가길.

소리없이 윤미루의 머리맡을 지키던 에밀리가 몸을 더 납작하게 엎드렸다.

—내 어린 시절은 그렇게 지나갔어. 그 여름 외할머니 집에서 일어난 그 일만 또렷이 각인된 채 나는 성인이 되었어. 만약에 언니가 나를 원망했다면 말이야, 나는 오히려 그 일로부터 벗어날 수 있었을지도 몰라. 그런데 우리는 그 일에 대해 침묵했어. 그날 이후로 단 한 번도 그 일에 대해 얘기를 나눠본 적이 없어. 언니가 병원에 있는 동안 집에 설치되어 있던 바가 철거되는 것도 나 혼자 지켜봤어. 그 일은 잊혀진 듯했어. 외할머니도 부모님도 언니도 나도 다시는 그 일에 대해선 얘기를 꺼내지 않았지. 그날 외할머니가 왜 집에 없었는지, 외할머니가 언제 우리 앞에 나타났는지도 기억나지 않아. 고꾸라진 언니를 보며 언덕을 지나야 있는 마을 사람들에게 달려갔다는 것밖에는. 마을 청년과 함께 무릎에 송곳이 박혀 있는 언니를 경운기에 태우고 병원으로 갔었다는 것밖에는…… 외할머니는 돌아가시면서 그 집을 내 앞으로 남겨놓았어. 내가 그 집을 돌봐주기를 바란다고 하셨지. 그 집엔 외할머니의 손길이 구석구석 배어 있어. 어린 시절, 외할머니가 태어나 살았던 북쪽 마을 집에 등장하는 나무들이 그 집에 다 심어져 있었어. 만약 그때 일만 없었다면 나는 그 집을 사랑했을 텐데. 외할머니는 재봉틀로 바느질을 해서 이불

도 만들고 덮개도 만들고, 계절마다 다른 꽃들이 피어나게 마당을 가꾸셨어. 외할머니가 어렸을 때 북쪽에서 봤다는 야생초와 비슷하게 생긴 것들은 죄다 갖다 심기도 하셔서 모르는 꽃들이 피었다가 지고 또 연이어 피어나 있곤 했어. 지금은 아무도 돌보지 않아 폐허가 되었을 거야.

—언젠가는 함께 그 집에 가보자.

나는 윤미루가 뵈클린의 그림을 보며 내게, 언젠가는 바젤에 가보자, 했을 때와 같은 억양으로 말했다. 그 순간 언젠가는……이라는 말이 다시 나에게 돌아오는 것 같았다. 엄마를 잃은 후 내게서 떠난 말이지만 그전엔 내가 나 자신에게 자주 하던 말이었다. 언젠가는……이라는 말로밖에 나를 달랠 길이 없을 때가 있었다. 엄마가 엄마의 병을 인지한 후 맨 처음 내린 결정은 나를 이 도시의 사촌언니에게 보내기로 한 것이었다. 나는 엄마와 함께 있고 싶었다. 엄마가 병과 함께 살며 고통과 싸워야 하는 자신의 모습을 보여주고 싶어하지 않았던 그만큼 나는 간절히 엄마와 함께 있고 싶었다. 그러나 엄마의 말을 따를 수밖에 없었다. 엄마는 치료를 시작하는 것보다 더 많은 시간을 나를 설득하는 데 보내고 있었으니까. 내가 떠나야 엄마가 제대로 치료를 시작할 수 있었으니까. 아픈 엄마 곁을 떠나며 엄마, 언젠가는……이라고 말했다. 이후 수없이 그 말을 되새겼던 순간들. 엄마의 머리카락이 한 올도 남지 않게 되었을 때도 내가 엄마에게 할 수 있었던 말은 엄마, 언젠가는……뿐이었다. 언제나 내가 가장 열망했던 것, 언젠가는 엄마가 다시 건강해져 예전의 모습으로 돌아가길 바랐던 나의 꿈은 이루어지지 않았다. 엄

마를 잃는 것과 동시에 나는 언젠가는, 이라는 말도 버렸다. 언젠가
는……은 내게 더이상 아무 영향력도 끼치지 못하는 부질없는 말이
되어버렸다. 무엇도 변화시켜놓을 수 없는 허깨비 같은 말이. 언젠
가는……이란 말을 쓰지 않게 된 후 쓴웃음을 삼키고 입술을 깨물
고 이마를 찡그리고 혼자 걸으며 나를 달래던 순간들이 고스란히
되살아났다.

　─정말이야?

　─응?

　─언젠가는 그 집에 가보자는 말?

　─그래…… 언젠가는.

　이 약속이 지켜지길 바라는 마음이 간절히 솟구쳤다.

　─그럴 날이 올까?

　내 마음을 짐작이나 한 듯이 윤미루가 반문했다.

　─우리가 잊지 않고 있으면.

　─잊고 있지 않으면?

　나는 서글퍼져서 윤미루 쪽으로 등을 세우며 말했다.

　─에밀리도 데리고 가자.

　윤미루가 이어 말했다.

　─명서도 함께 가자.

　윤미루는 눈을 감은 채 목소리의 높낮이도 없이 곧 윤교수님도
함께 가자, 고 했다. 잠시 침묵이 흘렀다. 윤교수와 함께 가자고 할
수 있을 만큼 윤미루와 윤교수는 가까워진 것일까? 우리 사이에 발
생한 침묵을 밀어내듯 윤미루가 낙수장도 함께 가자, 하였다. 나는

풋, 하고 웃었다. 이어서 우리는 우리가 알고 있는 존재들을 차례로 불러내고는 함께 가자, 를 뒤에 붙였다. 나는 윤미루는 본 적도 없는 단이의 이름을 부르며 단이도 함께 가자, 고 했다.

—단이?

—나와 함께 자란 아이야.

—보고 싶다.

—언젠가는 만날 수 있을 거야.

—정윤…… 언젠가 말이야, 나는 그 집에 가서 살고 싶어. 할머니처럼 그곳에서 내 손으로 땅을 일구고 싶어. 봄이면 씨앗을 뿌리고 가을에 거두고. 텃밭에 먹을 것을 심고 일궈서 그것만으로 자급자족하며 글을 쓰면서 살고 싶어. 할머니가 언니에게가 아니라 내게 그 집을 남겨주신 건 내가 그런 마음을 품고 있다는 걸 알고 계셨기 때문일 거야. 그 여름 이후로 단 한 번도 그 집에 가지 않았어도 할머니는 알고 계셨던 거야. 지금은 아무도 살지 않는 빈집이지만 언젠가 돌아가 그 빈집의 문을 열고 싶어. 누가 그러자고 한 것도 아닌데 할머니 집은 그 사고 이후 우리 사이에서 말하는 것조차 금지된 장소가 되어버렸어. 할머니가 그 집을 내게 남겨주셨을 때도 언니는 한마디도 하지 않았어. 언니와 사이가 나빴다는 게 아니야. 우린 여느 자매처럼 지냈어. 그 사고와 그 집에 대한 이야기를 다시 하지 않았을 뿐이야. 언니가 그 집에 대한 이야기를 내게 꺼낸 건 그 집에 그 사람을 숨겨두기 위해서였어.

—그 사람?

—언니가 발레만큼 사랑했던 사람.

윤미루의 언니가 발레만큼 사랑했던? 나도 모르게 깊은 숨이 새어나왔다.

─대학생이 된 언니는 에밀리를 데리고서 이 도시로 먼저 나왔어. 다음해에 나와 명서가 뒤따라왔을 때 언니는 다른 사람 같았어. 발레를 못 하게 된 후 언니 얼굴에 드리워져 있던 우울이 걷혀 있었지. 나를 부르는 억양도 어린 시절처럼 되살아나 있었어. 언니는 늘 좋은 것이나 놀랄 만한 것이나 자랑하고 싶은 게 생기면, 미루야! 이것 좀 봐! 했었거든. 언니가 집엘 잘 내려오지 않았기 때문에 나는 일 년 동안 언니를 만날 기회가 많이 없었어. 언니는 뭔가에 빠져 있었고 나는 수험생이었으니까. 일 년 만에 다시 함께 살게 된 언니의 검은 머리는 윤기가 넘쳐흘렀고 뺨은 상기되어 있었고 이마는 빛났어. 발걸음도 에밀리처럼 사뿐사뿐해 보일 정도였어. 무릎을 다치기 이전의 언니로 돌아갔어. 그 사람의 힘이었던 것 같아. 언니의 생활은 학교가 아니라 그 사람을 중심으로 돌아가는 것 같았어. 언니의 입에서 자연스럽게 사회주의니 노동가치니 인권이니 하는 말을 듣게 될 때가 많았어. 달라진 건 그것만이 아니었어. 언니의 책상에도 내가 보지 못한 다른 책들이 꽂혀 있었지. '서양경제사'며 파농 책이며 '자본론' 같은 것들 말이야. '어느 돌멩이의 외침'이나 '강철은 어떻게 단련되는가' 같은 책들. '공산당 선언' '페다고지' '역사와 계급의식' 같은 책들…… 새벽에 깨어나보면 언니가 그 옛날 발레 책을 읽듯이 식탁에 앉아 '아무도 미워하지 않는 자의 죽음' 같은 책을 읽고 있었어. 언니 앞엔 에밀리가 잠들어 있곤 했지. 책 읽는 일에 어찌나 몰입해 있는지 내가 다가가도 언니는 모를 지경이

었어. 언니를 보며 점점 그 사람이 궁금해졌어. 언니로 하여금 '해방신학'을 읽게 하는 그 사람에 대한 생각이 점점 불어났어. 그 사람은 언니의 얘기 속에만 있었어. 우리 앞에 존재를 드러내질 않았었는데 하루는 언니가, 미루야! 나를 부르더라. 그 사람이랑 저녁을 함께 먹자고 했어. 집에서 말이야. 괜찮지? 드디어 그 사람을 보게 되는구나 생각했지. 저녁을 함께 먹기로 했던 날을 잊을 수가 없어. 그 사람이 아니라 그날의 언니를 말이야. 새벽부터 명서를 데리고 노량진수산시장에 가서 살아 있는 꽃게를 가득 사왔어. 그 사람이 꽃게를 좋아한다면서. 꽃게? 나는 좀 멍한 기분이었어. 언니에게 '체 게바라 평전' 같은 책을 읽게 해준 그 사람과 꽃게는 뭔가 잘 안 맞는 느낌이었거든. 하여간 언니와 명서가 꽃게를 사가지고 와 개수대에 꽃게를 풀어놨을 때……

윤미루가 그때 생각이 나는지 잠시 숨을 골랐다.

―꽃게들이 집게발을 꼬물꼬물거리며 사방팔방으로 튀었어. 우리 셋이 흩어지는 꽃게들을 잡으러 다녀야 할 정도로 팔팔하게 살아 있었지. 꽃게뿐만이 아니야. 언니는 마치 수산물 시장을 옮겨올 수 없는 것이 안타까운 사람처럼 바다에서 나는 온갖 것들을 다 사왔어. 전복 가리비 멍게 해삼…… 그 새벽에 부모님이 매달 보내주는 생활비의 반은 썼을 거야. 그날 그 집 부엌은 아수라장이었어. 힘센 꽃게 때문에 말이야. 언니가 살아 있는 꽃게를 난감하게 보더니 명서 보고 이거 어떻게 해? 묻더라. 명서가 등껍데기를 벗기면 죽지 않을까? 하니 언니가 진짜 살아 있는 게의 등껍데기를 맨손으로 벗기려 들더라. 집게발에 손을 찔렸을 뿐이지만 말이야. 상상도 못했

던 일이야. 우리가 부산 집에서 지낼 때 언니는 갯내를 좋아하지 않아서 항구에 나가본 적도 없는 사람이었거든. 해가 기울 무렵 꽃게들도 지쳐서 죽었는지 움직이지 않았어. 언니는 찜솥에 꽃게를 여러 번 쪄서 채반에 가득 쌓아놓았어. 명서랑 나랑 도우려 해도 언니 혼자 다 했지. 도대체 어떤 사람이기에 언니를 저렇게 바꿔놓았을까 싶어 그 사람에 대한 궁금증이 눈덩이처럼 불어났어. 명서는 꽃게가 삶아지는 걸 처음 보는 모양이었어. 처음부터 꽃게 색깔이 붉은 줄 알았대. 찜솥 안에서 삶아지는 동안 색깔이 붉게 변하는 게 신기한지 믿어지지 않는 눈으로 자꾸만 찜솥을 열어보곤 했어. 나는 왜 하필 꽃게람, 불평했지. 꽃게는 처음 보는 사람이랑 마주 앉아 먹기엔 좀 번거롭잖아. 부숴야 하고 파내야 하고…… 모르는 사람 앞에서 꽃게 살을 파먹을 생각을 하니 좀 난감한 느낌이었어. 아무리 그 사람이 꽃게를 좋아한다고 이렇게나 많이? 싶은 생각도 들었고 말이야. 언니가 음식을 하는 걸 지켜보고 있는 건 낯설었지만 신기하고 행복한 일이었어. 언니가 부엌에서 음식을 만드는 걸 처음 봤거든. 이 도시에 와서도 언니는 처음엔 하숙을 했고 우리가 와서 함께 살면서는 밥은 거의 나와 명서가 했어. 언니한테는 별 기대가 없었기 때문에 바라지도 않았어. 그랬던 언니가 쑥을 다듬어 넣은 도다리 쑥국도 끓였다니까.

  ―맛있었어?

  ―맛은 몰라. 아무도 먹어보지 못했거든. 내 노트에도 그날 저녁 칸은 텅 비어 있어.

  ―왜?

―그 사람이 오지 않았어.

오지 않았다구…… 웅얼거리는 윤미루의 목소리가 깊은 바닥에
닿는 듯 희미했다.

―이상한 일이었어. 언니가 꽃게를 삶고 있는 중에 그 사람 쪽에
서 전화를 했었거든. 언니가 아무것도 필요 없어, 라고 말하는 걸로
봐서 그 사람이 뭘 사갈까? 묻는 것 같았어. 그 사람이 자꾸 물으니
우리 미루가 백합 좋아해, 한 송이만…… 하고 말하는 것까지도 들
었거든. 뭐, 내가? 하는 눈짓으로 내가 눈을 흘기니 언니가 눈을 찡
긋했지. 집의 위치는 이미 알고 있는 것 같았어. 위치를 물어보는
거 같진 않았거든. 그랬던 사람이 꽃게가 다 식고 약속시간이 두 시
간이 지나도록 나타나질 않았어. 시간이 자꾸 흘러 어스름이 내렸
어. 언니가 지나치게 심각해 보여서 무슨 일이 생겼나봐, 저녁은 다
음에 먹으면 되잖아, 했더니 언니가 다음에? 하고 웅얼거렸어. 물론
저녁은 다음에 먹으면 돼, 라고도 했어. 그 사람이 저녁 약속 어긴
것 때문에 이러는 거 아니야, 라고도 했고. 기도해주라…… 그 사람
에게 아무 일 없기를. 그때까지만 해도 나는 무슨 말인가 했어. 언
니는 우리에게 너희 먼저 먹을래? 물었어. 그럴 수 있는 분위기가
아니었어. 언니의 얼굴이 너무 침통해 있었으니까. 언니가 일어서서
전화기 앞으로 가더니 어딘가로 전화를 몇 통 걸었어. 응, 응, 아니,
아니…… 짧은 대화로 이루어진 통화를 마치고 난 뒤 언니는 쏜살
같이 신발만 신고 밖으로 나갔어. 에밀리가 뒤따라가는데도 눈길
한번 주지 않은 채 말이야. 명서가 먼저 걱정스런 얼굴로 언니를 따
라 나가고 나도 곧 따라 나갔어. 언니가 거의 혼이 빠져나간 사람

같았거든. 골목을 내려가니 큰길가에 언니가 서 있더라. 이미 어두워진 거리의 가로수 찻길로 내려서서 막 길을 건너려고도 했어. 언니 앞으로 버스가 지나가고 택시가 멈춰 서고 기사가 얼굴을 내밀고 욕을 하고 그랬어. 명서가 다가가 언니를 인도로 올라오게 하면 언니는 또 찻길에 내려서곤 했어. 명서와 나는 뒤에서 언니를 지켜보았어. 말을 붙일 수 있는 상황도 아니었고 불안해 보여서 혼자 내버려둘 수도 없었거든. 그렇게 시간이 한참 더 흘러갔어. 내가 명서에게 억지로라도 언니 데리고 집으로 가자, 라고 했을 때 막 멈춰선 택시를 타고 언니는 우리 눈앞에서 사라졌어. 우리는 언니가 사라진 거리에 멍하니 서 있다가 밤늦게 집으로 터벅터벅 걸어올라왔어. 배고픈 줄도 모르겠더라. 명서가 삶아놓은 붉은 꽃게들을 덮어뒀어. 식탁에 놓여 있는 음식들도 다 뚜껑을 덮었어. 그렇게 사라진 언니 때문에 음식엔 손도 댈 수가 없었어.

다시 울려대는 전화벨 소리가 피아노 선율을 잠재웠다. 전화벨 소리는 끊겼다가 다시 울렸다. 전화벨 소리에 신경쓰여 윤미루가 하는 얘기를 놓치기도 했다. 윤미루는 전화벨 소리에 반응이 없었다. 윤미루가 전화벨 소리에 너무 무심했기 때문에, 전화를 받지 그래? 같은 말을 할 수도 없었다. 전화벨 소리는 피아노 소리에 섞였다가 멀어졌다가 다시 섞여들었다.

─밤이 지나고 다음날이 되도록 언니는 돌아오지 않았어. 명서와 내가 언니의 학교를 찾아가 언니가 있을 만한 강의실마다 다 돌아다녀봤는데도 언니를 찾지 못했어. 언니가 다시 돌아온 건 이틀 후야. 어디에서 뭘 했는지 알 수 없었지만 언니의 몰골은 초췌했어.

잠을 한숨도 못 잤는지 눈은 실핏줄이 터져서 붉게 충혈되어 있었어. 어떻게 된 거냐고 물으니 언니는 눈만 동그랗게 뜨고 나를 보더니 기절하듯이 쓰러져 잠들었어. 명서와 나는 언니가 그 사람과 함께 먹으려고 새벽부터 수산시장에 나가서 사왔던 꽃게며 온갖 해산물을 버렸어. 그사이 상해버린 꽃게 냄새가 정말 지독했거든. 냄새 때문에 부엌을 닦아내고 쓸어내며 언니의 방문을 열어보면 언니는 계속 자고 있었어.

에밀리가 푸른 눈을 뜬 채로 언니 머리맡을 지키고 있었어. 이따금 얼굴을 언니의 머리에 파묻고 있기도 했어. 명서가 수건에 물을 적셔 언니의 얼굴을 닦아줬어. 나도 따라서 언니의 손이랑 발을 닦아줬어. 얼마나 곤했는지 언니는 그런 줄도 모르고 잤어. 거의 열몇 시간을 죽은 듯이 자던 언니가 놀란 사람처럼 깨어나더니 또 여기저기에 전화를 걸었어. 통화를 할 때마다 언니의 얼굴은 점점 더 창백해졌어. 언니는 수화기를 내려놓곤 한참을 얼굴을 감싸고 있더니 가방을 챙기더라. 어딜 가려고? 물어도 대답이 없었어. 그대로 언니를 보내줄 순 없었어. 막 소릴 질렀어. 언니…… 우리 생각은 안 해! 이러고 나가면 우린 어떡해! 무슨 말을 해주고 나가야 될 거 아니야! 외할머니 댁에서 그 사고가 있은 후에 내가 처음으로 언니에게 소릴 질러댄 거였어. 언니가 힘겨운 듯이 털썩 주저앉았어. 언니가 곧 실핏줄이 터진 붉은 눈으로 나를 봤어. 미루야, 그 사람이 실종됐어. 나는 처음에 그 말을 알아듣지 못했어. 어떻게 알아듣겠어. 앞날을 조금이라도 미리 알 수 있으면 얼마나 좋겠어. 그랬으면 언니를 처음부터 그렇게 보내진 않았을 텐데. 그 사람 찾아야 해……

라고 말하는 언니는 어딘가로 전화를 할 때나 내 앞에서 무너지듯 털썩 주저앉던 모습과는 달리 침착했어.

—……

—그 사람을 찾게 되면 외할머니 집에 가 있게 해도 되겠냐고 언니가 물었어. 어린 시절 이후 언니와 외할머니 집에 관한 얘기를 나눈 건 그때가 처음이었어. 나는 언니의 손바닥에 외할머니 댁 열쇠를 쥐여주었어. 정윤…… 그 순간엔 말이야. 얼굴도 본 적 없고 무엇 때문에 실종되었는지도 알 수 없었지만 언니의 그 사람이 외할머니 댁에서 편히 쉴 수 있기를 진심으로 바랐어. 숨어 있어야 한다면 거기서 숨어 잘 지내기를. 나는 그 사람이 옳은지 그른지 무엇을 하는지 몰라. 그 사람 때문에 언니가 탈진할 것 같았기 때문에 제발 그 사람이 언니와 연락이 닿는 곳에 잘 있어주기를 바랐어. 한 번도 본 적이 없는 사람에게 그렇게 간절한 희망이 생길 줄 나도 몰랐어. 그 사람을 찾아 집을 나서는 언니를 따라가며 하루에 한 번씩 시간을 정해 집에 전화해달라고 했지. 언니는 자정에 전화하겠다고 했어. 언니는 처음엔 약속을 지켰어. 내가 언니, 별일 없어? 물으면 일부러 그랬겠지만 처음엔 밝은 목소리로 응…… 대답했어. 이런저런 얘기도 묻곤 하던 언니의 목소리가 점점 힘이 빠졌어. 곧 하루에 한 번이 아니라 사흘에 한 번, 닷새에 한 번…… 점점 뜸해지더니 아예 전화벨이 울리지 않았어. 이따금 형편없는 몰골로 집에 들어와 죽은 듯이 잠을 자고 기력이 회복되면 돈을 가지고 다시 집을 나가곤 했어. 마치 에밀리를 보러 온 사람처럼 에밀리의 등만 하염없이 쓸어내릴 때도 있었어. 언니가 집에 들어와 죽은 듯이 잠을 자던 날들

은 실종된 사람들에 관한 아주 나쁜 소식을 듣게 된 날이었던 것 같아. 곧 기진할 듯 들어와 잠을 자고 난 후에 맥락 없이 불쑥 그 사람에 대한 이야기를 꺼내기도 했어. 저녁을 먹으러 우리에게 오기로 되어 있던 날, 누군가 그 사람을 찾아왔는데…… 시간을 따져보니 우리에게 오기 바로 전이었어. 찾아온 사람들이 누구였기에 그 사람은 우리에게 오지 않고 그들을 따라나섰을까? 언니는 내가 대답할 수 없는 질문을 내게 던지곤 했어. 집에 돌아올 때마다 언니는 점점 더 나빠졌어. 찾아온 사람들과 택시를 타고 가다가 그 사람이 택시 문을 열고 도망치는 모습을 봤다는 사람이 있었어…… 택시 안에서 무슨 일이 있었기에 그리 도망쳤을까? 혼잣말을 하기도 했어. 어느 날은, 미루야…… 그 사람 아명이 민호였다는구나, 하기도 했어. 언니는 그 사람 가족을 만나기도 하는 것 같았어. 그 사람 형하고 함께 그 사람을 찾으러 다니기도 하는 것 같았지. 그 사람하고 얼굴이 거의 똑같이 생겼다는 형이 그 사람을 찾아내줄지도 모른다면서 희망에 차 있기도 했어. 그런데 미루야, 그 형이 그 사람을 민호라고 부르는 거야. 언니 혼자 민호, 민호, 민호…… 여러 번 반복해 불러보기도 했어. 어느 날은 집에 돌아와서, 그 사람이 검문소 앞에서 산속으로 도망치는 걸 봤다는 사람이 있어 찾아갔는데 그 사람이 아니었다며 실망한 얼굴이었다가, 아니야, 다행이야…… 산속으로 숨어서 뭘 어떻게 하겠어…… 고쳐 말하기도 했어. 그 사람을 찾아다니는 언니의 행적은 그렇게 언니가 툭툭 내뱉는 말에서나 감지할 수 있었지. 청라라고 하는 곳의 저수지가 있는 다리 밑에서 봤다는 사람이 있어 거기에 가봤는데 물어볼 사람조차 한 사람

만나지 못했어, 라고도 했어. 어느 날은, 그 사람이 왜 그 기차를 탔다는 것일까, 미루야? 혼잣말 같은 질문을 내게 던지기도 했어. 그렇게 집에 돌아와 알 수 없는 말을 하고 죽음 같은 잠을 자고 언니는 또 집을 나서곤 했어. 언니가 왔다가 갈 때마다 나는, 하루에 한 번씩은 꼭 전화하겠다는 지켜지지 않을 약속을 언니로부터 받아내곤 했어. 어이가 없도록 무기력했지. 언니의 얼굴이 그렇게 고통으로 일그러져가는데도 나는 기껏, 하루에 한 번 전화한다고 약속 안 하면 못 가! 이런 말밖에 할 수가 없었다니. 언니가 그 사람을 찾아다니게 되면서 알게 된 것은 언니의 그 사람처럼 갑자기 실종된 사람들이 수도 없이 많다는 사실이었어. 언니가 실종된 그 사람을 찾아다니는 동안 내 눈에도 느닷없이 사라진 사랑하는 사람이나 친구나 동료나 아들을 찾아 헤매는 사람들이 보이기 시작하더라. 어떻게 그런 일이 일어날 수 있는지 이해가 가?

윤미루가 잠시 말을 그쳤다. 뭔가 더 이야기해야 한다는 욕망과 더이상 이야기해서는 안 된다는 상반된 감정이 그녀 내부에서 전투를 벌이고 있는 것처럼 느껴졌다. 미루는 목에 큰 가시가 걸린 사람처럼 삼켜지지 않는 말 때문에 고통받는 얼굴을 하고 있었다. 나는 미루의 손 위에 내 손을 얹었다.

─힘들면 더이상 이야기하지 않아도 돼. 나중에 이야기해도 돼.

─아니, 이야기하고 싶어. 너만 괜찮다면.

그녀가 잠시 침묵을 지키는 사이로 또다시 전화벨이 울리기 시작했다.

─이른 아침에 언니에게서 전화가 왔어…… 집 앞에 왔는데 목욕

을 하고 싶다면서 목욕탕에서 만나자고 했어. 이제 언니가 집으로 들어오려나보다 생각했어. 목욕을 마치고 언니가 갈아입을 옷들을 챙겼어. 속옷이며 칫솔이며 수건이며…… 그리고 이 치마랑……

윤미루가 내 손을 밀어내며 자신이 입고 있는 잔꽃무늬 플레어 치마를 가리켰다.

—언니 치마였어?

—응…… 언니가 늘 집에서 입던 거.

—목욕바구니를 챙겨들고 우리가 지난번에 함께 갔던 그 목욕탕으로 갔을 때 언니는 벌써 탕 안에 들어가 있었어. 우리는 어렸을 때처럼 함께 목욕을 했어. 서로 등도 밀어주고 물도 부어주고 그랬지. 그 사람이 실종된 이후로 늘 불안해 보이던 언니의 얼굴이 그날은 편안해 보였어. 그 사람을 찾았나, 싶은 생각이 들 정도로. 언니가 미루야…… 나를 부르더니 머리를 감겨주겠다고 했어. 어렸을 때 간혹 하던 일이야. 머리를 감겨주면 내가 좋아했거든. 언니는 샴푸를 손바닥에 덜어서 손가락으로 두피를 가만가만 문질러주었어. 거품을 물로 씻어내고 또 맑은 물로 몇 번이나 헹궈주고 가지런히 빗질을 해 말아올려 핀으로 고정시켜주었어. 내 뒷목을 손바닥으로 쓸어내리며 학교 잘 다니고 있지? 물었어. 콧등이 시큰했어. 언니가 학교 잘 다니고 있느냐고도 묻는 걸 보니 이제 정신이 났나보다 싶었지. 목욕을 오래 했던 것 같아. 탈의실로 나왔을 때 발가락이 물에 퉁퉁 불어 있을 만큼 말이야. 언니가 수건으로 내 몸의 물기를 다 닦아줬어. 감아서 틀어올려준 머리도 드라이어로 시간을 들여 말려주었어. 손바닥에 보디로션을 덜어서 등에도 펴발라주었어. 내

가 챙겨온 것을 건네주는 대로 입던 언니가 치마를 보고는 이건 집에 가서 입을게, 했어. 언니의 청바지가 더러워서 갈아입으면 좋을 텐데 생각했지만 대수롭지 않게 생각했어. 목욕탕을 나올 때 언니가 카운터에 맡겨놓은 배낭을 챙겨 등에 짊어졌어. 산에 비박이나 트레킹을 갈 때나 메고 다니는, 나는 처음 보는 큰 배낭이었어. 무거워 보이기에 내려서 함께 들자고 해도 언니는 괜찮다고 했어. 보기보다 무겁지 않다구. 점심때도 아닌데 밥을 먹으러 가자고 하더라구. 배가 고픈가보다 싶어 별말 않고 언니가 이끄는 대로 따라갔어. 예전에 여기 와보자고 했지? 언니가 나를 데리고 간 곳은 큰길가에 새로 생긴 생선초밥집이었어. 언니는 초밥을 좋아하지 않아. 내가 맛있어 보인다고 가보자고 해도 안 데려갔던 데야. 우리는 모듬초밥이랑 우동을 시켜놓고 마주 앉아 먹었어. 나는 처음 먹어본다…… 하면서도 언니가 뜻밖에 초밥을 맛있게 먹었어. 이마에 땀까지 흘려가며 한 개도 남기지 않고 말이야. 식사를 마친 뒤에 언니가 배낭에서 구겨진 노란 봉투를 하나 꺼내더니 네가 좀 가지고 있어줘, 했어. 내가 집에 안 갈 거야? 물었더니 언니가 배낭을 가져다줘야 한다며 먼저 집에 가 있으면 나중에 들어가겠다고 했어. 거짓말 하는 것 같지 않았어. 초밥집 입구에서 언니가 너는 이제 집에 가…… 했어. 꼭 와야 해, 확인했더니 언니가 고개도 끄덕끄덕 했어. 길가에서 헤어지면서 집으로 꼭 와야 해, 또 한번 다짐을 받았어. 언니가 선선히 그럴게, 대답했어. 너는 어서 집으로 가라고 하면서. 언니가 차 타는 거 보고 가겠다고 해도 그냥 가라고 나를 떠밀었어. 내가 할 수 없이 돌아서려는데 언니가 미루야! 부르더니 나

를 가만히 껴안았어. 언니한테서 우리가 목욕탕에서 함께 쓴 비누 냄새가 났어. 미루야, 미안해…… 미안해…… 언니가 두 번이나 말했어. 나는 괜찮다고 했어. 괜찮다고…… 이따가 집으로 들어오기만 하면 된다구. 언니가 포옹을 풀고 또 어서 가! 하더라구. 이따가 만나 언니…… 하며 집 쪽으로 걷다가 뒤돌아보니 언니가 그때껏 나를 보고 서 있다가 황급히 몸을 돌렸어. 모르겠어, 왜 그랬는지. 뭔지 모르게 이상한 생각이 들었어. 이대로 언니를 보내면 안 될 것 같은 생각이 말이야. 나는 언니를 향해 막 뛰어갔어. 무거워 보이는 배낭을 메고 길을 건넌 언니가 택시를 잡는 게 보였어. 나도 얼른 길을 건너 택시를 탔어. 언니가 타고 가는 택시를 가리키며 따라가 달라고 했어.

허공에 매달린 침대 아래 놓여 있는 책상 위의 전화벨이 또다시 울리기 시작했다. 여태 전화벨 소리에 무심하던 윤미루가 얘기를 멈추고 벨 소리에 귀를 기울였다. 누굴까? 이 시간에 저렇게 끈질기게 윤미루에게 전화를 걸고 있는 사람은.

─더 들을 수 있겠어, 정윤?

─얘기해.

─후회할지도 몰라. 나를 알게 된 것을.

─괜찮아. 얘기해.

윤미루가 화상 입은 손으로 내 손을 잡았다.

─듣기 힘들면 정윤, 멈추라고 말해. 그만하라구. 알았지?

─……응.

─언니를 태운 택시는 언니의 그 사람이 다니던 학교 쪽으로 가고

있었어. 학교 근처에까지 갔는데 차가 많이 막혔어. 신호에 걸린 것
도 아닌데 거리의 차들이 아예 움직이지 않고 있었어. 언니가 택시
에서 내려서 나도 내렸어. 학교 쪽으로 가는 거리엔 사람들이 아주
많이 모여 있었어. 그 사람 실종사건을 두고 집회가 열리고 있었던
것 같았어. 언니의 그 사람 이름이 적힌 현수막이 바람에 흔들리고
있는 것이 보였어. 언니는 멈춰 서더니 나부끼는 그 사람 사진을 올
려다보았지. 나는 언니가 집회에 가려는 거였나, 생각되어 그만 집
으로 돌아오려고 했어. 손에 목욕바구니를 든 채 언니를 쫓아가고
있었거든. 그런데 언니가 사람들이 모여 있는 학교 쪽이 아니라 길
을 건너는 거야. 그러고는 십층쯤 되는 건물 앞에 서서 그 건물 옥
상을 한참 올려다보고 있는 거야. 뭘 보나 싶어서 나도 그쪽을 바라
봤는데 언니가 뭘 보는지 알 수가 없었어. 왜 그러지? 싶어 다시 언
니를 뒤따라갔어. 언니가 그 커다란 배낭을 메고 건물 이쪽저쪽을
기웃거리더니 어느 사이에 보이지 않았어. 목욕바구니를 든 채 서
둘러 언니가 사라진 건물 앞으로 가서 여기저기 살펴보았어. 이상
했어. 카페나 식당이 있는 건물이 아니라 통신회사 건물이었거든.
언니가 사라졌으리라고 여겨지는 쪽으로는 비상계단이 놓여 있었
어. 나는 계단을 따라 올라가봤어. 이층 삼층 사층 계속 이어지더니
구층 십층 다음엔 옥상이었어. 언니가 자신과는 관련이 없어 보이
는 회사의 건물 옥상에 갔을 리는 없을 것 같아 그만 돌아서려는데,
옥상으로 나가는 문의 열린 틈으로 언니가 서 있는 게 얼핏 보였어.
언니는 배낭을 메고 선 채로 시위대와 전투경찰이 팽팽히 대치하고
있는 거리를 내려다보고 있었어. 언니가 너무나 절박해 보였어. 나

는 그때까지만 해도 언니가 무엇을 계획하고 있는지 알지 못했어. 그렇게까지 극단적이고 무서운 일을 준비하고 있었다는 것을 내가 어떻게 알았겠어. 발아래 사람들을 내려다보고 있던 언니가 등에 메고 있던 배낭을 옥상 바닥에 내려놓더니 배낭을 열고 안을 한참 들여다보고 있었어. 마음을 먹은 듯 언니가 배낭에서 하얀 플라스틱 통을 꺼낼 때에도 나는 아무런 눈치도 채지 못한 채 멍하니 지켜보고만 있었어. 언니가 통의 마개를 따더니 힘겹게 그 통을 들어올리고선 그 안에서 흘러나오는 액체를 머리에서부터 뒤집어썼어. 뭐 하는 거지? 생각하다가 옥상으로 난 문을 밀었어. 순간 역하게 끼치던 그 냄새. 설마 설마 했다가 그 냄새 때문에 언니가 무슨 짓을 하려는 건지 확 깨쳐졌지. 그건 휘발유 냄새였어. 나도 모르게 언니에게 다가가며 소리를 지르려고 했어. 목소리가 나오지 않았어. 내 혀는 어떻게 말하는지를 잊어버린 듯 감각을 잃고 허둥대기만 했어. 내가 겨우 언니, 언니 했을 때 나를 보는 언니의 얼굴은 하얗게 질리다 못해 순백에 가까웠어. 우리 머리 위로 쏟아지던 그 뜨거운 햇빛…… 건물 아래 거리에서 들려오던 소음도 함성도 그 순간엔 뚝 끊긴 듯 사방이 고요했어. 언니와 나, 우리 둘은 마치 진공상태 속에 단둘이 남겨진 것 같았어. 미루야! 다가오지 마! 가…… 어서 집에 가! 언니가 나를 향해 간곡하게 말했어. 목소리를 높이지도 않았어. 가! 가라구! 미루야, 제발 가! 나는 두 손으로 귀를 막으며 외쳤어. 언니, 미쳤어? 제발 정신차려. 이러면 안 돼. 그 사람이 뭐라고 언니까지 이래…… 몇초나 흘렀을까. 옥상에서 단둘이 마주 서서 그렇게 서로를 향해 제발이라거나 안 된다고 소리친 것이. 지금

도 내게는 그 몇초가 영겁의 시간같이 느껴져. 더이상 지체할 수 없었는지 언니가 허리를 굽히고 휘발유가 뚝뚝 떨어지는 손으로 주섬주섬 배낭을 뒤지고 무언가를 꺼냈어. 내가 달려들어 배낭을 잡아채려 하자 언니가 나를 밀쳤어. 온몸의 힘이 거짓말처럼 빠져나가고 나는 엉덩방아를 찧었어. 언니는 처음엔 라이터를 켜려 했지만 손이 미끄러운지 잘 켜지지 않았어. 이번엔 성냥갑에서 성냥을 꺼내 딱지에 대고 그었지. 넘어져 있던 내가 비명을 지르며 일어나 뛰어들었어. 성냥의 작은 불길이 언니 손에 옮겨붙는 순간, 나는 언니의 두 손을 움켜잡았어. 뜨거운 불길이 내 손바닥을 지져댔어. 불에 달군 수천수만 개의 바늘이 내 두 손바닥을 일제히 찔러대는 것 같았어. 이글거리는 불길이 언니의 옷자락에 옮겨붙고 얼굴과 머리를 향해 순식간에 번지는 것을 봤어. 너무나 놀라서 나는 공황상태에 빠졌어. 검은 연기, 그리고 건물 저 아래의 군중이 비로소 우리를 발견하고 웅성대는 소리. 비탄에 젖은 고함소리…… 어느 순간 언니가 내 손을 뿌리치고…… 언니의 몸이 옥상 난간을 넘어 허공으로 떠오르는 모습이 보였어. 언니의 두 팔은 마치 탄원하듯 허공을 향해 길게 뻗쳐져 있었어. 나는 그 자리에 무너져 못 박힌 듯 무릎을 꿇었어. 움직일 수가 없었어. 하늘에서 천둥벼락이 떨어진다고 생각했는데 환청이었어. 그날 오후 하늘은 푸르기만 했어…… 나는 곧 옥상으로 달려올라온 사람들에게 이끌려 병원으로 실려갔어……

　　미루 집에서 하룻밤 자고 온 이후 말수가 급격히 줄어든 윤이 오늘, 미루 언니가 불타고 있을 때 너는 어디 있었어? 물었다. 우리는 윤의 부엌에서 물국수를 만들어 먹고 나와 옥상 난간에 팔꿈치를 대고 저 멀리 우뚝 서서 빛을 내뿜고 있는 남산타워를 함께 바라보고 있는 중이었다. 학교에서 윤의 옥탑방까지 걸어왔을 때 윤이, 물국수 만들어 먹겠어? 물었다. 먹고 싶어? 물으니 윤이 고개를 끄덕였다. 내가 윤에게 가끔 해주는 물국수였다. 윤의 책상 위에는 테이블야자가 한창 자라고 있었다. 내가 냄비에 물을 받아 가스레인지 위에 얹는 모습을 윤이 간이식탁에 팔을 괴고 앉아 물끄러미 바라보았다. 부엌에서 국수를 삶고 있으니 미루와 미래 누나와 함께 살 때 생각이 났다. 만들어진 물국수를 내놓았으나 윤은 거의 먹지 않았다. 윤이 자꾸 국수그릇에서 국수를 건져내 내 그릇으로 옮겨담았다. 먹고 싶다고 했잖아? 윤은 지금은 아니야……라고 생기 없는

목소리로 말했다. 윤의 국수까지 내가 거의 다 먹었을 것이다. 옥상으로 나와 도시의 불빛을 내려다보고 있을 때 윤이 갑자기 그때 너는 어디 있었느냐고 물었다. 가슴이 철렁했다. 어이없게도 내 입에서 알았어? 라는 말이 튀어나왔다. 미루가 그 윤미래의 동생일 줄은 몰랐어. 윤이 미루를 두고 윤미루라 하지 않고 미루라고 칭하는 것을 처음 들었다. 나는 차마 온몸이 불타고 있는 미래 누나를 붙잡다가 미루 손이 그리 된 것도? 라고 물을 수가 없었다. 윤은 내 마음을 헤아린 듯, 미루 손이 왜 그렇게 되었는지도 알아, 했다. 우리 사이에 깊은 침묵이 흘렀다. 숨이 막힐 듯해 내가 윤의 손을 잡으려 하자 윤이 손을 빼냈다. 은연중에 미루와 윤이 가까이 지내지 않기를 바랐던 내 마음이 확인되는 순간이었다. 윤의 얼굴에 밤 불빛이 어른거렸다. 어떻게 그런 일이 있을 수 있어. 윤의 얼굴이 굳어졌다. 미루의 고통이 윤에게 그대로 옮겨진 듯했다. 어떻게 그런 일이 있을 수 있을까. 나 자신에게 수도 없이 물었던 질문이다. 혼자 있을 때면 어떻게 그런 일이 있을 수 있어! 불쑥 고함을 지르게 된다. 어떻게 그런 일이 있을 수 있는가. 우리와 저녁식사를 하기로 했던 날 실종된 미래 누나의 그 사람은 이미 이 세상에 없을 것이다. 미래 누나가 미루에게 남긴 봉투엔 그 사람을 찾아다니다가 알게 된 일들이 빼곡히 씌어 있었다. 미래 누나는 그를 찾아다니다가 알게 되었을 것이다. 그 사람도 돌아올 수 없는 사람이 되었다는 것을. 그걸 받아들일 수밖에 없어 그런 선택을 한 것인가. 미래 누나의 그 사람은 우리와 저녁식사를 하기로 되어 있던 시간에 엉뚱하게도 학교로 찾아온 낯모르는 사람들과 기차를 탔다고 한다. 그렇게 실종

되어 돌아오지 않고 있는 사람들이 수도 없이 많다는 것을 미래 누나를 잃고 그 사람을 대신 찾아다니는 미루와 동행하며 나도 알게 되었다. 실종된 사람들은 교통사고를 당하기도 하고 실족해 머리통이 깨져 숨을 거두기도 하고 아무 연고도 없는 고장의 저수지에서 배에 물이 가득 찬 채 발견되기도 했다. 미루를 어떻게 대해야 할지 알 수가 없어. 말로만 듣고도 내가 이렇게 고통스러운데 미루는…… 미루는. 윤은 미루는…… 한번 더 미루 이름을 부르더니 입을 다물었다. 헤어질 때까지 단 한마디도 하지 않았다. 자정이 지나 혼자 옥탑방을 내려와 골목을 내려가는데 윤이 내 이름을 부르며 뛰어왔다. 내가 뒤돌아서자마자 윤이 내 품에 얼굴을 파묻었다. 가지 마! 윤의 숨소리가 내 심장에 전달되었다. 윤이 울고 있는지 내 윗옷 자락이 축축해졌다. 우리는 그렇게 붙박인 듯 어두운 골목에 서 있었다.

우리 옛날처럼 함께 지낼 수 있지? 윤이랑? 미루가 윤을 두고 정윤이라 하지 않고 윤이라고 부르는 것도 오늘 처음 들었다. 하룻밤을 함께 보낸 뒤에 그녀들은 서로에게 윤미루와 정윤이 아니라 미루와 윤이 된 모양이었다. 미루의 얼굴은 생기를 얻고 윤의 얼굴은 침통해진 것이 달라진 것이다. 내가 미루에게 그걸 진짜 원하느냐고 물었다. 미루는 그럴 수 있기를 바란다고 했다. 윤이도 동의했어? 대답을 기다리고 있어. 내가 다시 물었다. 그 집에서? 미루가 고개를 끄덕였다. 니가 더이상 그 사람을 찾아다니지 않겠다고 약속하면 나는 그렇게 할 수 있어. 내 말에 미루는 윤이는……이라고

웅얼거렸다. 미루가 무슨 말을 할지 조마조마했다. 윤이는 나와 함께 그 사람을 찾으러 다녀줄 거야. 미루는 내 얼굴을 보지 않고 고개를 숙이고 입술을 깨물었다. 나에게, 너는 미래 언니를 잊었니? 라고 말하고 있는 듯했다. 어떻게 잊겠는가. 미루와 미래 누나의 그 사람을 찾아다니는 동안 나도 알았을 뿐이다. 미래 누나의 그 사람은 이미 이 세상 사람이 아니라는 것을. 미루도 알고 있을 것이다. 내가 느끼는 것을 미루라고 느끼지 못할 리가 있는가. 미래 누나는 그 사람의 황당한 실종과 의문의 죽음을 우리 모두에게 묻기 위해, 자신의 몸에 석유를 붓고 불을 붙였던 거다. 스스로 불이 되었던 거다. 미래 누나만 생각하면 온몸이 뜨거워진다. 내 몸에 불이 붙는 듯하다. 그 자리에 없었던 내가 이 지경인데 불타고 있는 미래 누나를 눈앞에서 봤던 미루는 어떠할지. 미래 누나는 미루의 삶 속에서 늘 불타고 있을 것이다. 그 길뿐이었어? 미래 누나를 향해서 끊임없이 솟구치는 원망과 분노. 미래 누나의 절망이 내 가슴에 들어차서 터져버릴 것 같지만 그래도 미래 누나가 그래서는 안 되었다. 미루야, 윤이도 우리처럼 아프길 바래? 내 말에 미루가 우리처럼이라니? 되물었다. 나는 미루에게 외치듯 말했다. 똑바로 보자. 우리가 정상일까? 너를 봐. 너는 너 자신을 위해서는 아무 일도 하고 있지 않잖아. 나에게 하는 얘기이기도 했다. 미래 누나가 불에 타고 난 후 미루와 나는 스스로를 위해 아무 일도 하지 않고 있다. 우리 사이에 윤이 없었다면 미루와 나는 어떻게 되었을까? 생각하니 캄캄한 동굴 속에 처박히는 느낌이다.

날이 갈수록 누군가에 의해 끌려가듯 사라져버린 그 사람을 찾지 못한 미래 누나의 고통이 내 것이 되어간다. 미래 누나는 그 사람을 찾아다니며 미루와 내가 그랬던 것처럼 그렇게 사라진 다른 사람들의 최후와 숱하게 조우했을 것이다. 우리와 함께 저녁을 먹기로 한 사람이, 다음날부터 일주일은 그 사람이 소속된 단체의 집행부 사람들과 MT가 잡혀 있었던 사람이 왜 갑자기 낯선 사람들과 기차를 탔단 말인가. 그 사람을 보았다는 섬. 그 섬에서 발견된 사람이 다른 사람이었다는 것을 미루도 안다. 미래 누나도 그 사람을 찾아 그 섬에 갔을 것이다. 그 사람이 아니라는 것도 알았을 테지만 발을 헛디뎌 실족한 사람이 바닷물에 떠 있던 모습은 지울 수가 없었을 것이다. 수원지에서 발견된 사라진 사람들은 폐나 신장, 비장에서 플랑크톤이 검출되었다. 심장과 간에서도.

이 도시를 걷는 일에 이제 윤보다 낙수장이 앞장서고 있다. 낙수장이 윤교수와 함께 이 도시의 성벽을 따라 일박이일 동안 걷기로 한 날 윤이 친구를 데리고 나타났다. 고향 친구이고 약속도 없이 밤기차를 타고 올라와 함께 올 수밖에 없었으며 이름은 단이라고 했다. 윤의 소개를 묵묵히 듣고 있던 단이 우리를 향해 인사를 했다. 칠 일 후에 입대합니다, 윤일 한번 보고 가려고 올라왔습니다, 라고 말했다. 단이가 입대한다는 것은 윤도 모르고 있었던가보았다. 윤의 눈이 휘둥그레지는 사이 우리 중 누군가 단이를 향해 농담을 던졌다. 총은 준비됐어? 총요? M16 소총 말야. 입대한다면서 아직 총도 안 구해놨단 말이야? 총을 가지고 가야 하나요? 단이 진지하게 물

234

어서 윤교수와 미루까지 폭소를 터뜨렸는데 윤만 웃지 않았다. 그
거 필수품인데…… 여기 올 게 아니라 빨리 총 구하러 가야 될 것
같은데…… 내가 총 구하는 곳 알고 있는데 소개해줄까? 우리 중
한 명이 시작한 농담에 재미가 붙어 너도나도 한마디씩 했다. 입대
할 때 어떤 총을 들고 가야 환대를 받는다느니 어느 문방구에 가면
싸게 구할 수 있다느니…… 윤교수마저도, 실탄은 꼭 도시락에 넣
어가야 하네, 한마디 보탰다. 우리의 농담을 그대로 믿는 듯이 네?
네? 네? 놀란 표정으로 대꾸를 하던 단은, 뒤늦게야 농담인 줄 알고
는 얼굴을 펴고, 하여튼 총은 제가 알아서 구해가겠습니다, 충성!
하며 활짝 웃었다.

걷다가 뒤돌아보면 윤과 단이 보였다. 윤교수 뒤를 따르던 미루
도 가끔 윤과 단을 돌아보았다. 얘기를 하는 쪽은 윤이었고 단은 거
의 듣고 있는 듯했다. 입대해서 훈련은 어떻게 받을 거야? 윤의 목
소리가 들려왔다. 거미를 만나면 어떻게 해? 윤의 목소리에 걱정이
실려 있었다. 거미? 무슨 얘긴지 궁금했으나 곧 두 사람의 목소리는
희미해졌다. 윤이 그토록 편안하게 얘기를 나누는 사람이 있다는
게 신기했다.

은근히 신경이 쓰였다.

                                                    ─갈색노트 7

8. 작은 배 한 척이……

윤.

제대할 때까지 바깥세상의 누구에게도 편지하지 않겠다고 생각했다. 그런데 이렇게 편지를 쓰고 있는 걸 보면 그런 다짐은 아무짝에도 소용없는 것 같다. 백지에 대고 정윤이라고 썼다가 윤이라고 썼다가 다시 정윤과 윤 사이를 열 번은 오고갔다. 지금 막 다시 윤이라고 쓰고 마침표를 찍고 오래 네 이름을 보고 앉아 있었다. 왜 편지하지 않으려고 했나, 골똘히 생각했다. 군인으로서가 아니라 너에게 편지하지 않으려는 마음과 싸우면서 살고 있는 듯했다. 언젠가 누나가 보낸 편지에 네가 내 주소를 알아갔다고 씌어 있었다. 누나 편지를 받고 나서 날마다 네 편지를 기다렸어. 내가 쓴 편지에 보낸 답장이 아니라 네가 먼저 쓴 편지를.

우리는 군 바깥에 있는 사람들을 민간인이라고 불러. 그러니까 너는 민간인이고 나는 군인인 거지. 철저하게 군인으로서 살고 싶

어서 바깥세상의 누구에게도 편지하지 않겠다고 다짐했다면 너는 웃겠지. 군복무를 하는 동안엔 군인으로서만 지내고 싶은 게 사실이야. 나는 여기로 도망쳐온 사람이니까. 사회에서의 나약한 나를 잊고 규칙과 훈련으로 무장된 강인한 모습으로 지내고 싶었어. 군 생활을 하는 동안은 너에게 편지도 하지 않고 너의 얼굴도 보지 않을 거라고 다짐했기 때문에 입대 전에 너를 찾아간 거였는데 내 의지는 이렇게 무너진다.

너를 향한 내 마음은 내 의지대로 되는 일이 아니라는 것을 깨닫는 데만 거의 일 년이 소요되었을 뿐. 나는 이 편지에 너에게 면회를 와달라고 쓸까봐 두렵다. 혹시 내가 그런 말을 쓰더라도 너는 오면 안 돼. 식구들 중 누구도 면회 오지 못하게 했다. 나는 이곳에서 민간인은 누구도 만나고 싶지 않아. 진심이다. 입대를 하면서도, 첫 휴가를 다녀오면서도 누나와 어머니를 위협(?)했어. 면회 오면 탈영할 거라구 말이야. 대신 내가 사격을 잘해 포상휴가를 받아 다시 나오겠다고. 그 약속은 못 지켰어. 포상휴가를 다녀오는 동료가 가지고 온 떡은 먹었어. 사격을 잘해 포상을 받겠다구? 농담 말라며 웃는 네 모습이 눈앞에 떠오른다. 그런데 윤, 나도 여기서 나를 발견한 일이야. 내가 사격에 제법 우수한 능력을 가지고 있더라구.

윤.
또 네 이름을 적어놓고 오래 보았다. 너를 찾아갔을 때 만났던 너의 친구들을 자주 생각한다. 네 곁에 그런 친구들이 있어서 보는 내가 참 좋았다. 책으로만 뵀던 윤교수님을 그리 가까이 보게 될 줄도

몰랐지. 윤교수님을 둘러싼 너희는 아름다워 보였어. 그분은 매서우면서도 따뜻해 보이더라. 그분을 스승으로 두고 모여든 너희가 부러웠다. 내가 사회에서 이곳으로 도망치듯 온 것은 어쩌면 내가 있는 곳에서 너희 같은 친구들을 못 만나서였는지도 모르겠단 생각이 들었어. 나도 너희 속에 섞여서 우리가 되는 것 같은 기분이었지. 네가 사는 도시의 성벽을 따라 네 친구들과 걸었던 그날의 시간들이 꿈결 같다. 나는 누구도 기다리지 않지만 윤, 불법인 줄 알면서도 당당하게 성벽 근처에 텐트를 치고 너희와 함께 야영을 하며 보냈던 그 밤이 다시 한번 찾아와줬으면 한다. 제대할 때까지 내겐 잊지 못할 아름다운 시간이 되어줄 테지. 다음날 명서와 미루와 너와 함께 저녁밥을 해먹었던 그 집에서의 시간 또한 아마 일생 동안 잊히지 않을 것이다. 그 집의 기타는 누구 거였는지. 그때 우리가 함께 불렀던 노래들. 처음 만난 사람들과 한 집에서 며칠을 보내다니. 그럴 수 있었다니. 왜 그 집은 비어 있었던 거야? 이튿날 아침, 내가 너와 함께 마당의 풀을 죄다 뽑아놓았을 때 우리를 보던 미루와 명서의 눈빛도 생각이 나. 그곳에서 며칠 우리가 함께 보냈던 시간들이 현실이긴 했나? 싶을 때도 있다. 그 집은 처음 가보는 곳인데도 조금도 헤매지 않고 다시 찾아갈 수 있을 것 같아. 그러니 분명 꿈은 아니었겠지. 너와 함께 그런 시간을 보낼 수 있어서 행복했다. 그런 말을 이제 하다니.

미루는 지금도 자신이 먹은 것들을 노트에 모두 기록하고 있는지 궁금하기도 하다. 걸음걸이가 그러면 늙어서 꼽추가 될 수도 있다고 내가 놀렸는데 지금도 그렇게 걷는지. 우리가 함께한 그 집에서

어느 날 신새벽에 물 마시러 나왔다가 우연히 식탁에 놓여 있던 미루의 노트를 펼쳐봤어. 나는 그런 노트를 처음 보았어. 당연하겠지. 그렇게 성실하게 자신이 먹는 음식물의 종류를 꼼꼼히 적어놓는 사람은 못 봤으니까. 누군가 매일 매끼 먹은 음식이 기록되어 있는 것을 읽어내리던 그 신새벽, 기분이 이상했다. 그 단순한 기록들이 나중엔 시처럼 읽히기도 했다. 내가 여기 있다고 증명하려는 사람의 몸부림으로도 읽혔다. 지금 이곳의 나는 내가 먹은, 먹고 있는 음식물의 총화다…… 외치고 있는 것 같았어. 이따금 폭식을 한 날도 있더군. 쭉 읽어내리다가 미루가 폭식한 날의 기록을 따라 읽어내려갈 땐 고통이 스쳐 지나가기도 했어. 날짜별로 적혀 있는 음식에 대한 기록들 사이에 이따금 너희 셋이 이어쓴 것 같은 문장들도 따라 읽었어. 내가 몰랐던 너희 셋의 시간들을 엿보는 느낌이기도 했어. 미루가 부엌으로 들어오는 바람에 그 노트를 읽는 걸 들켰어. 놀란 건 나였고 미루는 담담했어. 누가 제일 잘 쓰는 것 같아? 무심히 묻기까지 했어. 나는 누가 잘 썼는지를 생각하며 읽고 있었던 게 아니었어. 세 사람의 글씨체가 참 조화롭게 뒤섞이며 이야기를 이어가고 있는 게 신기했을 뿐이야. 각자 다른 이야기를 하고 있는 것 같은데 그 뒤섞인 이야기들에 위로받는 느낌이었다면 과장인가? 미루에게 노트의 여백에 그림을 그려넣어주고 싶다고 했더니 언젠가 우리가 다시 만날 때 그렇게 해달라더군. 가끔 그 신새벽에 그 빈집의 식탁 앞에서 했던 미루와의 약속이 생각날 때가 있다. 그런 날이 오겠지. 언젠가 말이야. 언젠가 우리가 다시 만나는 날 너희 셋이 쓴 문장들의 빈틈에 그림을 그려줄게.

윤.

훈련소 집합장에 에밀리 디킨슨의 시집을 들고 네가 나타날 줄 어떻게 상상이나 할 수 있었겠냐. 네가 단아! 하고 저 멀리서 내 이름을 불렀을 때 환영인가 했어. 혼자도 아니고 명서와 미루와 고양이 에밀리까지 함께 올 줄이야. 누나와 어머니가 따라오겠다는 걸 막느라고 지쳐서 맥이 빠져 있던 내 눈앞에 네가 나타나다니. 나는 떠나는 내 뒷모습을 누가 바라보는 거 싫었어. 누군가를 차창 밖이나 문밖에 두고 손을 흔드는 일도 하고 싶지 않았지. 머리도 훈련소로 오는 길에 깎았어. 내가 아는 사람들 중에서 내 민머리를 처음 본 사람들이 너희였어. 쑥스럽더라. 어떻게 왔냐는 내 말에, 내가 가자고 했어, 단! 하던 명서의 얼굴이 떠오르는군. 꼭 형 같은 얼굴을 하고. 그 집에서 며칠을 보내는 동안 끝내 안아보지 못하고 작별을 했던 에밀리를 데리고 와서 안아볼 기회를 준 것도 고맙다. 에밀리가 가까이 오면 내가 자꾸 피하곤 해서 미안했었거든. 고양이를 처음 안아봤어. 따뜻했다. 아직도 그 온기가 생각날 정도야. 그렇게 따뜻하고 부드러운 줄 알았으면 그 집에서 실컷 안아보는 건데 후회도 해. 훈련소 안으로 가지고 가지 못한다고 해도 한사코 시집을 주던 너. 어떻게든 가지고 들어가봐, 하던 너. 놀라지 마. 그 시집은 지금 내 곁에 있다. 시집을 받치고 이 편지를 쓰고 있어. 내가 어떻게 이 시집을 지금까지 가지고 다닐 수 있었는지는 제대한 후에 들려줄게. 제대 선물로.

윤.

내가 너에게 이 시집을 주던 날이 이젠 아주 옛날 같다. 내가 너에게 준 책은 사이클이라는 별명을 가진 학과 친구가 가지고 사라져버렸다고 하더니 언제 이걸 다시 구했는지. 내게 다시 돌아온 디킨슨의 시들은 여기선 나의 수호신이야. 사제 김치를 먹고 싶을 때나 거미를 만날 때 눈을 부릅뜨고 주문처럼 외워.

사랑은 이 세상의 모든 것
우리가 사랑이라 알고 있는 모든 것
그거면 충분해. 하지만 그 사랑을 우린
자기 그릇만큼밖에는 담지 못하지.

그거면 충분해, 를 주문처럼 두세 번 반복하곤 해. 그 대목에서 거미에 대한 두려움이 희미해지는 걸 느끼거든. 내일부터 우린 삼 주일 동안 야간 구보훈련에 들어간다. 낙오자가 되지 않기를 나 스스로에게 바란다.

그만 안녕.

민간인 윤에게 군인 단이가.

단이는 입대하고 특전사 생활을 하게 된 지 일 년이 다 되어 첫 편지를 보내왔고, 다섯 장이나 되었다. 편지 어디에도 자신이 특전사라는 말은 씌어 있지 않았다. 편지를 나란히 펴서 책상 위에 펼쳐놓았다. 민간인 윤에게 군인 단이가……라는 마지막 인사를 한참

바라보았다. 만년필에 잉크를 채워넣고 새 노트를 꺼내 맨 위에 단,
이라고 써보았다.

　단.

　어린아이 단이, 소년 단이, 열일곱, 열여덟, 열아홉을 지나 대학
생이 되고 군인이 된 단이. 주소를 알기 위해 연락을 했을 때 단이
누나는 단이가 특전사로 차출되었다고 했었다. 특전사요? 그래, 특
전사…… 매일매일 훈련의 연속인 곳이래. 어느 때는 대검과 수통
만 지닌 채 산속에서 며칠을 살아내야 한대. 왜 국군의 날에 군인들
이 집단으로 공중에서 낙하하고 그러잖아, 단이가 소속된 부대도
그런 곳인가봐. 왜 단이가? 단이의 신체조건이 특전사에 적격이었
대. 그래도 적성검사를 할 텐데요? 누군가에게 따지듯 단이 누나에
게 물었으나 달라지는 것은 없었다. 나는 다시 노트에 단, 이라고
써보았다. 단이 누나에게 단이가 특전사라는 말을 듣고 알아본 특
전사들이 받는 낙하훈련 같은 것과 단이를 연결시킬 수가 없었다.
산속에서 며칠을 혼자 버티는 생존훈련을 단이는 어떻게 치러냈을
까. 육지에서의 천리행군이나 해상훈련을 받는 단이를 떠올려볼 수
없는 거리감이 민간인과 군인이라는 글씨 사이에 머물렀다. 전역한
후에 산이라고 하면 고개를 돌려버리고 싶도록 산에서 보내는 날들
이 많은 부대인가보았다. 거기에 단이가 있었다니. 거미를 그렇게
두려워하는 단이가 특전사가 되어 산속에서 혼자 며칠을 생존해내
야 한다구? 수풀을 헤치다 이마가 거미줄에라도 닿게 되면? 단이의

주소를 알게 된 이후에도 나는 단이의 상황을 전혀 짐작할 수 없어 편지를 쓰려다가 그만두기를 몇 차례 거듭했다. 그러다가 먼저 받은 단이의 편지.

단.
편지 잘 받았어. 삼 주일 동안 이어진다는 야간 구보훈련은 잘 마쳤는지.

나는 이어 쓰지 못하고 노트를 덮었다. 단이는 야간 구보훈련을 받는 동안 거미와 대적하기 위해 얼마나 많이 디킨슨의 시를 주문처럼 외워야 했을까. 나는 책상에 펼쳐져 있는 단이가 보낸 첫 편지를 다시 서랍에 넣으려다가 쌓여 있는 다른 편지들을 물끄러미 바라보았다. 모두 꺼내 책상 위에 올려놓았다. 봉함엽서도 있고 그냥 엽서도 끼어 있었다. 단이가 이리 많은 편지를 보내는 동안 답장을 한 번도 안 하다니. 단이의 편지들 사이에 섞여 있는 종이가 눈에 띄어 펼쳐보았다.

책을 다시 읽을 것.
책을 읽을 때마다 발견한 새로운 단어와 그 뜻을 노트에 적어 개인사전을 만들 것.
일주일에 시 한 편씩을 외울 것.
추석 때까지는 엄마 묘소에 가지 말 것.
이 도시를 하루에 두 시간 이상씩 걸을 것.

미루와 그가 처음 내 방에 왔던 날 그들을 옥상에 세워두고 먼저 들어와 벽에서 떼어낸 이 종이가 단이의 편지들 속에 섞여 있었나보았다. 종이를 펴서 밑에 놓고 그 위에 단이의 편지들을 올려놓았다.

집합소에서 보았던 단이의 모습이 눈앞에 어른거렸다. 집합시간 두 시간 전에 훈련소 앞에 도착해 우리는 단이를 기다렸다. 약속이 되어 있는 게 아니었기 때문에 사람이 많아 못 만날 수도 있다고 생각했다. 하나 둘씩 모여들기 시작한 사람들이 곧 인파를 이루었다. 입소하는 이들의 친구들이 대부분이어서 거기가 훈련소 앞만 아니었다면 곧 벌어질 축제를 앞두고 기대에 차서 모여드는 사람들같이 보이기도 했다. 단이를 먼저 알아본 사람은 내가 아니라 그였다. 그는 먼 곳을 내다보고 있는 내 어깨를 툭툭 치며 걸어오고 있는 단이를 가리켰다. 단이의 이름을 부른 것도 그였다. 나는 민머리가 된 단이가 낯설어서 바로 앞으로 다가올 때까지도 보고만 있었다. 우리를 발견하고 어! 놀라던 단이. 단이의 머리는 너무 바짝 밀어놓아 새파래 보였다. 턱밑도. 잠시 나를 주시하더니 곧 미루에게서 에밀리를 받아안던 단이. 에밀리는 단이의 품에 안겨 나와 그와 미루를 가만히 건너다보았다. 작별이란 그렇게 손을 내밀지 못한 존재에게 손을 내밀게 하는 것인지도. 충분히 마음을 나누지 못한 존재에게 더 신경이 쓰이는 것인지도. 우리가 그 빈집에서 며칠을 함께 보내는 동안 서로 거리를 두고 응시하거나 피하던 에밀리와 단이가 그러고 있으니 에밀리가 마치 처음부터 단이의 에밀리였던 것처럼 느껴졌다.

단이는 말없이 에밀리의 목덜미를 어루만졌다. 우리가 간신히 찾아들어간 커피집에서도, 내가 시집을 내밀며 어떻게든 가지고 들어가봐, 했을 때도. 다시 에밀리를 미루에게 건네주고 훈련소 안으로 들어가면서 단이는 뒤돌아보지 않았다. 뒤돌아봐, 한 번만! 뒷모습을 보며 나도 모르게 주문을 걸었다. 독한 놈이네, 한 번도 뒤돌아보지 않네, 그가 중얼거렸다. 그렇게 멀어지는 단이를 향해 뛰어갔던 시간. 새파란 머리들 속에 섞여 앞을 향해 걸어가기만 하는 단이를 가로막았다.

—편지할게.

—……

—면회도 갈게.

단이는 괜찮아, 나는 괜찮아, 라며 웃었다. 시외버스를 타고 다시 이 도시로 돌아오다가 휴게소 화장실에 앉아 뒤 한번 돌아보지 않고 사람들 속으로 사라지던 단이의 뒷모습이 떠올라 눈을 감았다. 다시 올라탄 버스 안에서 아주 오래전에 밤기차가 철거덕철거덕 소리를 내며 우리 앞을 지나가던 때가 생각나 눈을 더 꾹 감았다.

나는 단이의 편지들을 손에 잡히는 대로 차례로 읽었다.

윤.

내 주소가 바뀌었다. 내가 지금 쓰고 있는 이 편지는 군사우편으로 가지 않을 거야. 친한 방위병에게 부탁해서 읍내 우체국에서 부칠 거니까. 그러니 검열 의식하지 않고 네게 편지 쓸 수 있을 것 같아.

내게 많은 일이 있었다. 특전사 생활은 무척 고되었어. 특수훈련
도 그랬지만 내무반 생활도 무시무시했어. 한편으론 위계서열이 엄
격했지만 다른 한편으론 입대 전에 사회에서 한 주먹 했다는 치들
이 여럿 있어서 여차하면 치고받고 싸웠지. 내무반에 야전삽이 날
아다니는가 하면 일석점호를 받다가 이단옆차기로 옆의 사병을 때
려눕히는 사태는 흔한 일이었다. 이런 일탈을 금지한다며 일주일에
한두 번씩 집합을 하곤 했지. 한밤중에 자다가 팬티 바람으로 원산
폭격을 하고 줄빠따를 당하곤 했어. 공식적으론 얼차려 외에 구타
는 금지돼 있지만 거기선 군기를 잡는다는 명분하에 암암리에 통용
되고 있었어. 고참병사 중에 마음 약한 치들은 제정신으론 못 패니
까 저희끼리 술 마시고 술의 힘을 빌려 졸병들을 두들겨패기도 하
고 그랬어.

그날도 자정에 집합이 됐는데 준비해둔 몽둥이가 부러져나가자
곡괭이 자루가 등장했지. 그 와중에 나는 엉덩이가 아닌 허리에 빗
겨 맞았어. 정말 아파서 죽는 줄 알았어. 내가 비명을 지르면서 땅
바닥에 나뒹구니까 고참들이 엄살 떤다고 욕을 해대며 나를 발로
걷어차더군. 그 순간엔 정말 내가 이대로 죽는구나 하는 느낌뿐이
었어. 정신을 차리고 눈을 떠보니 의무실에 실려와 있었어. 의무반
사병이 내 허리를 짚어보더니 개새끼들! 하면서 혀를 차더군. 만일
이 사실이 상급부대에 알려지면 부대장을 비롯해서 전원이 박살나
고 여럿이 영창 갈지도 모르는 상황이 되어버린 거야. 선임하사가
손을 써서 나를 훈련에서 제외시키고 부대 근처에 있는 한의원에서

침을 맞게 했어. 동기병사 등에 업혀서 침을 맞으러 다녔어. 한 달 넘게 치료를 받고 그럭저럭 움직일 만하게 되었을 때 선임하사가 나보고 특전사 체질이 아닌 것 같다며 지금 이 부대로 파견 형식으로 보내줬다. 여기도 만만치 않은 곳이지만 예전 부대에 비하면 뭐랄까, 휴가 나온 수준이라고 봐도 좋을 것 같아.

여기는 전방 가까운 서해 바닷가다. 새로 내게 주어진 임무는 해안경계야. 아침부터 낮까지 분초 내무반에서 자고 오후 늦게 기상해 땅거미가 질 무렵 해안선을 따라 띄엄띄엄 자리하고 있는 진지에 투입된다. 앞으로는 밤바다를, 뒤로는 철조망을 면하고 밤을 새운다. 특전사에 있을 때처럼 훈련을 하는 게 아니어서 그때보다 몸은 편해. 단 해안에 나와 있는 동안엔 여긴 휴일이 없어. 외박 외출도 허락되지 않아. 외딴 유배지에서 언제 침투할지 모르는 미지의 적을 향해 총을 겨누고 있다.

군대에 오기 전의 내겐 군대생활에 대해 오해와 환상이 있었던 것 같아. 비록 육체적으로는 힘들지 몰라도 조직 속으로 들어가 지금까지 살아온 삶의 관성으로부터 벗어날 수 있을지도 모른다는 기대 같은 게 있었지. 그런데 훈련소에서의 첫날, 그게 얼마나 무모한 것이었는지 깨달았다. 교관과 조교들의 명령과 강압적인 처우를 대하며 그동안 내가 얼마나 어이없는 착각을 하고 있었는지 알았어 (내 귀엔 아직도 훈련소 조교들이 훈병들을 짐승처럼 굴리면서 "군인과 인간은 다르다. 너희는 인간이 아냐!"라고 외치던 소리가 쟁쟁하다). 훈련소에서의 각개전투 시간. 집결지에서 돌격선까지 때로

달리고 때로 기면서 버티던 시간. 나는 처음엔 당황했고 그다음엔 분노했다. 그 분노는 곧 체념과 의기소침과 나 자신에 대한 환멸로 대체되었지만. 춥고 졸리고 배고프다는 훈련병 시절과 특전사 배치 후 '쫄따구' 시절을 통과해오면서 나는 내가 사람이 아닌 것 같은 느낌에 빠지곤 했다. 대학생활에 적응하려고 애쓰던 시절 못지않은 정신적 방황을 여기까지 와서 하고 있을 줄이야. 육체적 피로나 고참의 횡포 정도는 참아줄 수 있다. 그러나 그동안 내가 나라고 믿었던 것, 내가 가치 있다고 생각했던 것이 다 먼지요 실체 없는 바람에 불과할지도 모른다는 인식은 내장을 갉아먹히는 듯한 쓰디쓴 괴로움을 안겨준다. 인간이 실은 출구 없는 미로를 영원히 달리고만 있는 생쥐에 불과하다는 사실을 나는 이곳 군대에서 다시금 학습하고 있다. 그래서일까. 어두운 밤 매복근무를 서다 탐조등 불빛에 언뜻언뜻 드러나는 황량한 갯벌과 그 너머 웅크리고 있는 밤바다를 대할 때마다 나는 마치 내 자신의 어두컴컴한 내면을 마주하고 있다는 느낌에 빠지곤 한다.

구원처럼 떠오르는 얼굴들. 별처럼 빛나는 그들의 웃는 얼굴, 정다운 목소리, 환한 표정, 또 때로는 토라진 모습까지…… 유난히 차가운 바닷바람이 습격해올 때마다 나는 주기도문을 외우듯 아득히 먼 곳에 있는 사랑하는 사람들의 이름을 하나씩 불러보곤 한다.

윤.
오후 여섯시쯤 해안의 진지에 투입되어 참호 주변에 각종 화기를

설치한 후 날이 완전히 저물기까지는 어느 정도 시간이 남는다. 그 사이를 이용해 수첩에 너에게 보낼 편지를 비롯해 이것저것 생각나는 대로 끼적이고 바다나 산을 연필로 스케치해보곤 한다. 같은 조에 편성된 동료 병사는 저만큼 떨어져 앉아서 담배를 피우고 있다. 고참도 상관도 없는 그 순간만큼은 온전히 나의 것이다. 파도와 바람소리에 둘러싸여 무언가를 적고 있는 그 순간이 요즘 나에게 주어진 가장 행복한 시간인 것 같다.

며칠 전 새벽 매복근무를 마치고 해안에서 철수하기 직전 지난 겨울 동안 진지 바닥에 깔아두었던 짚단을 걷어내 태운 적이 있다. 모래둔덕 저편 썰물진 해변엔 벌써 일하러 나온 어부와 아낙네들이 보였다. 거무스레하게 변색된 짚단은 처음엔 불이 잘 붙지 않더니 곧 매캐한 연기와 함께 열기를 내며 타올랐다. 대여섯 명의 병사들 사이에 끼어 나는 붉게 타오르는 불꽃을 한참 동안 망연히 바라보았다. 순식간에 검은 재로 무너져내리는 불꽃을 따라 내 속에 자리 잡고 있던 견고한 성채도 서서히 무너져내리는 느낌을 받았다.

늦은 아침 깨어나 보니 안개비가 자욱이 내리고 있었다. 실낱같은 빗방울이 살갗을 스칠 때의 감미로움을 즐기면서 한동안 멍하니 서 있었다. 오후가 되어도 안개비가 자욱해서 송림 사이 바라보이는 바다도 희미한 윤곽으로밖엔 감지되지 않았다. 하늘도 바다도 온통 우울한 회색빛으로 가라앉아 있었다. 마땅히 할 일도 읽을 거리도 없어서 하루 종일 네 생각을 하며 지냈다. 비가 내리면 괜히

감상적인 기분이 되는 것은 내가 아직도 정신적으로 사춘기를 넘어서지 못했기 때문일까. 대학 다닐 땐 비가 내리는 날이면 하루 종일 비를 맞으며 시내를 쏘다니곤 했는데 흠뻑 비에 젖은 채 단골 카페에 들어가 레너드 코헨의 '낸시Nancy'나 이안 헌터의 '올드 레코드 네버 다이old records never die', 다이어 스트레이츠의 '프라이빗 인베스티게이션private investigation' 같은 나직한 목소리의 음악을 청해 들었다. 지금은 아득한 추억일 뿐이다. 그때 자주 듣던 다른 노래로, 가수 이름은 생각이 안 나는데, 제목이 '타임 인 어 바틀time in a bottle'이란 팝송이 있었지. 윤, 그 노래 가사에 나오는 것처럼 시간을 병에 담아두었다가 필요할 때 맘대로 꺼내 쓸 수 있다면 얼마나 좋겠니.

어젯밤 내가 경계임무를 수행하고 있는 중에 순찰을 도는 대대장 지프가 들이닥쳤다. 다행히 졸고 있지 않아서 무사히 격식에 따라 대대장을 맞이할 수 있었다. 이것저것 점검해보고 격려성 발언을 한 다음 다시 지프에 오르려던 대대장이 문득 뒤돌아보더니 어이 상병, 애인은 있나? 라고 내게 물었다. 군대에선 고참이나 상관이 이런 물음을 던지면 사실이든 아니든 있다고 대답해야 하는 것이 불문율이야. 나는 네 얼굴을 떠올리며 예, 있습니다! 라고 외쳤지. 다시 대대장이 묻더군. 애인과 이렇게 떨어져 있는데 어떻게 그녀를 믿을 수 있지? 나는 잠시 우물쭈물하다 그래도 그녀는 기다려줄 겁니다, 라고 악쓰듯 대답했지. 그랬더니 대대장이 나를 쳐다보며 무슨 말인가 할 것처럼 잠시 망설이더니 그냥, 바보 같은 놈! 한마

디 던지고 지프에 휙 올라타더군. 나는 대대장 지프의 백라이트가 어둠에 묻혀 사라지는 것을 지켜보며 한동안 그 말을 곰곰이 되새겨보았지. 왜 대대장은 난데없이 그 유치하고 상투적인 질문을 던지고 내가 바보 같다고 한 것일까. 뭔가 위로가 되는 말을 해주려다 그냥 튀어나온 말일까. 한 가지 확실한 것은 깊은 어둠 속에서 이루어진 몇 분간의 짧은 대화로 그가 내 진면목을 파악했다는 것이지. 바로 내가 바보라는 사실.

어제 취사병이 분초 옆에서 뱀을 네 마리나 잡았다. 까치독사, 능사라고 불리기도 하는 이 뱀은 꼬리에 노랗게 독이 올라 있었다. 여름엔 뱀이 분초 내무반까지 기어든다고 한다. 상상해봐. 모포를 슥 들치는데 독사가 기어나오는 모습을. 오늘 아침 해안에서 철수해 돌아오니 지난밤 소대장과 고참 몇이 그 뱀을 구워서 소주 안주로 먹었다고 하더라. 끔찍할 것도 없어. 특전사 시절엔 그보다 더했으니까. 산속에서 생존하기 위해 인간이 하는 짓들을 말해주면 너는 아마 나를 다시 안 보고 싶을 거다. 껍질을 홀랑 벗긴 다음 내장까지 훑어냈는데도 살아 꿈틀거리는 뱀이나 그것을 먹는 인간이나…… 군대에 와서 참 많은 것을 해보고 별것을 다 본다.

야간투시경으로 밤바다를 내다보고 있으면 내가 꼭 야행성 동물이 된 느낌이다. 번들거리는 총구. 산산이 부서져 흩어지는 물의 파편들. 나는 요즘도 꿈속에서 선착순으로 계속 연병장을 돌다가 어느 순간 원위치! 하는 구령소리와 함께 잠에서 깨어나곤 한다.

황량한 밤바다에 비해 낮에 바라보는 바다는 아름답다. 어제는 분초원 전원이 군용 팬티 바람으로 해변을 구보한 뒤 바닷물 속에 뛰어들었다. 물은 처음엔 몸서리쳐질 만큼 차가웠지만 한동안 고함을 지르고 옆의 동료와 몸을 부딪치며 움직이니까 나중엔 미지근하게 느껴질 정도까지 되었다. 아마 이 상태로 조금 더 시간이 흐르면 나도 군인이나 병사라는 말에 어울리는 단순한 존재가 되어 사회로 돌아갈 수 있지 않을까 하는 생각이 들었다. 요즘은 초년병 시절과는 달리 정체불명의 초조감에 시달리거나 하지는 않는다. '삶이 그대를 속일지라도 결코 슬퍼하거나 노여워하지 말라'는 진부한 시구를 애송하고 있다. 아니 어쩌면 삶이 나를 속인 것이 아니라 이제껏 내가 삶을 속이고 있었는지도 모른다고 회의하면서.

윤.

오늘은 날씨가 잔뜩 흐리다. 혹시 비가 올까봐 우의까지 준비하고 노트를 가지고 바닷가 철책선을 따라 순찰로를 걸어서 벼랑 위로 헉헉거리며 올라갔어. 그사이 이마가 뜨겁게 달아올랐어. 벼랑에 앉아서 흐린 바다를 바라보았어. 멀리 바다 위로 작은 배 한 척이 연필자국 같은 선을 그리며 지나가는 걸 그렸어. 마음에 들어 너에게 보낸다.

특전사에서 해안경비병으로 파견 나간 단이는 편지를 쓰는 일로 시간을 견디는 사람 같았다. 단이가 면회를 와달라고 쓴 편지가 왔

었다. 단이는 많이 달라져 있었다. 면회는커녕 편지조차 보내지 않겠다던 단이가 면회를 와달라고 쓴 편지를 오래 들여다보았다. 단이는 외로워하고 있었고 힘들어하고 있었고 무엇보다 지쳐 있는 듯했다. 그렇게 느껴졌다.

윤.

요즘 군대는 계속 비상이 걸려 있어서 전부 다 정신이 없다. 하루가 멀다 하고 경계강화 지시가 떨어지고 있다. 다음달에 있는 지휘검열 때문에 그걸 준비하느라 중대장 이하 전사병이 초긴장 상태야. 원래는 우리 중대가 해안에서 철수해서 대대로 합류하고 다른 부대가 해안에 교체 투입되어야 하는데 차일피일 미뤄지고 있다. 그 영향으로 해안에 투입된 우리 중대 병력은 정기휴가조차도 가지 못하고 있는 형편이다.

윤.

다음주 날을 잡아 면회를 와줄 수 있겠는지. 물론 매일 야간에 해안 진지에 투입되어야 하는 우리로선 공식적인 면회는 할 수 없어. 네가 올 수만 있다면 근무에서 빠질 수 있도록 노력해보겠다. 나보다 나이 어린 고참에게 잘 보여야 편법이 통할 수 있겠지만. 네 얼굴을 단 몇 초라도 볼 수 있다면 그런 굴욕 정도는 얼마든지 감수할 수 있다. 내 뒤엔 어둠에 잠긴 산하가 있고 내 앞엔 밤바다가 달빛을 받아 물비늘을 반짝이고 있다. 나는 장전된 소총을 들고 불침번을 서며 네 생각을 하고 있다.

짧은 머리를 보여주기 싫다면서 휴가를 나와서도 연락 한번 취하지 않았던 단이가 면회를 와달라고 쓴 편지 때문에 며칠을 갈등하다가 단이를 찾아갔던 그 밤이 또렷이 떠올라 나는 책상 위에 얼굴을 묻었다. 이 도시에서 단이가 있는 곳까지는 기차를 한 번 타고 시외버스를 두 번 갈아타야 했다. 버스정류장에서 단이가 경비를 서는 해안의 분초로 밤근무를 하기 위해 출근하는 방위병을 만났다. 그는 단이가 있는 분초 앞까지 나를 데려다주었다. 철모를 쓰고 소총을 메고 수류탄과 대검까지 소지한 단이가 튀어나왔다.

얼마 후에 완전무장을 한 단이와 나는 마른 솔방울을 밟으며 인적이 없는 오솔길을 돌아 바다가 보이는 벼랑길을 내려와 바닷가 철책선을 따라 순찰로를 빠져나왔다. 어딘지도 모를 어두운 해안길을 그렇게 끝도 없이 걸었다. 바다가 점점 멀어지는지 귓가에 철썩거리던 파도소리가 희미해졌다. 밤하늘에 떠 있는 별들이 우루루 쏟아질 것처럼 빛을 내며 우리를 내려다보았다. 단이는 묵묵히 내 옆에서 걷기만 했다. 나도 아무 말도 하지 않았다. 금방이라도 전투에 투입될 것 같은 복장을 하고 있는 단이가 낯설기 이를 데 없었다. 내가 알고 있는 개별자 단이가 아니라 국방색 전투복을 입은 익명의 군인이 되어 있는 단이에게 무슨 말을 해야 할지 생각이 나지 않았다. 꽤 오래 걸었는데도 마주치는 사람 하나 없었다. 단이가 돌연 무서운 얘기 해줄까? 물었다.

—너 완전무장 하고 있는 모습 때문에 그러잖아도 무서워.

내 말에 단이가 가벼운 웃음을 흩날렸다.

—지금 나는 경계근무지를 이탈한 거야.

—응?

—너를 만나는 것을 들키기라도 하면 나는 군사재판에 회부될 판이야.

—이게 그렇게 위험한 일이야?

심각해진 내 말투에 단이가 또 가볍게 웃음소리를 냈다.

—염려 마. 해안생활이 길어지다보니 다들 이렇게 편법으로 가족이나 애인들이 면회를 오곤 해. 서로 눈감아주는 거지. 중대장이나 선임하사도 아마 눈치 채고 있을 거야. 내가 아무리 애인이 있다고 해도 믿지를 않아서 내기를 했어.

—나를 두고?

—미안.

—무슨 내기?

—네가 오면 하룻밤 외박을 내보내준댔지.

—이건 너무 위험한 일 같아. 나 때문에 니가 나쁘게 되는 거 싫어.

—나쁘게 되다니? 무슨 말이야. 나는 이렇게 기쁜걸. 지금 내 곁에 니가 있다는 게 믿기지가 않아.

불안했지만 단이와 대화를 주고받으니 기분이 좀 나아졌다.

—무서운 얘기는 뭐야? 거미 얘기?

—이제 거미는 무섭지 않아.

헤드랜턴을 쓰고 엄마 묘소를 가던 그날 밤, 거미를 밟을까봐 두려움에 떨던 단이가 아니었다. 단이는 특전사로 지내는 동안 거미에 대한 무서움증이 사라졌다고 했다. 산에 오르고 포복하고 건너

뛰고 날아오르는 훈련이 거의 매일 이어지는 생활을 하다보니 어느 덧 자신이 거미를 손으로 집어내고 있더라고.

—그래? 군대 온 보람이 있는데!

내 말에 단이가 공허하게 웃었다.

—무서운 얘기란 게 뭐야?

단이가 어둠 속 어딘가를 팔로 가리켰다. 파도소리가 나는 쪽이 었다.

—저기 해안 병사들이 경계근무를 서는 참호와 참호 사이에 교대로 잠깐씩 눈을 붙일 수 있는 진지가 있어. 한 사병이 이 근처 마을의 처녀와 사랑에 빠졌대. 간혹 그 진지에서 처녀가 자고 가곤 했대. 그 처녀는 사병을 만나러 올 때면 늘 야참으로 라면을 끓여가지고 왔었다고 해. 그런데 제대를 하게 된 사병이 연락처도 안 남기고 뒤도 돌아보지 않고 떠나버렸어. 그 처녀는 상심해서 자주 밀회를 가졌던 진지 천장에 목을 매달았대. 임신 몇 개월째인가 그랬다는 군. 세월이 흐른 뒤 소문이 떠돌기 시작했어. 새로 온 병사가 그 진지에서 잠이 들면 꿈속에 젊고 예쁜 여자가 벙커 문을 열고 쌩긋 웃으며 나타난다는 거야. 두 손으로 모락모락 김이 피어오르는 냄비를 받쳐든 쟁반을 들고……

—그래서?

—쟁반을 받아서 냄비 뚜껑을 열면 말이지, 거기 라면이 담겨 있대. 피로 끓인 시뻘건 라면이 말이야.

나도 모르게 소리를 지르며 단이의 팔을 꽉 붙잡았다.

—진짜야? 너도 봤어?

―보긴 뭘 봐. 우리 부대에 전해지는 전설이야. '피라면 귀신' 전설…… 아마 병사들이 너같이 면회 온 애인에게 얘기해주려고 지어냈겠지. 무서워서 너처럼 이렇게 팔을 꼭 붙들거나 품속으로 파고들거나 할 테니까.

―뭐?

나를 놀리려고 한 이야기였던가보았다. 내가 내 어깨를 감싸고 있는 단이의 팔을 내려놓으려 하자 단이는 내 어깨를 더 당겨 안으며 말했다. 너를 볼 수 있어서 너무 좋다! 어둠 속에서 들리는 파도 소리를 들으며 옥수수밭을 지나고 고추밭 두렁을 차례로 지나고 나자 인가가 나타났다. 그렇게 밤새 걸을 수는 없는 일이었다. 해안 부대에 면회 온 사람들이 숙박을 하고 가는 일이 종종 있는지, 찾아들어간 인가의 아주머니는 별스럽지 않게 우리를 마루가 딸려 있는 구석방으로 안내했다. 단이가 밥을 먹을 수 있느냐고 물으니 아주머니가 여태 밥을 안 먹었느냐며 조금 기다리라고 했다. 이내 호박전과 가지나물과 김치와 밥과 국이 차려진 밥상을 마루에 내려놓았다. 부엌으로 돌아가려는 아주머니의 등에 대고 단이가 소주가 있느냐고 물었다. 아주머니는 소주는 없는데…… 하다가 바깥양반이 마시다 만 게 있는데 그거라도 가져다줄까? 물었다. 단이가 그러면 고맙겠다고 했다. 아주머니가 곧 반쯤 든 소주병과 잔 두 개, 부친 두부 몇 조각이 올려져 있는 접시를 들고 왔다. 그러곤 단이에게 철모도 벗고 총도 내려놓으라고 했다. 애인이 무섭지 않겠느냐며 내 얼굴을 쳐다보며 웃었다. 방은 따뜻할 거라고 일러주며 아주머니가 돌아갔다. 단이와 나는 마루에 앉아 밥을 먹었다. 접시는 허름했지

만 그 위에 놓인 가지나물에서는 방금 친 듯한 참기름 냄새가 고소하게 올라왔다. 단이는 제 밥그릇 옆에 놓여 있는 잔에 소주를 따르고 나를 봤다. 나는 마시지 않겠다는 뜻으로 고개를 저으며 마루 위 허공에 거미줄이 쳐져 있는 걸 쳐다봤다.

─저기 거미 있네!

내 말에 단이가 그쪽을 보더니 몸을 일으켜 거미 쪽으로 다가갔다. 불빛에 흔들리는 거미줄을 타고 내려오는 거미를 손가락으로 집어 마당 쪽으로 던졌다.

─이젠 거미 따위는 무섭지 않아.

단이는 다시 밥상 앞으로 돌아와 소주를 따라 마셨다. 김치와 두부는 바라보기만 할 뿐 손도 대지 않았다. 나는 가지나물을 몇 번 집어먹어보다가 수저를 내려놓았다. 배는 고픈데 더 먹히지가 않았다. 단이가 술을 마시는 동안 나는 마루 밑에 벗어놓은 단이의 군화와 내 운동화를 물끄러미 바라보았다. 별 생각 없이 발을 뻗어 단이의 군화에 내 발을 넣어보았다. 홀렁했다. 발을 넣어보니 걷고 싶어져 마루 아래로 내려가 뒤뚱거리며 걸어보자 단이가 나를 보며 웃었다. 이렇게 무거운 걸 신고 어떻게 걷는 걸까? 나는 군화를 벗어놓고 방문을 열어보았다. 노란 장판이 깔린 작은 방바닥에 이불 두 채와 그 위에 낮은 베개가 놓여 있었다. 바깥으로 난 작은 창문에서 파도소리가 밀려들어왔다. 방으로 들어와 이불을 깔고 누웠을 때는 자정이 지나서였을 것이다. 단이가 벗어놓은 철모가 우리 머리맡에 있었다. 단이는 군복을 나는 겉옷을 벗지도 않은 채 그렇게 누워 있었다. 어렸을 때 단이가 우리집에서, 내가 단이 집에서 놀다가 잠이

들면 단이 누나가 혹은 엄마가 우리를 데리러 와 등에 업고 집으로 데려가곤 했었다는 생각. 파도소리가 철썩 귓전으로 파고들었다.

—저 창문 너머가 바다인가봐.

—바다는 아니고 해안이 가까워. 미루와 명서는 어때? 잘 지내?

—미루는 사라진 사람을 또 찾으러 다니기 시작했고, 명서는 명동성당에서 시위하느라 거의 그곳에 있어.

—미루는 누굴 찾아다니는 거야?

뭐라고 말을 해야 하는지. 그러잖아도 울적해 보이는 단이에게 미루가 찾아다니는 그 사람에 대해 이야기할 마음이 생기지 않았다.

—우리가 함께 며칠을 같이 지냈던 그 집 말이야. 그 집은 미루 부모가 다른 사람에게 팔았어.

—이젠 그 집에 가볼 수 없는 거야?

—응…… 이제 미루네 집이 아니야.

그 집이 팔린 후 실의에 빠져 있던 미루는 다시 사라진 그 사람을 찾아나서기 시작했다. 피로에 지친 낙담한 얼굴로 돌아와 며칠 지내다가 다시 길을 나서곤 했다. 단이를 만나러 함께 가자고 해보려고 찾아가보니 미루는 또 길을 떠나고 없었다.

—너는 어때?

나는 뒤늦게 단이의 생활이 어떤가 물었다.

—거미줄에 온몸이 꽁꽁 묶여 있는 것 같아.

—이제 거미는 무섭지 않다면서?

—그래…… 이제 산에서 만나는 거미는 두렵지 않아. 그런데 더 거대한 거미를 만난 것 같아.

단이의 목소리가 울적하게 들렸다. 단이가 내 자리로 건너오는가 싶더니 내 얼굴 위에 바로 단이의 얼굴이 보였다.

—나는 총소리가 싫어. 손가락에 와 닿는 방아쇠의 느낌도 싫고.

좀 전에 단이가 마신 소주 냄새가 내 코끝으로 전해졌다. 단이의 눈이 내 눈을 깊이 들여다보았다. 무슨 생각을 하는지 헤아릴 수 없는 눈빛이 흔들리는 것 같더니 단이의 입술이 내 입술에 닿았다. 단이의 군복이 내 겉옷에 닿고 단이의 손이 내 겉옷 안의 가슴에 닿았다. 단이의 숨소리가 거칠어졌을 때 나는 단이를 밀어냈다. 밀어내는 내 손목을 붙잡는 단이의 손에서 완력이 느껴졌다.

—단아……

—……

—이러지 마.

밀쳐내도 단이는 다시 다가왔다. 손을 내젓다가 닿은 단이의 눈가에서 뜨거운 물기가 만져졌다. 단이의 입술이 다시 내 입술에 닿고 손이 내 옷의 단추를 풀려고 했다.

—너는 내게 남아 있는 단 하나의 출구야.

단이가 우울하게 말했다. 어느새 내 상의는 반쯤 말려올라가 있었고 단이는 내 바지 지퍼를 내리려 애쓰고 있었다. 내가 화들짝 놀라며 몸을 비틀자 단이가 내 몸 위로 올라와 나를 내리눌렀다. 손끝에 닿은 단이의 눈물 때문이었는지 마음이 혼란스럽고 온몸의 힘이 빠졌다. 문득 면회를 와줄 수 있겠느냐는 단이의 편지를 받고 갈등했던 마음 안에 이 상황을 막연히 예감하고 있었던 것인지도 모른다는 생각도 들었다. 너는 나를 사랑하지 않아. 단이가 체념한 듯

내게서 떨어져 누웠다. 그 녀석 때문이겠지. 그를 두고 하는 말인가 보았다.

　서먹해진 우리는 둘 다 아마 잠을 못 이루고 새벽을 맞이했을 것이다. 내가 손을 뻗어 단이의 손을 찾아 잡아봤으나 단이는 움직임이 없었다. 어느 틈엔가 빗소리가 들렸다. 빗소리가 셀 수 있는 것이라면 얼마만큼 내렸는지 숫자로 세어놨을 것이다. 아침에 이불을 단정히 개어놓다가 단이와 눈이 마주쳤다. 단이의 눈은 실핏줄이 터진 것처럼 붉었다. 우리가 어색하게 하룻밤을 묵었던 민가를 나와 전날 밤 걸었던 길을 똑같이 걸었다. 마음이 이루 말할 수 없이 서글퍼졌다. 간밤에 내린 비로 젖어 있는 솔방울을 밟으며 인적 없는 오솔길을 돌아 바다가 보이는 벼랑 앞에 섰다. 저 멀리 막 떠오른 눈부신 햇살 아래 거룻배들이 흔들렸다. 비 내린 뒤라서인지 햇살이 더 반짝였다. 해변엔 여기저기 목재나 그물이 널려 있고, 그 사이로 트랙터가 지나갔다. 갯벌을 오가는 트랙터라니. 시골의 논길을 오가는 경운기에 익숙한 내게 그 광경은 매우 낯설었다. 바람이 불 적마다 물결의 주름이 한 겹씩 모래톱을 스치고 물러나고 저 멀리 발동기 소리가 꿈결처럼 들려왔다. 갈매기들이 떼지어 아침 하늘을 선회하며 끼룩끼룩 울어댔다.
　─어젯밤에……
　침울한 얼굴로 단이가 입을 열었다. 내가 재빨리 그다음 말을 잘랐다.
　─그 이야긴 됐어. 나는 아무렇지도 않아. 며칠 지나면 다 잊게 될

거야······

　―그래······

단이가 묵묵히 고개를 끄덕였다.

　―그래, 밤바다 지키다 간첩 봤어?

내 입에서 엉뚱한 말이 튀어나왔다.

　―아직 우리 중대에선 간첩을 잡은 사람은 없어. 몇 년 전에 간첩 대신 고래를 잡은 적은 있다고 해.

　―고래?

　―응. 서해는 원래 고래가 다니는 곳은 아니지. 그런데 가끔 길 잃은 고래가 남해를 거쳐 이곳 서해까지 흘러들어오는 경우도 있나 봐. 어둠 속에서 고래가 해안 쪽으로 다가올 때 간첩들이 잠수정 타고 침투하는 것과 비슷한 소리를 낸다고 해. 몇 년 전 그 병사는 경계수칙대로 크레모아 터뜨리고 조명탄 쏘고 기관총을 갈겨댔대. 날이 밝아서 다가가보니 간첩이 아니라 큰 고래 한 마리가 갈갈이 찢긴 채 나자빠져 있었다더군.

　―불쌍한 고래.

　―그 병사는 졸지 않고 제대로 경계근무를 섰다고 해서 연대장 표창도 받고 일주일 포상휴가도 얻었다고 해.

간첩으로 오인된 고래 이야기를 두서없이 나누고 나자 할말이 없었다. 단이와 할말이 끊겨서 어색해지기는 처음이었다. 지난밤에 스쳤던 옥수수밭과 고추밭 사이를 다시 걸어가 단이의 근무지 앞에 이르렀다. 분초 앞에 세워두고 나 갈게, 하며 돌아섰다. 몇 걸음 걷다가 돌아보니 단이는 그 자리에 붙박인 듯 서서 나를 바라보고 있

었다. 몇 걸음 걷다가 다시 돌아보면 여전히 그러고 있었다. 나는 어서 들어가라고 손을 흔들었으나 단이는 거기 그 자리에 서 있었다. 얼만큼 걷다가 다시 돌아다보니 단이가 고개를 툭 떨구었다.

윤.
지금 밖엔 비가 내리고 있다. 자욱한 비안개 저편 소나무 숲과 바다가 푸르게 펼쳐져 있다. 너와 헤어지던 그날 몇 번이고 뒤돌아보던 너의 모습이 눈앞에 어른거린다. 모포를 뒤집어쓰고 누워 있으면 너의 숨결과 너의 목소리가 내 귀를 간지럽힌다. 지금 이 시간 너는 무얼 하고 있는지. 너도 창문 너머 무심히 내리는 빗줄기를 바라보고 있는지.

그렇게 돌아와 단이에게 받은 편지에도 나는 답장하지 않았다.

나는 노트와 내 턱이 거의 닿을 듯이 책상에 바짝 다가앉아 다시 편지를 쓰기 시작했다.

단아.
내가 이 도시에서 가장 많이 가본 곳은 세종로의 박물관과 경복궁이야. 내가 살고 있는 동네에서 걷기 시작해 박물관과 경복궁 앞까지 도착하는 데 처음엔 한 시간 십 분쯤 걸렸어. 지금은 오십 분이면 가능해. 걸음이 빨라진 게 아니라 거리가 익숙해진 거야. 거기까지 갔다고 해서 매번 안으로 들어가보는 건 아니야. 학교 가는 길

일 때는 그냥 지나가기도 해. 거기 도착해서 안으로 들어가기보다
는 고궁의 담장을 끼고 계속 걸어서 삼청동까지 갔다가 돌아오는
때도 있고. 박물관으로 들어가거나 표를 끊어 경복궁 안으로 들어
가보는 날은 생각하고 싶지 않은 일들이 겹겹으로 쌓여 마음 안에
서 분란을 일으킬 때야. 고궁 안으로 들어가면 놀랍게도 다른 세상
이 펼쳐져. 그저 문을 통과해 안으로 걸어들어갔을 뿐인데 바깥 사
람들의 부산한 움직임이나 자동차들의 속도나 하늘을 향해 치솟아
있는 이 도시의 빌딩들이 한순간에 사라져버려. 그래서겠지. 고궁
안에 들어가면 나도 고궁 바깥의 나를 잊게 돼. 처음에 박물관을 지
나 경복궁 안으로 들어갔을 때 정말 신선했어. 이렇게 가까운 곳에
궁궐이 있다는 것을 잊고 지낸 게 바보처럼 느껴질 정도로 내겐 새
로운 발견이었어. 내가 다시 이 도시로 돌아와 시작한 일이 이 도시
의 길들을 하루에 두 시간 이상은 걷기로 한 거였다는 말을 너에게
했었니? 이 도시를 알기 위해 시작한 걷는 일이 나로 하여금 박물
관과 경복궁을 발견하게 해준 거야. 이 도시 사람들은 이렇게 가까
운 곳에 이런 고궁을 두고 살고 있었구나, 싶었어. 그런데 왜 자주
찾지 않는 걸까? 이상하게 여겨지기도 했지. 광화문을 경복궁의 정
문으로가 아니라 네거리로 여기고 있을 정도였던 내가 새삼 광화문
을 찬찬히 바라본 것도 경복궁을 발견하고 난 다음이야. 이 도시에
서 내가 가장 많이 가본 곳이 세종로의 박물관과 경복궁이었다는
것을 지금 너에게 이 편지를 쓰면서 깨달아.

지난주 일요일엔 새벽부터 보슬비가 내렸어. 이른 오전 시간에
경복궁 앞까지 걸어갔었어. 우산을 쓰면 걷는 게 불편할 것 같아서

후드 달린 옷을 찾아 입었어. 아주 가는 보슬비였거든. 경복궁 앞까지 걸어갔을 땐 옷자락이며 머리카락이 축축했어. 다른 일요일엔 꽤 많은 사람들로 붐비던 고궁 앞에 사람들이 거의 보이지 않았어. 날이 흐리고 보슬비까지 내리고 있어서였겠지. 고궁 안에 들어갈 생각은 아니었는데 매표소 앞에 인적이 거의 보이지 않으니까 문득 안으로 들어가보고 싶어졌어. 고궁이 혼자 버려진 듯이 보였거든. 그동안 수차례 경복궁 안을 드나들었기 때문에 나는 경복궁을 꽤 안다고 생각했어. 그런데 그날 표를 끊어서 안으로 들어갔을 때 말이야. 비가 내리는 고궁 안의 옛 전각들은 맑은 날과는 완전히 다른 분위기를 풍겼어. 근정전에서 바라보는 백악도 처음 보는 산 같더라. 내가 자주 바라보곤 했던 넓은 연못 한가운데 섬처럼 떠 있는 향원정도 처음 보는 정자 같았지. 그것만이 아니야. 보슬비가 내리는 경회루는 신비해 보이기까지 했어. 비가 내리고 있었을 뿐인데 고궁은 그렇게 달랐어. 보슬비 내리는 경복궁을 걸어다니다가 아주 낯선 장소를 발견했어. 경복궁에 갈 적마다 내가 가장 많이 머문 곳은 경회루였어. 그 주변은 익히 알고 있었는데 그때껏 보지 못했던 나무계단이 눈에 띄었어. 그 나무계단은 경회루 이층으로 올라가게 되어 있었지. 출입금지 표지가 있었으나 나는 머뭇거리지도 않고 나무계단을 올라갔어. 거기엔 누樓가 펼쳐졌어. 사방이 텅 빈 뚫린 공간 앞에서 나는 그만 얼어붙는 것만 같았지. 늘 주변에서 날아갈 듯한 팔작지붕을 바라만 봐서 더 그랬겠지. 아니면 용마루 양끝에 새가 입을 벌리고 앉아 있는 모습을 흙으로 빚어서 구워 올려놓은 망새를 바라보곤 했었어. 아래층은 거의 돌기둥으로 되어 있어서

이층이 나무로 지어졌을 거란 생각을 못 했나봐.

 겨울날이면 우리가 썰매를 타고 놀던 꽝꽝 얼어 있던 빙판 생각
나니? 봄이면 푸른 미나리가 쑥쑥 올라오곤 했던 둑길 옆의 그 빙
판 말이야. 썰매를 타기 전에 우린 먼저 빙판에 돌을 던져보곤 했었
잖아. 썰매를 타도 될 만큼 두껍게 얼어 있는지 알아보기 위해 그랬
지. 우리가 던진 돌멩이에 쩡! 소리를 내며 살얼음 갈라지던 소리
기억해? 경회루의 누에 올랐을 때 내 머릿속에서 그 쩡! 소리가 나
는 것 같았어. 급한 볼일이 있는 사람처럼 계단을 뛰다시피 오르다
가 나는 조용해졌어. 보슬비랑 걷는 동안 솟아난 땀방울에 젖어 있
던 내 이마가 한순간 차가워졌어. 계단 끝에서 멍하니 서 있었단다.
눈이 시릴 만큼 아름다웠거든. 바닥엔 높낮이가 다르게 마루가 깔
려 있었어. 이 도시에 이런 곳이 있었구나. 혼자 고소해서 싱긋 웃
었단다. 이 세상의 어딘가 들어가지 말라는 금지 표지가 있는 곳은
꼭 들어가봐야겠네, 생각했어. 경회루 주변을 수차례 배회하면서도,
그 앞 나무의자에 앉아서 경회루를 바라보면서도 이층으로 오르는
나무계단을 그냥 지나쳤던 것은 올라가지 말라는 표지를 미리 인지
하고 있었기 때문이었을 테지.

 한참을 그렇게 서 있다가 에밀리처럼 가만가만 마룻바닥에 발을
디뎌봤어. 그리고 슬쩍 한 발짝 걸어봤어. 다시 에밀리처럼 사뿐사
뿐 앞으로 나아갔지. 위에서 내려다보는 연못은 근사했어. 물 위의
부레옥잠들이 바람에 흔들리고 수면에 보슬비로 인해 크고 작은 파
문들이 계속 새로 생겨나고 있었어. 아주 맑은 날엔 그 물 위에 누
각이 비치기도 하겠지. 인왕산과 북악산과 남산까지 한눈에 다 보

였단다. 연못을 만들려고 파낸 흙으로 쌓은 산이 있는데, 그게 아미산이란다. 그 아미산도 눈앞에 바로 보였어.

가만히 마룻바닥에 앉아봤어. 마룻바닥에 엉덩이를 대고 앉는 순간 금지된 구역에 들어왔다는 긴장감이 스르르 풀리며 마음이 편안해지더라. 미루는 또 혼자 길을 떠났단다. 나는 미루에게 함께 싸워주겠다고 했는데 그 약속을 영원히 지킬 수 없을지도 모른다는 생각이 들어. 그런 나에게 화가 나. 누의 마룻바닥에 앉아 있으니 그 화도 조금 누그러지는 것 같았어. 백년을 견뎌온 마룻장의 말들이 깊은 침묵을 뚫고 올라오는 것 같았어.

단아.

우리집에도 너희 집에도 툇마루가 있었지. 엄마는 툇마루를 열심히 닦으셨어. 태풍에 쓰러진 뒷산의 나무로 아버지가 직접 만든 거라고 했었지. 마루는 쓸고 닦고 칠해주며 사람의 손길이 보살펴야 오래간다면서. 우리집이나 너희 집 툇마루에 엎드려서 책을 읽고 숙제를 하고 장난을 치다가 그 마룻장에 엎드린 채 잠이 들어버렸던 거 기억하니?

웃지 마.

그날 경회루 이층의 마룻바닥에서 누군가 나를 막 흔들어서 눈을 떠보니 관리인이었단다. 거기서 사십 분을 잠들어 있었던 거야. 어떻게 그 관리인으로부터 풀려났는지는 나도 너 제대할 때 선물로 얘기해줄게.

단아.

언젠가, 언젠가 말이야. 너를 그곳으로 데려갈게.

나는 노트에 얼굴이 거의 닿을 듯 상체를 수그린 채 단이에게 쓰던 편지를 멈추고 만년필을 쥔 채 내가 방금 쓴 문장을 물끄러미 들여다보았다.

조그맣게 쓴 언젠가라는 글씨가 점점 커지며 내 눈 속에 차올랐다.

언젠가 단이와 이 도시의 경회루 이층의 누에 올라가볼 수 있으면 얼마나 좋을까. 경회루 이층 누에 단이와 함께 올라가볼 수 있는 날이 온다면 그곳에서 나는 얘기하고 있을 것이다. 누의 마룻바닥에 엎드려 잠이 든 나를 관리인이 흔들어 깨웠을 때 나는 벌떡 일어나 앉았다고. 왜 내가 여기 잠들어 있나? 보다 여기가 어디지? 라는 생각이 먼저 들었다고. 비가 내리는 연못 주변을 걷다가 들어가지 말라는 팻말을 보고 계단을 타고 누에 올라갔었다는 생각. 비는 계속 내리고 있었다고. 경복궁 마당의 흙이 젖어 있고 인왕산의 자태가 뿌옇게 보였다고. 관리인이 엄한 얼굴로 이곳은 들어올 수 없는 금지구역인데 왜 여기서 자고 있느냐고 나무랐다고. 나도 모르게 얼른 무릎을 꿇고 앉았다고. 관리인에게 누의 마룻장을 깨끗이 닦아주겠다고 했다고. 매일매일 와서 윤이 나도록 닦아놓겠다 했다고. 관리인이 잠에서 덜 깬 듯한 내 얼굴을 빤히 들여다보다가 너털웃음을 웃었다. 관리인은 일반인이 허락 없이 들어올 수 있는 곳이 아

니니 마루를 닦게 할 수는 없지만 그 약속을 잊지 말라고 했다. 언젠가 누구라도 드나들 수 있는 그런 날이 오면 그때 지금 한 약속을 지킬 수 있지? 누그러진 얼굴로 되묻기까지 했다. 내가 대답도 하기 전에 잊지 않고 있으면 된다, 고 했다. 매일매일 여기 마룻장을 닦아주는 마음이면 된다, 고.

　지금은 기억조차 나지 않는 잊혀진 약속들. 지키지 못한 채 사라져버린 약속들.

　단이에게 쓴 편지의 말미에 마지막 인사를 쓰기 위해 다시 만년필 촉을 언젠가, 언젠가 말이야. 너를 그곳으로 데려갈게, 라고 쓴 아랫줄에 대고 한참 앉아 있었다. 편지의 마지막 인사를 쓰려고 할 뿐인데 나 스스로 나를 어딘가로 몰아넣고 있는 느낌이었다. 막다른 곳까지 몰려 무슨 말인가를 하지 않으면 안 되는 사람처럼 더듬거리듯 그.럼.잘.있.어, 라고 썼다가 까맣게 지웠다. 단.아.건.강.해.야.돼, 라고 썼다가 까맣게 지웠다. 그.럼.또.쓸.게, 라고 썼다가 까맣게 지웠다. 썼다가 까맣게 지운 마지막 인사말 위로 분초 앞에 고개를 떨구고 서 있던 단이의 모습이 어른거렸다. 뒤쪽이 유난히 새파랗던 머리가 눈앞에 잉크처럼 번져왔다. 만년필을 쥔 내 손에 땀이 배었다. 나는 입술을 다물고 언.젠.가.언.젠.가.말.이.야.너.를.그.곳.으.로.데.려.갈.게, 도 지웠다. 다시 썼다. 다시 지웠다. 다시 쓰고 또 지웠다가 다시 썼다.
　노트는 까맣게 얼룩이 지고 말았다.

—윤아.

책상에 엎드려 있다가 누군가 나를 부르는 소리를 들었다. 까맣게 얼룩이 진 노트에서 얼굴을 들고 방문 바깥에서 들려오는 소리에 귀를 기울였다.

—윤아.

사촌언니였다. 나는 일어서서 방문을 열었다. 만삭이 된 사촌언니의 기미 낀 얼굴에 반가움이 실렸다. 손에 김치통을 들고 있었다.

—왜 전화를 안 받아?

전화벨이 울렸던가? 사촌언니가 부엌에 김치통을 내려놓고 나를 보았다.

—이모부가 아침 일찍 내게 전화를 했더라.

아침 일찍?

사촌언니의 이모부는 나의 아버지였다. 육 개월 전의 이른 아침에 내게 전화를 해 단이의 소식을 알려준 사람도 나의 아버지였다. 아버지는 단이에게 생긴 일을 다른 사람에게 전해듣는 것보다 내게 듣는 게 나을 것 같아 전화했다, 고 했다. 아버지는 지금도 해가 뜰 때, 해가 질 때 엄마의 묘소까지 걸어갔다가 오는 모양이었다. 날이 차가워지면 짚옷을 만들어 엄마 묘소의 백일홍에 입혀주고, 봄이 오면 맨 먼저 그 짚옷을 풀어주면서. 백일홍은 비가 오는 날은 우산처럼, 볕이 드는 날은 양산처럼 엄마 묘소 위에서 품 넓게 가지를 뻗어나갔다. 마당의 것을 옮겨심은 게 아니라 처음부터 그 자리에 심어져 있던 것처럼.

—네가 그제부터 전화를 안 받는다고 가보라고 하셨어. 전화하신 시간이 몇신 줄 알아?

　—······

　—여섯시야.

　—네가 밤새 전화를 안 받으니까 날이 새기만을 기다리고 계시다가 하셨겠지. 왜 전화를 안 받니?

　—벨소리 못 들었어.

　—나도 몇 번이나 전화했는데?

　나는 전화기 쪽을 바라보았다. 이 도시에서 내가 어떻게 살고 있는지를 보기 위해 일부러 시골에서 올라온 아버지 손에 들려 있던 전화기.

　—전화선이 빠져 있는 거 아니니?

　사촌언니는 전화선을 손끝으로 따라가보았다.

　—멀쩡한데? 왜 벨소리를 못 들어?

　보슬비 내리는 일요일에 경복궁까지 걸어갔다 온 이후로 며칠 동안 이 옥탑을 내려가지 않았다. 방안에 있거나 답답하면 옥상으로 나가 도시를 내려다보았다. 무슨 상징처럼 여전히 그 자리에서 빛을 내뿜고 있는 남산타워를 오래 바라보았다. 마지막 외출을 언제 했던가? 되짚어보니 다른 날처럼 똑같이 운동화 끈을 매고 걸어서 학교까지 가 윤교수 소식을 들은 날이었다. 학교에서 나와서는 몇 개월째 명동성당에서 이어지고 있는 단식 시위대 속에 섞여 있느라 학교에는 거의 얼굴을 보이지 않는 그를 찾아갔다. 윤교수가 학교 측에 사직서를 제출한 것을 알려주었다. 윤교수는 스스로 사직서를

냈다. 동시대에 동료교수들이 동의할 수 없는 이유로 해직되고 있는 상황에서 학생들을 가르치는 일을 계속할 수 없다는 것이 이유였다. 그는 윤교수의 소식에 놀라지 않았다. 나의 제자들에게, 로 시작하는 윤교수의 복사된 편지를 그에게 전해주었을 때도 미루가 학교에 갈 일이 없겠는걸, 담담히 받아들였다. 윤교수가 이 도시를 떠나 시골로 거처를 옮긴다 하더라고 전했을 때도 그는 짐작하고 있었다는 듯이 그분다운 결정이야, 라고 했다. 윤교수의 강의가 폐강되자 미루도 학교에 나오지 않았다. 단이와 함께 보냈던 그 빈집이 팔린 이후로 미루는 이따금 내 옥탑방으로 찾아와 난간에 기대어 그 빈집 쪽을 바라보곤 했다. 어느 때는 그 집을 다녀왔는지 집을 수리하고 있었어, 시무룩하게 말했다. 그 집에 누군가 이사를 오고 밤에도 환하게 불이 켜지게 되었을 때, 미루는 저 사람들이 행복했으면 좋겠어, 라고도 했다. 그 집을 판 부모와 격렬하게 다투던 미루의 입에서 저 사람들이 행복했으면 좋겠어, 라는 말이 흘러나오는 게 생경해서 불빛에 어른거리는 미루의 얼굴을 오래 바라보았던 시간. 미루가 우울한 얼굴로 단이의 소식을 물으면 나는 괜.찮.을.거.야, 라고 말했다. 괜.찮.을.거.야, 라고.

─윤아…… 너 괜찮아?

사촌언니가 전화기를 바라보고 있는 나를 향해 물었다. 괜찮아? 라고 묻는 사촌언니의 얼굴은 온통 기미투성이였다. 못 본 사이에 기미가 사촌언니의 하얀 얼굴을 점령해버린 느낌이었다. 내 시선이 사촌언니의 만삭이 된 배로 옮겨갔다.

─동산 같지?

272

사촌언니가 온화하게 웃으며 두 손을 가만히 배 위에 올려놓았다.

—배가 이런 모양이면 여자아이래.

곧 사촌언니의 손이 배를 감싸안는 모양으로 바뀌었다. 엄마가 되려는 여자의 아직 태어나지 않은 아이를 향한 보호본능이었다. 저 기미 낀 얼굴로 저 부른 배를 감싸고 김치통까지 들고 이 옥탑으로 연결된 계단을 오르다니.

—잠이 깊이 들었나봐.

—얼마나 깊이 잤길래?

—어제 좀 많이 걸었거든.

어제는 걷지 않았는데도 달리 변명할 말이 없었다.

—아직도 걷고 있니?

아직도 걷고 있냐고 묻는 사촌언니의 얼굴에 근심이 깃들었다.

—어서 이모부에게 전화해.

나는 사촌언니가 시키는 대로 시골의 아버지에게 전화를 걸었다. 어젯밤에 나는 전화벨 소리를 들은 기억이 없었다. 사촌언니가 전화했다는 아침에도 벨소리를 들은 기억이 없었다. 단이에게 때늦은 답장을 써보려고 책상에 가슴이 닿을 듯이 엎드려 있었다. 수화기를 들어 귀에 대고 한 손으로 전화번호를 누르면서 한 손으로는 방금까지 단이에게 편지를 쓰고 있던 노트를 덮었다. 까맣게 지워진 글자들이 눈앞을 메웠다. 단이가 내게 보냈던 편지들이 책상에서 밀려나 방바닥에 떨어졌다. 사촌언니가 편지들을 집어 책상 위에 올려놓는 것과 동시에 저편에서 아버지가 전화를 받았다. 사촌언니가 여전히 배를 감싸안은 채 자신이 방금 집어서 책상 위에 올려놓

은 편지를 가만히 내려다보고 있었다. 사촌언니는 편지에서 눈길을 떼지 못했다.

　ㅡ저 잘 지내요. 어젯밤엔 너무 깊이 잠들어서 전화벨 소리를 못 들었어요. 아버진요?

　ㅡ나도 잘 지낸다.

　나.도.잘.지.낸.다, 는 아버지의 목소리가 종소리처럼 내 마음 안에서 울려퍼졌다. 나도 잘 지낸다는 평범한 말이 이렇게 큰 울림을 가지고 다가올 줄이야. 소식이 끊긴 미루가 나.잘.지.내, 라고 전화해주었으면. 나날이 수척해지고 있는 그가 나. 잘.지.내.고.있.어, 라고 해주었으면. 나는 수화기를 든 채 아버지의 숨소리를 듣고만 있었다. 나.잘.지.내.고.있.어, 라는 이 평범한 말을 단이에게서 들을 수 있다면.

　ㅡ윤아.

　ㅡ……

　ㅡ윤아?

　ㅡ……예.

　ㅡ힘들면 여기로 와.

　엄마가 돌아가신 후 아버지에게로 가서 보낸 일 년. 시골집에서 배회하듯이 보낸 그 일 년 동안의 풍경이 눈앞을 스쳐 지나갔다. 아버지와 함께 먹던 조용한 저녁밥. 대문을 열고 들어서는 아버지가 윤아! 하고 부르던 목소리. 예ㅡ 내가 방이나 부엌에서 대답을 하고 나면 다시 조용해지던 집. 아버지와 나는 서로를 위해 아무 일도 하지 않고 지켜봤을 뿐이지만 서로 부르고 대답하고 함께 보내며 엄

마의 부재를 서서히 일상으로 받아들일 수 있었는지도 모른다. 단이는 아이였을 때부터 우리집 대문을 밀고 들어서기도 전에 저 골목에서부터 윤아! 하고 나를 불렀다. 죽은 새를 발견했다든가 철길의 침목 사이에서 죽은 뱀을 보고 와서는 나를 불러 데리고 나가 다시 확인하러 가곤 했다. 나도 성장하는 동안 단이의 이름을 수도 없이 불렀을 것이다. 눈길에 미끄러질 때나 도랑에 빠지면 단아! 불렀다. 단이는 언제나 내 옆에 있거나 앞에 있었으니까.

—괜찮아요, 아버지.

수화기를 내려놓는 나를 사촌언니가 만삭의 배를 두 손으로 감싼 채 물끄러미 바라보았다.

—윤아.

물끄러미 바라보던 사촌언니가 수화기 저편에서 들리던 아버지와 똑같은 억양으로 나를 불렀다. 사촌언니는 책상 위에 놓여 있는 단이가 보낸 편지를 손으로 가만가만 짚었다. 하고 싶은 말, 묻고 싶은 말이 많을 때마다 사촌언니가 보이는 행동이었다. 잠깐 우리 둘 사이에 침묵이 흘렀다.

—우리집으로 갈래?

—……

—형부는 지금 유럽 비행중이야.

며칠은 형부가 오지 않는다는 말이었다.

—나는 괜찮아.

사촌언니가 천천히 허리를 굽히고 방바닥에 엉덩이를 대고 앉았다. 발을 뻗어 벽에 등을 기대더니 곧 기다랗게 누웠다. 천장을 향

해 언니의 둥근 배가 솟아올랐다. 엄마 곁을 떠나던 때 철길에서 단이가 내게 주었던 에밀리 디킨슨의 시집. 그 첫장에 씌어 있던 '가난한 사람들이 생각에 잠겨 있을 때에는 발뒤꿈치를 들고 걸어야 한다'는 문구 때문에 이 도시에서 내가 처음으로 돈을 주고 산 『말테의 수기』의 어느 장에 아이를 잉태한 여자가 병원의 긴 담장을 따라 걷는 장면이 길게 묘사되어 있었다. 이 세상에서 가장 아름다운 여자는 새 생명을 잉태한 임부의 모습이라는 헌사와 함께. 사촌언니는 습관처럼 두 손으로 배를 감쌌다. 기미는 뺨을 지나 광대뼈를 타고 이마에까지 번져 있었다. 덥지도 않은데 이마에 땀방울이 맺혀 있었다. 사촌언니가 숨을 쉴 때마다 둥근 배는 오르락내리락했다. 나도 그 옆으로 다가가 나란히 누웠다. 우리가 함께 살 때 가끔 하던 행동이었다. 사촌언니가 기미 낀 뺨이 귀 쪽으로 밀리도록 미소지었다. 배 위에 얹어두었던 왼손을 뻗어 내 뺨을 어루만졌다. 사촌언니 손의 온기가 내 뺨에 번졌다.

　─한 가지 약속할래?

　─……

　─저 창에 검은 도화지는 붙이지 않겠다고.

　─……

　─너와 함께 지낼 때 나는 늘 좋았어. 니가 창에다 검은 도화지를 붙이고 방에서 나오지 않았을 때만 빼고.

　─그때의 내가 어땠는데?

　─다른 사람 같았어. 무엇인가와 결투를 벌이는 사람 같았어. 지면 영원히 그 방에서 나오지 않을 사람 같았어.

276

나는 병이 깊어지면서 나를 아예 가까이 오지 못하게 하는 엄마에게 가고 싶었을 뿐이었다. 엄마 곁에 있고 싶었을 뿐이었다.

―나는 네가 저 창에 또 도화지를 붙일까봐 걱정이 돼.

―……

―안 붙이겠다고 약속해. 그럼 우리집으로 가자고 안 할 테니.

―안 붙일게, 언니.

언니, 라고 발음하는데 졸음이 밀려들었다.

―약속하는 거다!

사촌언니의 다짐에 고개를 끄덕였다. 나는 언니의 배 위에 가만 내 손을 올려놓아보았다. 아직 태어나지 않은 아이의 힘찬 움직임이 내 손을 오르락내리락하게 했다. 윤교수를 찾아가봐야 하는데, 사촌언니를 배웅해야 되는데, 학교에 가야 되는데, 그에게 겉옷을 가져다주어야 하는데…… 여러 가지 생각들이 한꺼번에 밀려들었으나 졸음에 겨워 눈을 뜰 수가 없었다.

　우리가 함께 살던 집이 동네 부동산마다 매물로 나와 있는 걸 알
게 된 이후 미루는 하루도 부모님과 편하게 지낸 날이 없었다. 나날
이 미루의 상태가 나빠지자 이럴 줄 알았으면 괜히 함께 살자 했다
며 윤이 후회했다. 윤은 그 집에 들어가 함께 살자는 미루의 청을
고민 끝에 받아들였고, 미루는 그 집으로 들어가 우리 셋이 함께 살
게 되면 미래 누나의 그 사람을 찾아다니지 않겠다고 약속해달라는
나의 청을 받아들였다. 우연은 기가 막히게 발생한다. 미래 누나가
그리 된 후 오랫동안 비어 있던 그 집은 윤이 미루의 청을 받아들인
며칠 후 매매가 이루어졌다. 윤이 미루에게 그 집에 들어가 함께 살
자고 하면서 한 말은 미루가 입고 다니는 미래 누나의 플레어 치마
를 이제 벗었으면 한다는 것이었다. 윤이 플레어 치마 얘기를 꺼냈
을 때 나는 한순간 긴장했다. 미래 누나가 그리 되고 한 계절이 지
난 후 미루 부모는 미래 누나의 물건들을 그 집의 마당에 내다놓고

다 불태웠다. 그때 미루가 완강하게 붙잡고 내주지 않았던 것이 그 플레어 치마였다. 그 이후로 미루는 봄 치마를 여름에도 가을에도 겨울에도 입고 다녔다. 단 한 번도 벗지 않았다. 그랬던 미루가 정윤의 말을 듣고 금세 얼굴이 환해졌다. 그게 내게 원하는 거야? 우리가 함께 그 집으로 이사하는 날, 그날 벗을게, 다시는 입지 않을게, 했다.

여자들은 어떻게 그리 가까워질 수 있는지, 나로선 의문이다. 미루는 아버지에게 매달리며 그 집을 팔지 말아달라고 했으나 미루의 아버지는 완강했다. 미루 아버지는 미루에게 다른 집을 구해주겠다고 했다. 미루는 그 집이어야만 한다고 했다. 부녀는 서로 한 발짝도 물러서지 않았다. 나는 미루 아버지를 이해한다. 미래 누나가 남긴 상처와 슬픔이 고스란히 남아 있는 집이다. 그 집은 그분들에게 참척의 고통을 상기시켜줄 뿐이다. 그 고통을 누가 대신해줄 수 있겠는가. 미루 아버지는 나를 불러 미루를 달래보라고 했다. 미루는 어떤 식으로도 달래지지 않았다. 미루는 아버지에게 소리를 지르며 대들었다. 아버지에게 뺨을 얻어맞고도 고개를 숙이지 않았다. 미루에게 그런 사나운 모습이 있었다는 게 놀라울 지경이었다. 집이 매매되자 미루는 부모가 자신에게 연락할 수 있는 모든 길을 막아버렸다. 미루는 다시 그 사람을 찾아다니기 시작하더니 내게마저 소식을 끊어버렸다.

윤의 사촌언니를 명동성당에서 만났다. 삼촌 집으로 전화를 걸어왔다. 수화기 저편에서 들려오는 목소리만 들을 때는 만삭의 몸이

라는 걸 알지 못했다. 명서 학생인가요? 묻는 목소리는 앳되었다. 윤이에게 알리지 말고 한번 만났으면 해요, 라고 말했다. 무슨 일일까. 윤에게 사촌언니에 대한 이야기는 이따금 들었다. 윤이 이 도시로 오면서 함께 살았었다고 했다. 윤이에게 알리지 말고……라는 말이 가슴에 와 콱 박혔다. 윤이에게 무슨 일이 생겼나요? 급하게 되물었다. 근 열흘간 윤을 보지 못했다. 사촌언니 쪽에서 명동성당에서 만나요, 라고 했다. 요즘 거의 그곳에 있다고 하던데 내가 지금 거기로 갈게요, 라고 했다.

지금? 이렇게 이른 시간에? 시계를 보니 아침 여덟시였다. 거절할 수 없는 목소리였다. 만나기를 청하는 쪽은 사촌언니였으나 내 의사를 묻는 말투가 아니었다. 만나기로 정해져 있는 사람에게 만날 장소를 알려주듯이 사촌언니는 성당 안 미사실의 뒤에서 열번째 의자에 앉아 있겠다고 했다. 한 번도 만난 적이 없는 사람과 그렇게 간단히 약속을 해보기는 처음이었다. 약속장소에 나가기 전에 윤에게 전화를 걸어보았다. 벨이 수차례 울려도 전화를 받지 않았다. 나는 수화기를 내려놓고 약속장소로 가기 위해 삼촌 집을 나왔다.

성당의 미사실 문을 열어보니 아무도 없었다. 뒤에서 열번째 나무의자에 앉았다. 아무도 없다고 생각했는데 그제야 저쪽 끝에 홀로 앉아 있는 만삭의 임부가 보였다. 미처 윤의 사촌언니일 거라는 생각을 하지 못했다. 묵상에 잠겨 있던 임부가 내 쪽을 보는 것 같더니 입가에 미소를 띠고 내 곁으로 오려고 했다. 저 사람이 사촌언니? 놀라서 얼른 일어나 그쪽으로 갔다. 내가 움직이자 그녀가 다시 나무의자에 앉았다. 내가 다가가 주춤거리자 그녀가 먼저 말을 걸

었다. 명서 학생? 예. 놀랐죠? 앉아요. 너무 이른 시간이네. 전화를
걸 때는 시간 생각을 미처 못 했어요. 미안해요. 나는 참지 못하고
윤에게 무슨 일이 있느냐고 다시 물었다. 사촌언니가 나를 가만 보
더니 의자 앞에 팔을 괴게 되어 있는 턱에서 손을 내려 배를 감쌌
다. 윤이에게 무슨 일이 있는 게 아니라 단이한테 일이 생겼어요.
단이. 나는 일단 윤에게 무슨 일이 있는 건 아닌가보다, 싶어 안도
의 숨을 내쉬었다. 단이에게 무슨 일이? 단이를 배웅하러 훈련소에
다녀온 후 윤에게 단이에 대한 이야기를 들은 적이 없었다. 가끔 단
이에게서 연락이 오느냐고 물으면 윤은 잘 지내고 있을 거야, 라고
했다. 빈집에서 미루와 단이와 윤과 내가 보냈던 그 며칠이 방금 전
일처럼 눈앞에 떠올랐다가 가라앉았다. 나와 미루가 함께 있을 때
가끔 윤은 알 수 없는 표정을 지으며 바라보곤 했었다. 내가 왜? 물
으면 너희 둘은 내가 가까이 갈 수 없는 뭔가를 공유하고 있는 것
같아, 했다. 그 집에서의 며칠을 우리가 함께 보내는 동안 나는 윤
의 그 말이 무슨 말인지 깨달았다. 윤과 단이 그 빈집 마당을 뒤덮
었던 잡초들을 함께 뽑아내면서, 평상에 엎드려 책을 읽거나 맥주
를 마시면서, 부엌에서 두 사람이 우리가 함께 먹을 밥을 짓거나 시
금치를 무치면서 부지불식간에 나누는 이야기에 미루나 나는 끼어
들 수가 없었다. 그것은 두 사람만의 세계였다. 두 사람이 환하게
알고 있어서 '그때'라고 말하며 이어가는 이야기 속으로 미루와 나
는 끼어들 수가 없었다. 나도 모르게 윤이 나와 미루를 바라보던 시
선으로 내가 윤과 단을 바라보게 될 때가 있었다. 윤이 왜? 묻기도
했다. 너희 둘은 내가 가까이 갈 수 없는 뭔가를 공유하고 있는 것

같아, 라고 나는 윤과 같은 말을 했다.

윤의 사촌언니는 서 있는 나를 가만히 올려다보았다. 기미 낀 뺨이 먼저 보였다. 단정한 콧날과 선이 분명한 입술, 윤과는 달리 약간 어두운 피부를 지닌 사람이었다. 기미 때문에 그리 보였는지도 모른다. 사촌언니의 깊은 눈과 내 눈이 잠시 부딪쳤다. 얼굴이 수척해서 눈이 더 깊어 보였다. 조금 웃으려고 했을 뿐인데 눈꼬리는 활짝 웃는 형상이 되었다. 윤이 사촌언니를 말할 때면 자주 저 눈에 대한 이야기를 했었다. 화를 낼 때도 사촌언니의 눈은 웃고 있어, 라고. 내가 상상하던 모습과 비슷하네. 사촌언니가 나를 보고 미소를 지어 보였다. 윤이가 자주 명서 학생 얘기를 했어요. 말 놓으세요. 어떻게 초면에…… 아마 윤이는 내가 명서 학생을 이렇게 만나고 있을 줄 상상도 못할 거예요. 눈은 웃고 있었으나 사촌언니의 입술은 처음 보는 나를 향해 어떻게든 미소를 지어 보이려고 애쓰고 있는 중이라는 게 역력했다. 그마저 잘 안 되는지 그녀는 곧 미소를 거두었다. 만삭의 배 위에 얹었던 손을 아래쪽으로 조금 옮겼다. 방금 전까지 웃고 있는 것같이 느껴지던 그녀의 깊은 눈 속에 안타까움이 깃들었다. 나는 그녀 곁에 앉았다. 짐작할 수 없는 일들은 이렇게 일어난다. 윤의 사촌언니와 멈추지 않는 시위로 하루도 조용한 날이 없는 울적한 명동성당의 미사실에 앉아 있게 될 줄은. 좋은 소식이 아닐 거란 짐작 때문에 사촌언니의 말을 재촉하지 않았다. 무슨 선고를 기다리는 사람처럼 등을 반듯이 세우고 나는 앞만 바라보고 앉아 있었다. 눈 속으로 앞자리의 기다란 나무의자들이 가득 차올랐다. 새벽 네시쯤 해안에서 밤바다 어느 지점을 설정해놓

고 야간 사격훈련이 있었다고 해요. 전역을 앞둔 선배병사가 기관총을 쏘고 단이도 옆에서 M16소총을 연발로 쏘는 중이었다는데 어느 순간 단이의 비명소리가 들렸답니다. 야간 사격훈련중의 오발사고라는데 석연찮은 점이 많아요. 윤의 사촌언니는 잠깐 고개를 숙이는 것 같더니 가슴에 품은 어떤 문장을 외우듯이 단숨에 말했다. 그 사고로 단이가 죽었어요. 비바람에 성당의 육중한 출입문이 활짝 열렸다가 쾅 소리를 내며 닫히는 것 같았다. 검은 말이 나를 확 밀치고 눈앞의 텅 빈 의자들을 뛰어넘고 성당 천장까지 뚫고 휙 내달아가는 것 같았다. 뭔가가 잘못됐어요. 그런 것 같아요. 무엇이 잘못되었기에 오늘 나는 이런 일을 전해듣게 된단 말인가. 단이 입소하기 전에 우리가 함께 보낸 빈집에서의 충만했던 나날들의 대가인 걸까. 미루와 나와 윤이 낮에 동시에 외출을 하게 될 때면 단이 혼자 남아 스케치북에 그리곤 하던 그 빈집의 풍경들이 떠올랐다. 단이 스케치하는 일에 몰두해 있는 걸 멀리서 보게 되면 그를 방해할 수가 없었다. 그 집중력을 지켜보며 먼 훗날 화가가 되어 있을 단이를 떠올리곤 했다. 그 빈집의 부엌에서 무엇인가를 끊임없이 만들어 우리에게 먹으라고 식탁에 내놓던 단이. 냉장고에 있는 것들로 만들었다는 두부김치나 파전이나 김치찌개들. 남자가 무슨 요리를 이렇게 잘하느냐고 물을 때마다 대충대충 만든 건데! 하며 웃던 그 소탈한 웃음. 누군가 배고파! 하면 칠 분만 기다려! 하고는 국수를 삶아 내오거나 비빔밥을 만들어 내오기도 하던 단이. 명랑하게 웃으며 그릇까지 먹어치우려 들던 우리. 이상한 일이었다. 우리는 미루와 나만 있을 때보다 윤이 있어 더 좋았고 단이가 함께해 더 좋았다. 이

렇게 되려고 그렇게 완벽하게 아귀가 맞는 느낌이었을까. 사인이 명확하지가 않다고 해요. 자살인지 사고사인지…… 어쩌면 함께 사격을 했다던 고참과 다툼이 있었을지도 모른다고…… 해안부대에 선 분초 단위의 그런 사격훈련은 정기적으로 있는 일이랍니다. 장교나 하사관 없이 사병들이 자체적으로 하는 것이다보니 부주의로 실수할 수도 있다고 해요. 때론 사소한 실수가 치명적인 결과를 낳기도 하죠. 거기 부대에선 단이가 파견병이긴 하지만 부대생활도 충실하고 내무반 동료들과도 사이가 좋아서 자살을 하거나 일부러 사고를 쳤을 것으로는 보지 않는다는군요. 그냥 재수가 없었을 뿐이라는 거죠. 대대장이며 중대장, 소대장과 직속 상관들이 사병들 훈련지도 소홀을 문책받는 것으로 마무리가 되었다고 해요. 그런데 사격훈련의 오발사고로 보기에는 총상의 위치나 각도 등이 모두 맞지 않는다고 해요. 단이의 몸을 꿰뚫은 총탄이 단이의 총에서 발사된 거라고도 하고…… 나는 아무 말도 할 수 없었다. 책을 외우듯이 단이의 소식을 전하던 윤의 사촌언니도 더는 아무 말도 하지 않았다. 우리 두 사람은 그렇게 나란히 앉아 십자가에 못 박힌 예수를 응시하며 앉아 있었다. 친구로 보이는 할머니 두 분이 천천히 우리 두 사람을 지나 몇 자리 앞 나무의자에 앉아 하얀 미사포를 꺼내 머리에 썼다. 얼마간의 시간이 지났다. 스테인드글라스로 된 창을 뚫고 들어온 햇살 한 줄기가 기다랗게 성당 안에 깃들었다. 빛이 아니라 얼룩 같았다. 내가 이렇게 명서 학생을 찾아온 것은…… 윤의 사촌언니는 내 쪽으로 얼굴을 돌리지도 않고 앞만 보면서 다시 입을 떼었다. 윤이 때문에 왔어요. 단이 소식은 충격적이고 비통해요. 그

와중에도 윤이 생각을 먼저 했어요. 삶은 정말 이율배반적인 것 같아요. 단이도 단이의 식구들도 다들 잘 알고 지낸답니다. 느닷없는 단이의 일을 어떻게 받아들이나 싶어 걱정을 하면서도 나는…… 윤이 생각이 먼저 났어요. 참 이기적이죠. 단이의 일은 벌써 육 개월 전 일이에요. 그동안 윤이가 이상할 정도로 담담해 보였어요. 짧은 생각에 무사히 지나가나보다 해서 마음이 놓였답니다. 그런데 요즘 윤이가 이상해요. 이제야 단이의 부재를 실감하나봐요. 아니 꼭 그렇다고 할 수도 없는 게 아예 단이에게 생긴 일은 모르는 사람처럼 굴기도 하고. 이미 육 개월 전에? 나는 내 귀를 양손으로 마구 비볐다. 윤의 사촌언니 목소리가 바로 귓전에 대고 소리치는 것처럼 크게 들렸다가 메아리처럼 멀리 퍼져나가는 것 같다가 한마디도 알아들을 수 없이 웅웅거리기도 했다. 윤이 단이의 이 믿기지 않는 소식을 이미 육 개월 전에 들었단 말인가. 나는 내 귀를 문지르다 말고 눈을 문질렀다. 귀가 찢어지고 눈이 빠져나올 것같이 아팠다. 단이의 소식을 물을 때면 잘 있을 거야, 라고 대답하곤 하던 윤이었다. 면회를 같이 가볼까? 물을 때도 윤은 응, 했다가 곧 아니…… 아니야, 라고 했었다. 내가 무슨 대답이 그러냐? 하는 표정으로 바라보면 윤은 단이가 원하지 않는 것 같아, 라고도 했다. 제대할 때까지 민간인은 누구도 만나지 않겠다고 했어, 했다가 곧 그래, 언제 같이 가보자, 하기도 했다. 갈피를 못 잡는 것같이 보이던 이랬다저랬다 하던 윤. 며칠 전에 윤이에게 들렀다가 윤이가 단이에게 편지를 쓰고 있는 걸 봤어요. 윤이 잠들었을 때 편지를 읽어봤어요. 일 년도 전에 단이가 보낸 편지의 답장을 쓰고 있더군요. 단이에게 언젠가

경회루의 누에 함께 올라가보자고…… 가슴이 철렁했어요. 단이의 죽음을 받아들일 수 없는 윤이 마음은 내가 잘 알아요. 두 사람이 어렸을 때부터 서로 어떻게 의지하며 성장했는지를 옆에서 지켜봐 왔으니까. 그런 사람들이 있어요. 알고 있다. 입대를 앞두고 윤을 만나러 온 단이 그날 밤 잘 곳이 마땅치 않다는 걸 알게 된 미루가 미래 누나가 그리 된 후 비워두었던 그 집으로 우리를 이끌었고, 며칠을 그곳에서 함께 어울려 지내는 동안 알게 되었다. 나와 미루처럼 윤에게 단이와의 관계가 그렇다는 것을. 나는 곧 아이를 낳아요. 윤의 사촌언니가 두 손을 다시 배 위에 얹어놓았다. 공손한 움직임이었다. 윤이 옆에 있어주고 싶지만 상황이 그리 될 것 같지 않아 명서 학생을 찾아왔어요. 전화번호를 알아내는 게 쉽지 않았는데다 통화가 잘 되지 않아서 이리 늦어졌어요. 오늘 아침 통화가 되자마자 마음이 급해 빨리 만나야겠다는 생각밖에 없었네요. 내가 윤이랑 명서 학생보다는 이 세상을 조금 더 살았으니까…… 이런 식으로 말해도 된다면, 인간이 가장 고통스러울 때가 생각나는 사람이 한 사람도 없을 때라고 생각해요. 만나고 안 만나고는 상관없이 윤이와 단이는 서로 생각하는 것으로 끊어지지 않는 관계죠. 제가 어떻게 해야 할까요? 나는 어느새 윤의 사촌언니에게 간절하게 묻고 있었다. 함께 있어줘요. 언제나 함께…… 윤이에게서 눈길을 떼지 말아줘요. 내가 말했다. 그건 제게 힘이 되는 것이라고. 윤의 사촌언니 얼굴이 한순간 밝아졌다. 딱딱한 얼굴로 앞만 보고 얘기하던 그녀가 내게로 얼굴을 돌렸다. 기미 낀 뺨에 온화한 미소가 번졌다. 사촌언니의 깊은 눈이 내 얼굴을 떠돌았다. 안심이에요. 내가 너무

갑작스럽게 찾아와 당황스러웠죠? 아닙니다. 알려주셔서 고맙습니다. 진심이었다. 나는 내 옆에 앉아 있는 사람이 윤의 사촌언니만 아니라면 그만 실례합니다, 라고 말하고 당장 윤에게 달려가고 싶었다.

—갈색노트 8

9. 모르는 사람 백 명을 껴안고 나면

나의 제자들에게.

그가 주머니에서 윤교수가 학교를 떠나며 우리에게 남긴 편지를 꺼내 한 줄 소리내 읽더니 내 쪽으로 밀었다. 그때 윤교수가 남긴 편지는 복사가 되어 우리들에게 전달되었다. 오랜만에 보는 익숙한 윤교수의 글씨체. 그가 윤교수가 남긴 편지를 내게 내미는 뜻을 몰라 그의 얼굴을 응시했다.

－한번 낭독해줘.

－가지고 다녔어?

－불안할 때마다 꺼내 읽어보곤 했어.

그가 나를 보고 미소지었다.

－그럼 다 외웠을 텐데…… 왜 나에게 읽어달라고 해?

－요즘 네 목소리 얼마나 듣기 힘든 줄 알아? 부탁이다. 소리내어

읽어줘.

나에게 읽어달라고 하기 위해서 그는 첫 줄을 먼저 소리내어 읽은 모양이었다. 나는 복사된 윤교수의 편지를 펼쳐들었다. 안경 속에서 빛나던 윤교수의 눈빛이 눈앞에 어른거렸다. 읽어줘봐, 하며 그가 나무의자에 누웠다. 그가 누워서 내 옆모습을 바라보더니 내 무릎 위에 머리를 얹었다. 키가 커서 그의 발이 저편 의자 끝을 지나 바닥에 닿았다. 메추라기 두 마리가 앉아 있다가 화들짝 놀라 허공으로 날아갔다. 내 옥탑방에서 바라보기만 하던 남산타워까지 두 시간을 걸어올라왔으니 피로하기도 할 것이다. 숲속의 아카시아나무에서 하얀 꽃들이 흩날려 그의 얼굴에 내려앉았다.

－읽어주라.

눈썹이 꿈틀거리는가 싶더니 그가 눈을 감았다. 검은 눈썹을 가만 바라보다가 나는 편지를 두 손에 들었다. 그가 손을 뻗어 윤교수가 남긴 편지를 쥐고 있는 내 손을 감쌌다. 소리내서 글을 읽어본 적이 언제던가. 갑자기 가슴이 두근거려 깊은 숨을 쉬어봤으나 허사였다. 나는 멋쩍어져서 그의 얼굴에 내려앉은 아카시아꽃잎을 손끝으로 밀어냈다. 그가 슬몃 눈을 떴다가 다시 감았다. 나는 흠흠, 목소리를 가다듬었다.

나의 제자들에게.

소식을 들었겠지만 나는 내가 오래전부터 일해왔던 이 학교를 떠나기로 했습니다. 숨을 쉴 수 없는 시대 상황이, 악화되어가는 내 건강이 더이상 내가 교단에 서는 것을 어렵게 하고 있어서입니다.

이미 총장 앞으로는 사직서를 써서 보냈고 별도로 재단 이사회 앞으로도 간략한 편지를 써서 보낸 후 차분히 여러분에게 이 글을 쓰고 있습니다.

생업으로 알고 봉직해온 일터를 떠나면서 여러 가지 느낌과 생각이 교차하는 것은 당연한 일일 겁니다. 그러나 지금 가장 마음에 걸리는 것은 나를 바라보는 여러분의 눈길입니다. 여러분의 시선은 나의 동료들이나 가족의 시선과는 다른 각도에서 내 마음을 압박합니다. 내가 좀더 버텨주기를, 아니 오히려 보다 적극적으로 나서주기를 촉구하는 무언의 부탁과 질책을 담고 있는 듯합니다.

평생 말을 다루고 말과 싸우는 것을 업으로 삼아온 시인인 나에게 지금 이 시대는 시련의 연속입니다. 말이 제 값어치를 잃어버린 시대, 그리하여 온갖 부황하고 폭력적인 말들이 지배하는 시대에 나는 더이상 말에 대한 말을 하는 것에 의욕을 상실했습니다. 말에 대한 이 절망이 인생에서 나의 패배를 인정하는 것은 아닙니다. 나는 교단에서 물러나지만 최선을 다해 살 것이며 건강을 돌볼 것이며 무엇보다 그동안 중단한 시를 쓸 것입니다. 그것을 나에게 주어진 책무이자 사명으로 받아들입니다. 나는 시국에 대한 항의의 표시로 사표를 던진 투사가 아니며 마찬가지로 허무주의적으로 모든 세속적 가치를 부정하고 혼자 고결함을 찾아가는 은둔자도 아닙니다. 비록 학교를 떠나지만 항상 여러분과 함께 있을 것이며 비록 이 시대의 거친 언어에 좌절했지만 계속 시를 쓰고자 노력할 것입니다. 학교를 떠나기로 한 나의 결정을 다른 장소에서 다른 방식으로 여러분과 만나고 싶다는 나의 희망의 표현으로 받아들여주길 바랍

니다.

그런 의미에서 마지막으로 내가 여러분에게 종종 들려주었던 물을 건너는 인물 크리스토프에 대해 다시 한번 되새겨보고자 합니다.

우리는 지금 깊고 어두운 강을 건너는 중입니다. 엄청난 무게가 나를 짓누르고 강물이 목 위로 차올라 가라앉아버리고 싶을 때마다 생각하길 바랍니다. 우리가 짊어진 무게만큼 그만한 무게의 세계를 우리가 발로 딛고 있다는 사실을 말입니다. 불행히도 지상의 인간은 가볍게 이 세상의 중력으로부터 해방되어 비상하듯 살 수는 없습니다. 인생은 매순간 우리에게 힘든 결단과 희생을 요구합니다. 산다는 것은 무無의 허공을 지나는 것이 아니라 무게와 부피와 질감을 지닌 실존하는 것들의 관계망을 지나는 것을 의미합니다. 살아 있는 것들이 끝없이 변하는 한 우리의 희망도 사그라들지 않을 것입니다. 그러므로 나는 마지막으로 여러분에게 이렇게 말하고 싶습니다. 살아 있으라. 마지막 한 모금의 숨이 남아 있는 그 순간까지 이 세계 속에서 사랑하고 투쟁하고 분노하고 슬퍼하며 살아 있으라.

내 무릎 위에 놓인 그의 머리의 체온이 전해졌다. 나는 마지막을 한번 더 읽었다. 살아 있으라. 마지막 한 모금의 숨이 남아 있는 그 순간까지 이 세계 속에서 사랑하고 투쟁하고 분노하고 슬퍼하며 살아 있으라. 바람이 불자 아카시아꽃잎이 허공으로 화르르 흩어졌다. 나는 그와 아카시아 숲속을 나와 타워를 향해 걸으면서 또 한번 윤교수가 남긴 편지를 낭독하듯 살아 있으라…… 중얼거렸다. 다시 걷기 시작한 후로 세번째였다.

—어린 시절을 보낸 집에 우물이 있었어. 그 우물 속의 물이 내 기억 속의 최초의 물이야.

내가 갑자기 우물 얘기를 꺼내자 그가 우물? 하면서 허공을 바라보았다. 아카시아나무는 그 숲속에만 있는 게 아니었다. 타워를 향해 걸어가는 동안 어디선가 날아온 꽃잎들이 그가 바라보는 허공을 떠다니다가 내 얼굴에 달라붙었다.

—그 집에서의 하루는 그 우물에서부터 시작되었어. 엄마가 신새벽에 그 우물에서 물을 길어올리는 것으로 하루가 시작되었지. 아버지와 나도 그 우물가에서 세수를 하고 양치질을 하는 것으로 하루를 시작했어. 이제는 그 시골 마을도 수돗물을 사용해. 우물은 덮개로 덮여 있어. 그 집에 가게 되면 덮개를 걷어내고 우물 속을 들여다봐. 아직도 저 깊은 우물 속에 물이 찰랑찰랑 고여 있어. 그것을 내 눈으로 확인하게 되면 기뻐. 내가 본 최초의 물이 마르지 않고 있다는 게 안심이 돼.

—……

—그 물을 들여다볼 때만큼 너를 좋아해.

나의 느닷없는 말에 그가 걸음을 멈추었다. 예전에 성곽길을 걷다가 그가 참새 이야기를 할 때를 내가 따라하고 있다는 것을 뒤늦게 눈치채고 풋풋, 소리를 내며 웃었다.

—집집마다 우물물을 쓰던 때는 물이 집 바깥으로 흘러나갈 수 있도록 마당의 땅 밑으로 하수관을 연결시켜놓았지. 언제나 졸졸졸 물 흐르는 소리가 났어. 집집에서 흘러나온 우물물들이 대문 바깥에서 만나곤 했어. 대문을 열고 나가면 바로 그 물길이 보였어. 작

은 도랑같이 이어지고 이어지고 했어. 그 물 덕분에 골목의 물길 가까이엔 봄이 오면 수선화같이 생긴 노란 꽃들이 꽃대를 뚫고 피어났어. 꽃이 지고 나면 푸른 줄기들이 무성하게 군락을 이뤘어. 골목길엔 겨울만 빼면 항상 노란꽃이나 푸른 잎들이 출렁거렸어. 우리집은 그 동네에서도 가장 가운뎃집이었어. 우리집에서 흘러나가는 물길이 그 도랑의 시작이었던 셈이야. 물을 따라 나가면 작은 도랑에서 다른 곳에서 흘러나온 물과 합쳐졌어. 그 물을 따라가면 다시 큰 도랑에서 물들이 합쳐져서 농수로로 흘러들었어. 집집에서 흘러나온 물이니 더러웠을 거라고 생각하면 오해야. 우물의 물은 대개가 길어다 부엌에서 썼거든. 우물에서 하는 일은 세수하는 일, 채소 씻는 일 같은 거여서 맑은 물이야. 보기에는 허술해 보이는 물길인데 여름날 장맛비도 잘 실어날랐어. 가끔 말이야, 그 물들이 어디까지 흘러가나 궁금해서 그 물길을 따라가봤어. 들판을 건너게 되고 철길을 건너게 되고 그러고도 또 끝없이 이어지는 들판과 마주치게 되곤 했어.

　—……

　—그 끝없는 물길만큼 좋아해.

　큰 도랑의 물은 또 어디서 시작되나 싶어 도랑 위의 둑을 따라가볼 때도 있었다. 끝도 없었다. 그 마을의 어디를 가든 혼자가 아니었다. 늘 단이가 있었다. 단이와 함께 그 물을 따라가다보면 우리가 윗도랑이라고 불렀던 곳에 이르게 되었다. 물은 거기서부터 시작되었다. 큰 도랑의 물이 솟아나오는 곳을 들여다보면 어둠뿐인 긴 수로가 놓여 있었다. 그 속에서 물은 쉴새없이 솟아나왔다. 우리는 수

로에 가로막혀 물이 어디서부터 흘러오는지 더이상 알아낼 수가 없
었다. 그래도 물은 마을 마을을 지나면서 빨래터가 되고 논둑을 지
나면서는 농수로가 되며 끝없이 흘러갔다. 물에 떠내려간 운동화
한 짝을 찾기 위해 아래로 흐르는 물을 따라가다가 어디가 끝인지
모르겠는 물길에 좌절해 돌아오면서 훌쩍거리던 기억. 대문을 나서
면서부터 들려오는 물소리였지만 그 물길의 시작이 어디인지 그 물
길의 끝이 어디인지 알 수 없었다. 어디에도 갇히지 않고 흘러간다
는 것밖에는.

우리는 어느새 타워 앞까지 걸어올라왔다.

—봄이 와서 밭에 씨를 뿌리고 난 뒤에 비가 오면 사람들이 얼마
나 기뻐했는지 몰라. 그런 사람들 얼굴 본 적 있어?

—없어.

그가 미안한 듯이 웃었다.

—봄 가뭄이 들면 산비탈까지 물을 양어깨에 지고 올라가 물을 뿌
려주곤 했어. 봄물의 근원이 봄비잖아. 봄비가 올 때면 사람들은 우
산도 안 쓰고 비를 맞고 다녔어. 봄비는 온다고도 안 하고 오신다고
했다니까. 아직도 봄비가 내리면 말이야, 그 비를 받아두고 싶은 마
음이 생겨. 어려서는 곧잘 그랬거든. 엄마는 장 담글 때가 되면 어
른 두엇은 들어가도 되는 큰 항아리에 빗물을 가득 담아두었어. 날
이 맑으면 뚜껑을 열어두고 날이 궂으면 뚜껑을 닫아두다가 그 물
로 장을 담갔어. 아버지들은 봄비가 오면 봄물이 그냥 흘러가는 게
아깝다고 논둑을 트고 아직 아무것도 심지 않은 논에 물을 가득 댔
어. 봄비를 맞으면 죽은 것같이 말라 있던 포도덩굴에서도 파란 순

이 올라왔어. 보리순도 새파래지고 이른 봄 시금치들도 쑥쑥 순이 올라오고 그랬지.

─니가 받아놓은 봄비는 어디에 썼어?

─마루 밑의 개가 목이 마를 때 혓바닥을 대보는 게 고작이었어.

─언젠가 말이야, 처마에서 흘러내리는 봄비를 함께 받아보자.

그가 싱긋 웃으며 말했다.

─언젠가?

─응…… 언젠가.

다가올 언젠가가 아니라 지나간 언젠가 봄비 내리는 날 세숫대야를 처마 밑에 내다놓고 봄비를 받던 단이와 나의 모습이 떠올랐다. 대야에 봄비가 넘치면 장미 밑이나 감나무 밑에 부어주곤 했던 단이. 죽은 것처럼 보이는 것들을 살아나게 했던 봄비. 단이와 나는 봄이 되어 나무에 물이 오른다……라는 말을 금세 이해했다. 단이와 나는 그 물이 오르는 순간을 확인해보려고 봄이 오기도 전에 괜히 나무 옆에 서서 나무를 긁어 상처를 내기도 했다. 얼굴에서 갑자기 홧홧한 열기가 느껴졌다.

─타워에 올라가보자.

내가 앞서 걷자 그가 놀라서 나를 불렀다.

─윤!

내 이름을 부르는 그의 목소리가 아득하게 들렸다.

─괜찮아?

왜 하필 단이에게 그런 일이? 그에게 소리치고 싶은 걸 눌러참았다. 누가 내 질문에 답을 가지고 있을까. 우리는 타워 꼭대기로 올라

가는 난간 앞에 서서 도시를 내려다보았다. 타워에 올라가보려는 사람들이 우리가 방금 걸어왔던 숲속의 길을 따라 끊임없이 나타났다.

―윤아.

―……

―내가 제안 하나 할까?

내가 난간에 손을 짚은 채 그를 바라보았다.

―우리 여기에 서서 저 사람들의 숫자를 세어보는 거야.

그가 우리가 걸어올라 왔던 숲속의 길이 아니라 반대편의 계단 쪽을 가리켰다.

―열, 스물, 서른……이 될 때마다 달려가서 그 사람을 껴안아주는 거야.

―안아준다구?

―응.

―모르는 사람을?

―응.

무슨 뜻인지 짐작이 되지 않아 나는 그의 얼굴을 빤히 바라보았다.

―우리가 미친 사람인 줄 알겠지?

내가 하고 싶은 말을 그가 하고 있었다. 어떻게 그런 생각을 할 수 있나 싶어 나는 도시를 내려다보았다. 모르는 사람을 껴안아주자구? 그의 뜻밖의 제안이 처음엔 놀랍더니 곧 반사적으로 울컥 화가 치밀어올랐다. 그런다고 단이가 돌아올 수 있어? 그의 등을 마구 두들겨패고 싶었다. 돌아올 수 있냐구…… 남산의 나무들을 뒤흔들고 싶었다. 웃고 있는 사람들의 얼굴에 상처를 내고 싶었다. 열이

홧홧하게 달아오르는데 몸에서는 오한이 나 덜덜 떨렸다. 그가 또
물었다.

─괜찮아?

나는 고개를 끄덕였다. 떨지 않으려고 발을 땅에 힘주어 디뎠다.

시골집에서 아버지와 함께 일 년을 보낼 때 온몸에 열이 나 읍내
병원에 입원을 했다. 삼십 분 간격으로 몸에 열꽃이 피었다. 열이
지나가고 나면 오한이 왔다. 오한이 날 때보다 열이 오를 때 버티기
가 더 힘들었다. 눈을 뜰 수가 없고 손톱조차 무거웠다. 이마에서
쉴새없이 땀이 흘러내리고 정신이 순간순간 아득해지기도 했다. 열
꽃으로 손등이 꽃게 등 같아졌을 때 아버지가 싫다는 나를 자전거
에 태우고 병원으로 데려가 입원을 시켰다. 병원에서도 열이 올랐
다가 오한이 나는 것이 이어졌다. 더 나아지는 게 아니라 열이 오르
기 시작하면 누구도 알아볼 수 없게 되었다. 온몸이 불덩이 같고 좁
쌀같이 붉은 점들이 무수하게 솟아올랐다. 이틀째 되던 밤이었을
것이다. 열에 들떠 고통에 헤매고 있을 때 누군가 내 이마를 짚는
게 느껴졌다. 이마에 닿는 손바닥이 눈처럼 차갑고 시원했다. 거짓
말 같게도 그 손이 내 이마를 짚어준 후 며칠째 계속되던 열이 말끔
히 내렸다. 정신을 차리고 보니 아버지가 간이의자에서 자고 있었
다. 아침에 아버지에게 간밤에 내 이마를 손으로 짚어주었는지 물
었다. 그런 적이 없다고 했다. 간호사였을까 싶어 간호사에게도 물
어보았다. 그런 적이 없다고 했다. 그토록 시원하게 내 이마를 짚어
준 손이 누구의 손이었는지 알 수 없었으나 그 얼음처럼 시원한 손
이 내 이마를 짚은 후에 반복되던 열과 오한이 멎었다. 그 손길이

다시 한번만 내 이마를 짚어주었으면.

　　―그럼 우리 시작해볼래?

　　―정말로 하자는 거야?

　　―응.

　　―……

　　―모르는 사람을 백 명쯤 껴안고 나면 뭔가 달라질 것 같아.

　　그는 타워로 연결된 계단 쪽을 바라보며 올라오는 사람들을 하
나, 둘, 셋…… 세기 시작했다. 숲속에서 바람이 불어와 그의 머리
칼을 날렸다. 그의 짙은 눈썹이 숫자를 셀 때마다 꿈틀거렸다. 그가
아홉을 세고 났을 때 어린아이가 계단에서 뛰어올라왔다. 몇 계단
아래 아이의 엄마가 뒤따르고 있었다. 그는 당장이라도 아이에게
달려갈 것 같았다. 그가 열을 세기 전에 나는 팔을 벌려 그를 깊이
껴안았다.

새벽마다 전화가 걸려온다. 오래 전화벨이 울려 받으면 전화는 끊어지곤 한다. 윤에게 새벽마다 걸려오는 전화에 대해서 얘기하자 윤의 눈이 커졌다. 나도 그래. 너도? 윤이 받으면 끊어버린다고 했다. 우리는 암담한 마음으로 서로를 바라보기만 했다. 침묵이 흐른 후에 윤이 혹시 미루일까? 물었다. 미루가 전화를 걸어서 왜 끊겠느냐고 물으니 윤이 그건 그렇다고 응수했다. 윤은 미루와 이렇게 오래 연락이 끊긴 적이 있느냐고 물었다. 없었다. 미루가 부모님 집에 갔을 리 없다고 생각하면서도 전화를 해보았다. 미루 어머니가 명서냐? 하고는 오히려 내게 미루 소식을 듣고 싶어하는 눈치였다.

요즘 우리는 열풍 앞에 서 있다. 시위하던 사람들에 섞여 거의 매일 거리에 나와 있다. 윤을 혼자 둘 수 없어 윤과 함께 다녔다. 우리는 스크럼을 짜고 신세계백화점 쪽으로 행진해 시청 쪽으로 나아갔

다. 이렇게 함께하고 있으면 무엇인가를 바꿔놓을 수 있을 것 같아, 윤이 말했다. 이렇게 함께 있으면 모르는 사람들이 내미는 손을 잡는 것도 이상하지 않았다. 흩어지게 되어 윤의 손을 놓치면 나는 다시 찾아 잡았다. 가치의 기준을 정하고 싶다. 이 현상과 저 현상 사이에서 헤매는 것을 멈추고 싶다. 지금은 이 연대감만이 힘으로 여겨진다. 거리에 나와 있으면 두통 같은 안개는 걷히고 한없이 밑바닥으로 가라앉는 나락도 걷히는 듯하다. 우리 오늘을 잊지 말자.

윤에게선 초콜릿 냄새가 난다. 뒷담에 한 사람이 들락거릴 수 있을 정도의 구멍이 나 있었다. 거기로 빠져나가면 작은 가게가 있었다. 어느 날 공부가 하기 싫어 친구들과 그 구멍을 통과해 학교를 빠져나갔다. 가게 앞을 지나가는데 누군가 초콜렛이다! 소리쳤다. 처음 보는 과자가 칸칸으로 나뉜 채 진열되어 있었다. 한 조각이 다른 과자 한 봉지 값이었다. 우리는 돈을 모아 몇 조각을 사서 조금씩 나누어 입에 넣어봤다. 초콜릿을 알아본 친구가 기가 막힌 맛이라고 해서 잔뜩 긴장한 채로. 초콜릿은 매끄럽게 아무 거리낌 없이 혀에 사악 녹아들었다. 세상에 이런 맛이 있었다니. 그 자리에서 그대로 내 몸이 굳어버리는 줄 알았다.

버스 안의 라디오에서 블루 드래곤의 '내 단 하나의 소원'이 흘러나왔다. 입대하기 전 윤을 보러 이곳에 온 단이와 오래 비워두었던 그 빈집에 들어가 며칠을 보냈을 때 미래 누나의 기타를 치며 우리가 함께 부르던 노래. 해변가요제던가 대학가요제던가 오래전 어느

300

방송국에서 주최한 젊은이들을 위한 가요제에서 아마추어 밴드가 불러서 입상을 한 노래다. 나도 모르게 버스 창에 이마를 대고 노래를 따라 불렀다.

내 단 하나의 소원
저물녘 고요 속 바닷가로
돌아가고파
숲 가까이서 조용히 잠들고 싶어
가없는 바다 위엔 맑디맑은 하늘
난 화려한 깃발도 소용없어
훌륭한 집도 필요없어
다만 젊은 나뭇가지로
내 잠자릴 엮어다오
내 베개 밑에서 슬퍼할 자는 아무도 없고
마른 잎 위를 스쳐가는 가을 바람소리뿐

우리가 함께 보냈던 빈집에서 기타를 치며 이 노래를 불렀을 때엔 낭만적이고 서정적으로 들렸는데 단이 때문일까 버스 안에서 따라 부르다보니 문득 이 노래에서 죽음이 느껴져 따라 부르는 걸 멈췄다. 부드럽고 감미로운 리듬 밑에 서늘한 죽음의 매혹이 자리하고 있었다니. 죽음의 비극을 제대로 모르니까, 죽음의 위협을 겪어보지 않았으니까 저처럼 아름답고 나른하게 노래할 수 있겠지. 그렇겠지.

윤의 사촌언니는 여자아이를 낳았다. 곧 백일이라고 한다.

꿈을 꾸었다.

거기가 어디였는지 모르겠으나 나는 강 앞에 서 있었다. 저편으로 가려면 강을 건너야 했다. 사방은 눈앞이 보이지 않을 정도로 안개가 자욱했다. 강 저편으로 어찌 건너가야 할지 알 수 없어 서성거리고 있는데 집 한 채가 나타났다. 그 집 앞 강가 쪽에 나룻배가 한 척 매여 있었다. 뱃사공이 사는 집이라 여기고 반가움에 문을 두드렸으나 사람이 나타나지 않았다. 불러도 대답이 없었다. 문을 밀어보았더니 스르르 열렸다. 내가 안으로 들어가도 아무도 나오지 않았다. 마루에 방금 읽다 만 책이 한 권 있어 펼쳐보았다. 꿈속에서는 분명하게 책을 읽기까지 했는데 깨어나보니 무엇을 읽었는지 기억이 나지 않았다. 한참을 기다려도 배의 주인이 나타나지 않아 나는 강가에 있는 배에 올라탔다. 노를 저어보았다. 물살이 갈라지고 배가 앞으로 나아갔다. 배가 나아가자 안개가 조금씩 엷어지기 시작했다. 안개를 밀어내는 기분이었다. 노를 저어 강을 반쯤 건너왔을 때는 한치 앞을 내다볼 수 없을 만큼 짙었던 안개가 거의 걷혔다. 이상한 일이었다. 안개가 걷힌 뒤로는 내가 아무리 힘을 들여 노를 저어도 배가 더이상 앞으로 나아가지 않았다. 배가 강물 위에 붙박인 듯했다. 그때 어디선가 외치는 소리가 들렸다. 절박한 목소리였다. 사방을 휘둘러보니 배가 처음 묶여 있던 곳에서 누군가 나를 향해 손짓하며 외치고 있었다. 거리가 너무 멀어 얼굴을 알아볼

수 없었지만 그는 제발 강을 건너가게 해달라고 소리치고 있었다. 이미 반이나 건너온 길을 돌아갈 수는 없었다. 배가 앞으로 나아가기만 했으면 돌아볼 일이 없었을 것이다. 내가 건너가야 할 강 저편을 향해 노를 저어봐도 여전히 배가 꿈쩍도 하지 않았다. 할 수 없이 그를 실어오기 위해 앞으로 나아가려던 것을 멈추고 그가 있는 쪽을 향해 노를 젓자 배가 다시 물결을 타고 움직이기 시작했다.

가끔 미루의 집으로 전화를 했다. 미루로부터 팔 개월이 지나도록 전화 한 통 엽서 한 장 없다. 전화는 받지 않거나 이따금 미루 어머니가 받았다. 얘기를 나눌 수가 없었다. 미처 인사를 다 하기도 전에 전화가 끊겨버렸다. 다시 걸어보았지만 또 끊기곤 했다. 잠시 쉬었다가 전화를 다시 걸어도 마찬가지였다. 전화가 고장났나보았다. 어느 땐 오랫동안 벨이 울려도 누구도 전화를 받지 않았다.

거리는 조용해졌다. 무엇인가 이루어질 것 같은 열기는 어디론가 사라져버렸다. 우리가 바꾸고자 했던 것은 제자리걸음이 되었다. 우리의 연대도 하나의 현상으로 남았을 뿐이다. 무엇도 변화시키지 못한 채 함께했던 사람들은 모두 뿔뿔이 흩어졌다.

낙수장의 형이 편집장으로 있는 잡지사에서 아르바이트를 시작했다. 신간 정보나 책 서평이 주를 이루는 잡지였다. 이따금 카메라를 들고 서점에 나가 책 표지 사진을 찍어왔다. 삼촌네 집과 잡지사의 거리가 멀어 사무실 한켠에 삼촌의 침낭을 가져다놓았다. 낙수

장의 형이 사무실에서 잘 거냐고 물었다. 내가 고개를 끄덕이자 그는 언제까지 견디나 두고 보겠다는 표정을 짓더니 내 어깨를 툭툭 쳤다.

오늘은 시청 앞을 지나다가 윤과 광장에 잠시 앉아 있었다.

윤이 시청 건물 벽에 기다랗게 붙어 있는 배수관을 가리키며 물었다. 저 배수관을 타고 시청 위로 올라가던 사람 생각나? 생각난다. 사람들이 몰리자 시청으로 들어갈 수 있는 문은 죄다 닫혀버렸다. 그 사람이 누구인지는 그때도 지금도 알 수 없다. 다음날 신문에서 배수관을 타고 오르는 그 사람의 사진이 실려 있는 걸 보았다. 그 사람이 누군지도 모르면서 우리가 되어 그곳에 함께 있었다. 모르는 사람인데도 믿음직스럽게 여겨지게 하던 그 열기. 그 사람은 광장에 모인 사람들의 환호를 받으며 배수관을 타고 시청 옥상으로 올라갔다. 그렇게 많은 사람들이 일시에 숨을 죽였다. 아슬아슬하게 그 사람을 지켜보았다. 그 사람이 배수관을 타고 올라가 시청 옥상에 발을 디디자 모두들 안도의 숨을 내쉬며 그 사람을 향해 환호성을 내질렀다. 그 사람이 외치는 구호를 따라 외쳤다. 나도 윤도. 덕수궁 돌담 위, 지하철을 타러 내려가는 계단, 가로수로 심은 은행나무 위까지 올라가 앉아 있던 사람들도. 그 많던 사람들은 다 어디로 간 것일까.

윤에게서 미루 어머니가 안녕하세요, 라는 인사말조차 다 하기 전에 전화를 끊어버린다는 말을 전해듣는 순간 뒤통수를 얻어맞은

기분이 들었다. 윤은 분명 미루 어머니가 전화를 끊어버린다, 고 했다. 나는 전화가 고장이 났거나 받지 않는다고만 생각한다. 왜 나는 그 생각을 못 했을까. 전화가 끊긴 게 아니라 미루 어머니가 일부러 전화를 끊은 것일 수도 있다는 생각을.

일요일. 미루가 살았던 계단 밑의 방에 가보았다. 미루 방에 가볼 생각을 왜 이제야 했는지 모르겠다. 다른 사람이 살고 있었다. 다리를 저는 사십대 여자였다. 혼자 사는 듯했다. 눈 근처에 주름이 많이 진 여자는 미루라는 이름을 알지도 못했다. 방을 구하러 왔을 때는 빈방이어서 바로 계약을 하고 곧 이사를 했으며 그게 지난봄 일이라고 했다. 고양이를 키웠나요? 라고 내게 물었다. 에밀리. 지금까지도 고양이 털이 나오네요, 여자가 말했다. 질책하는 말투가 아니라서 네, 털이 많은 고양이였어요, 라고 대답했다. 여자와 헤어지고 계단을 올라와 멍하니 서 있었다. 미루는 에밀리를 데리고 어디로 간 것인가. 한마디 말도 없이 이사까지 하다니. 미루와 내가 모르는 사이 같은 느낌이었다. 쓰레기를 버리려고 여자는 계단을 한 칸 한 칸 올라왔다. 우두커니 서 있는 나를 보더니 아직 안 갔네, 했다. 찾는 사람 이름이 미루라고 했죠? 네. 그 사람이 여기 살았어요? 여자가 쓰레기를 내려놓으며 미루에 대해 호기심을 나타냈다. 그렇다고 하자 여자는 저것도 미루라는 사람이 심었나요? 라고 물었다. 여자가 가리키는 쪽에 푸른 백합순이 우거져 있었다. 지상에 심어진 것이지만 지하 방을 비춰주는 위치였다. 미루가 그곳으로 이사했을 때 방이 어두워 내가 궁리 끝에 심어놓은 것이었다. 만나

면 전해줘요, 내가 잘 돌보고 있다고. 지난봄에 이곳으로 이사를 왔을 때 저 백합이 방안을 환하게 비췄어요. 백합을 심어놓은 이가 누구인지 궁금했어요. 꽃이 피어 있는 동안 행복했거든요. 주인한테 물었더니 이전에 살았던 사람이 심은 거라고 하더군요. 그 사람이 미루군요. 미루! 여자는 쓰레기봉투를 내려놓은 손을 탁탁 털며 내가 미루이기라도 한 듯 나를 향해 목례를 했다.

새벽에 잡지사 사무실 책상 위의 전화벨이 자주 울린다. 전화벨소리에 한번 깨면 다시 잠을 이루기가 힘들었다. 침낭 지퍼를 열면 희미하게 들리던 전화벨 소리가 공명음처럼 귓가에 울려퍼졌다. 허물을 벗듯 침낭 속에서 빠져나와 전화기 옆으로 갈 때까지도 전화벨은 계속 울리곤 했다. 내가 수화기를 들자 지수를 찾아야 해요, 젊은 여자의 목소리가 대뜸 말했다. 네? 지수요. 젊은 여자의 목소리가 다급했다. 지수를 찾아야 한다니까요. 무슨 까닭으로 잡지사 사무실로 전화를 해서 지수를 찾아야 한다고 말하는지. 잘못 걸린 줄 알면서도 전화를 끊어버릴 수 없을 만큼 여자의 목소리가 간절했다. 지수를 모른다고 말하려는데 신호음이 뚜뚜 울리더니 전화가 끊겼다. 수화기를 내려다보다가 다시 침낭 속으로 들어가려고 하면 또다시 전화벨이 울렸다. 적어도 나는 지수를 모른다는 말이라도 해줘야 할 것 같아 전화를 받으니 바로 끊겨버렸다. 미루만이 아니라 사람들은 끊임없이 누군가를 찾고 있는 모양이다. 내가 모르는 곳에서도 사람을 찾는 전화벨이 끊임없이 울리고 있겠지.

나는 또 지수를 찾아야 한다고 말하는 간절한 목소리의 여자가 걸어온 전화인 줄 알았다. 그때와 비슷한 시각인 새벽에 전화가 걸려왔기 때문이다. 침낭 속에서 전화벨 소리만 듣고 있었다. 받지 않으면 끊을 것이다, 했지만 전화벨은 끈질기게 울렸다. 이마를 찡그리며 침낭에서 빠져나와 전화를 받았다. 윤이었다. 내가 여보세요, 하자 윤이 차분한 목소리로 내.가.그.쪽.으.로.갈.까? 물었다. 그 말은 줄곧 내가 윤에게 하던 말이었다. 무슨 일이 있어? 시계를 들여다보니 새벽 세시였다. 윤의 숨소리만이 수화기를 타고 전해졌다. 온종일 윤과 소식이 닿지 않았던 하루였다. 자정이 다 될 때까지도 윤의 옥탑방으로 전화를 걸었으나 벨소리뿐이었다. 무슨 일인가. 나는 윤에게 얼른 내가 그쪽으로 갈게, 라고 했다. 아니. 윤은 아니……라고 말했다. 내가 갈게. 나는 숨이 턱 막혔다. 나는 숨기지 않을 거야. 말할 거야. 수화기 저편 윤의 목소리에, 새벽인데도 내 손에 땀이 뱄다. 무슨 얘기냐고 묻지 않았다. 나는 윤이 하려는 얘기가 미루 이야기라는 것을 단박에 알아차렸으니까.

—갈색노트 9

10. 우리가 불 속에서

나는 방금 신호가 바뀐 건널목을 혼자 건넜다. 우박이 아스팔트와 달리는 차체 위로 튀며 유리잔 깨지는 소리를 냈다. 길을 건너자 우박을 피할 수 있는 버스정류장에 사람들이 모여 있었다. 사람들의 얼굴에 퍼져 있던 무표정이 일시에 사라지고 없었다. 꼼짝없이 발이 묶여 긴장한 표정으로 차양 밑으로 피한 사람들을 비웃듯 우박은 또 순식간에 기세를 낮추더니 완전히 멈췄다. 낮잠 속의 짧은 꿈처럼 찰나에 벌어진 일이었다. 언제 우박이 쏟아졌나 싶게 건물들 사이로 다시 겨울 햇빛이 비집고 들어와 반짝였다. 사람들은 선뜻 인도로 나오지 못했다. 미심쩍은 표정으로 하늘을 올려다보거나 그냥 걸어가고 있는 나를 주시했다.

겨울방학중인데다 날이 추워 학교는 텅 비어 있었다. 그는 벌써 대극장 앞에 나와 나를 기다리고 서 있었다. 나를 발견하자 그의 눈썹이 꿈틀거렸다. 추운지 얼굴이 새파랬다. 목도리도 장갑도 없이.

―구했어?

그가 고개를 끄덕였다.

―그런데 윤교수님 연구실 열쇠는 왜?

―미루 노트 가져왔어.

나를 보면 항상 먼저 웃던 그가 물끄러미 나를 보기만 했다. 나는 마음을 가다듬었다. 미루 이야기를 할 때 그 앞에서 더듬거리지 않기로 했으니까.

―일단 연구실로 가.

앞서려는 그의 팔을 잡았다. 그는 주머니 속에서 손을 빼지 않고 있었다. 나는 장갑을 벗어 내 가방 안에 넣고 그의 외투 주머니 속에 내 손을 밀어넣었다. 그의 손이 거기 있었다. 내가 그의 손을 찾아 쥐자 그의 손이 움찔하는 것 같았다.

―내가 어제도 전화했었지?

나는 대답 대신 그의 손을 꼭 쥐었다. 괜찮아, 라고 말하고 싶었지만 그 말은 이미 너무 많이 한 말이었다. 그가 전화를 하는 것은 괜찮다. 언제 어느 시간에 전화를 하든 상관없다. 그가 전화를 하고 있는 그곳이 어디인지만 내가 알 수 있다면. 내가 거기 어디야? 라고 물으면 그 자신조차도 자신이 서 있는 곳이 어디인 줄 모르고 있는 때가 자주 있었다. 그가 뭐라고 더 말을 하려고 하면 전화가 끊겨버리기도 했다. 우.리.는.언.제.나.괜.찮.아.질.까? 내 손이 작아 그의 손을 다 감쌀 수가 없었다.

윤교수 연구실로 가다가 느티나무 쪽을 그가 뒤돌아보았다. 나도 그쪽을 바라보았다. 늘 오가는 학생들로 붐비던 느티나무는 겨울바

람 속에 홀로 서 있었다. 언젠가 이 자리에서 이렇게 뒤돌아보았을 때 내 눈 속에 쏘옥 들어왔던 풍경이 눈앞을 스쳐 지나갔다. 가방을 어깨에 메고 책을 손에 든 채로 느티나무 밑을 걸어오던 미루. 윗몸을 안으로 오므려서 둥글어진 어깨를 더 둥글게 말아 마치 자신의 심장을 들여다보고 있는 듯했던 미루의 걸음걸이. 하얀 면재킷 아래 받쳐입은 짙은 푸른 바탕에 흰 잔꽃무늬 플레어 치마. 뒤에서 불어오는 바람결에 치마가 부풀어올랐다가 가라앉던 그 순간이 섬광처럼 되살아나 주머니 속 그의 손을 꼭 쥐었다. 아마 그 순간 그도 미루 생각을 하고 있었을 것이다.

그가 윤교수의 연구실 앞에서 열쇠를 꺼내려고 할 때에야 그의 주머니 속에서 내 손을 뺐다. 텅 비어 있다는 것을 알면서도 문을 따고 있는 그 옆에 서서 연구실 문을 똑똑 두드려보았다.

오래 인기척이 끊겨 있던 윤교수의 연구실에 들어서자 눅눅한 냄새가 훅 끼쳐왔다. 그와 나는 안으로 들어서다가 멈칫했다. 환기가 되지 않았던 공간에 밴 눅눅한 냄새와 겨울날의 차가운 냉기 때문에. 그가 덜 닫힌 문을 다시 잘 닫고 벽의 스위치를 눌러 불을 켰다. 막이 걷힌 것처럼 희끄무레했던 연구실이 밝아지자 연구실의 책들이 윤곽을 드러냈다. 최대한 책을 많이 꽂기 위한 용도로 만들어진 기능적인 책장 속에 가득 꽂힌 책들이 그와 나를 우두커니 내려다보았다. 언젠가 처음 이 연구실의 문을 노크했을 때 들어오게, 하던 윤교수의 목소리가 들리는 것 같아서 나는 책 저편 윤교수의 책상을 건너다보았다. 쌓인 책이 저절로 칸막이 역할을 하고 있는 건 그때나 지금이나 같았다. 거기 잠깐만 앉아 있게, 윤교수가 책더미 저

쪽에서 얼굴을 보이며 그렇게 말해준다면…… 나는 내 두 손을 맞
잡고 비볐다.

　─아무도 없군.

　그런 줄 알고 들어왔으면서도 그가 혼잣말을 내뱉으며 소파 앞에
섰다. 나는 윤교수의 책상 앞으로 다가갔다. 항상 원고와 펼쳐놓은
책으로 어질러져 있던 책상이 깨끗했다. 이 책상을 정리했을 윤교
수의 손길이 떠올라 손을 뻗어 책상을 쓸어보았다. 손바닥에 먼지
가 묻어났다. 그냥 쓸어보았던 것이 자꾸만 손바닥으로 먼지를 닦
게 되었다. 손바닥으로는 안 되겠기에 휴지통에서 휴지를 뽑아내자
거기에서도 먼지가 풀썩였다. 그가 일어서더니 연구실 한쪽에 설치
되어 있는 세면대 앞으로 가서 물을 틀었다. 오래 사용하지 않은 수
도꼭지에서 삐걱 소리가 났다. 그가 반대로 돌렸다가 힘을 주어 다
시 돌렸다. 물이 콸콸 쏟아져나왔다. 그가 옷에 튄 물방울을 툭툭
털어내며 한 걸음 뒤로 물러서더니 곧 허리를 굽혔다. 수도꼭지 아
래에 물기 없이 마른 걸레가 담긴 걸레통이 있었다. 그가 걸레를 물
에 적신 후에 꽉 짜서 들고 다가왔다. 그는 아무 말도 하지 않고 내
가 방금 손바닥으로 닦던 윤교수의 책상을 닦았다.

　─이리 줘봐. 내가 할게.

　그는 대답도 없이 윤교수의 책상을 닦는 일에 몰두했다. 마치 책
상을 닦으러 온 사람 같았다. 그가 닦아내는 대로 하얀 걸레에 먼지
가 묻어나는 걸 물끄러미 바라보다가 창을 조금 열었다. 찬바람이
쿨렁 연구실 안으로 밀려들어왔다.

　─연구실이 이렇게 무사해서 다행이야.

―언젠가는 돌아오실지도 모르지. 아직 사직서 수리가 안 됐다니.

그가 언젠가, 라고 발음했다. 언젠가…… 나는 그가 내뱉은 말을, 책상을 닦고 있는 그를 바라보며 웅얼거렸다. 언젠가…… 언젠가. 그는 윤교수의 책상을 다 닦고 의자 위에 올려져 있는 방석을 들어내고 의자도 닦았다. 방석의 먼지를 툭툭 털어내고 다시 그 자리에 내려놓고는 손바닥으로 탁탁 두드렸다. 그러고 있는 그의 얼굴이 까칠했다. 그가 어제 전화를 걸어온 시간은 새벽 네시가 지나서였다. 술을 마셨는지 목소리가 제대로 들리지 않았다. 어디야? 물었으나 그의 대답을 제대로 들을 수도 없었다. 그런 일은 빈번해서 이제는 다음날 만나도 어제는 어떻게 된 거야? 라고 물을 수가 없었다. 지하철을 탔는데…… 잠이 들었나봐, 하고 말 것이다.

―춥지 않아?

그가 물었다.

―추워.

윤교수의 책상과 의자에 쌓여 있는 먼지를 깨끗이 닦아내고 그가 내가 열어놓은 창을 닫고는 블라인드를 손가락으로 들치며 바깥을 내다보았다. 창밖엔 아무도 없을 것이다. 내게 등을 보인 채 그가 물었다.

―여긴 왜 오자고 한 거야?

―미루 노트 여기에 꽂아두려고.

나는 가방을 열고 미루의 두꺼운 노트를 꺼내들고 책등을 안으로 해서 꽂아놓은 책장 쪽으로 걸어갔다. 그가 블라인드를 놓고 내 쪽을 보았다.

처음 이 연구실에 들어왔을 때 내 눈에 가장 먼저 띄었던 것은 손으로 만지면 부서져버릴 것 같은 이 오래된 책들이었다. 책등이 뒤로 가게 꽂혀 있어 저자도 제목도 알 수 없는 책들. 나는 미루의 노트를 들고 선 채 여전히 책등이 뒤로 꽂혀 있는 낡은 책들을 손으로 쓸어보았다. 책들은 내게 말을 걸고 있는데 나는 아무 말도 알아듣지 못하는 것 같았다. 책들이 왜 저렇게 꽂혀 있는지 궁금한가? 윤교수의 목소리가 들리는 것 같아 나도 모르게 윤교수의 책상 쪽을 바라보았다. 그가 추운 얼굴로 내 쪽을 보고 서 있다가 나와 눈이 마주쳤다.

─네가 꽂을래?

그가 내 손에 들려 있는 미루의 노트로 시선을 옮겼다.

─그 노트를 네가 가지고 있었어?

─미루 외할머니 댁에 갔었어. 네게 새벽에 전화했던 날, 그날.

─거길 어떻게 알고?

─미루 어머니를 만나 같이 갔어.

─……

─알릴 수가 없었어.

그랬다. 차마 그에게 알릴 수가 없어 혼자 길을 떠났다. 돌아와서도 새벽이 되도록 수화기 앞에 앉아 있었다. 결국 그에게 전화를 걸었다. 우리가 쌍둥이 같다는 생각을 했다. 나는 단이를 잃고 그는 미루를 잃은 쌍둥이. 그가 다가와 내가 들고 있는 미루 노트를 받아 들었다. 자신이 먹은 음식들을 하나도 빠뜨리지 않고 일일이 노트에 적곤 했던 미루의 화상 입은 손을 우리는 동시에 떠올렸을 것이

다. 자신이 무얼 먹었는지 그리 신중하게 적는 사람을 처음 보아서 신기하게 바라보기만 했던 내 모습도 마치 다른 존재인 것처럼 떠올랐다. 우리 셋이 이 노트를 펼쳐놓고 문장 이어쓰기를 하던, 우리가 사랑했던 시간들. 그렇게 함께하는 동안 우리는 서로가 소중해서 뺨이 달아오르곤 했었지. 미루 언니의 그 사람처럼 갑자기 사라져버린 사람들의 사연들이 이 노트에 빼곡하게 기록되기 시작했을 때 우리는 좀더 미루에게 다가갔어야 했다. 그랬어야 했다. 그 기록은 미루가 안간힘을 다해 내지르는 비명이었다.

　—네가 꽂아.

　미루의 노트를 넘겨보고 손으로 쓸어보던 그가 다시 노트를 내게 주었다.

　이 노트 때문에 미루의 어머니는 그날 아침 내가 건 전화를 끊지 않았던 것일까. 여보세요? 했다가도 미루라는 이름이 나오기만 하면 미루 어머니는 전화를 끊어버리곤 했다. 그래도 나는 미루 생각이 나면 끊임없이 미루 집으로 전화를 걸어보았다. 미루 가족이 미루 이야기로 그 어떤 이들과도 통화하고 싶어하지 않는다는 걸 느꼈지만 나는 전화를 걸어볼 수밖에 달리 어쩔 수가 없었다. 몇 달 만에 통화가 되었던 그날 아침. 수화기 저편에서 미루 어머니가 여보세요? 했을 때 나는 다른 말을 하지 않고 다급히 끊지 마세요, 라고 말했다. 제발 끊지 마세요. 절박한 심정이었다. 침묵이 흐르는 동안 손가락이 쩍쩍 갈라지는 듯했다.

　—누구지?

침묵을 깨고 미루 어머니가 물었다.

－정윤이라고 합니다.

－정윤······

－······

－네가 정윤이구나.

나는 나도 모르게 방바닥에 무릎을 꿇고 수화기를 두 손으로 꼭 붙든 채 네, 제가 정윤입니다, 라고 대답했다.

－너희들의 노트 읽었다.

미루 어머니는 미루의 노트라고 하지 않고 너희들의 노트라고 말했다.

－그 노트는 미루 외할머니 댁에 있어.

－미루와 통화하게 해주세요.

미루와 통화하게 해달라고 말하는 순간 온몸에서 힘이 쭉 빠져나갔다. 수화기를 잡고 있는 손에서 땀이 배어나고 꿇고 있던 양무릎이 벌어졌다. 나는 이미 알고 있었는지도 모르겠다. 미루와는 통화할 수 없으리라는 것을.

－미루를 바꿔주세요.

미루의 어머니가 깊은 숨을 내쉬었다.

－미루가 어디에 있나요?

수화기 저편이 적막해졌다.

－제발 끊지 마세요.

－그앤 죽었다.

－······

─아무것도 먹지 않았다.

─……

─내 말 알아듣겠냐? 그앤 죽었어.

나는 수화기를 든 채로 멍하니 창밖을 내다보았다. 언제나 그 자리를 지키고 있다고 생각했던 타워가 무너져내려 내 옥탑방을 덮치는 것 같았다.

미루가 외할머니가 남긴 빈집에 들어가 살고 있었던 걸 미루의 어머니도 모르고 있었다고 했다. 그와 내가 거리의 열풍에 휩쓸려 다니느라 미루가 어디에 있었는지 모르고 있었듯이. 사라진 미루는 혼자서 외할머니 댁에 가 있었던가보았다. 그와 내가 이따금 서로에게 미루 소식 들은 거 있어? 묻고 있을 때 미루는 외할머니가 남긴 빈집에서 혼자 지냈던가보았다. 나는 무슨 말인가를 더 듣고 싶었지만 이미 지난 일이다, 며 전화를 끊어버렸던 미루 어머니가 며칠 후에 다시 전화를 걸어왔다. 미루 어머니는 수화기 저편에서 대뜸 윤아, 하고 불렀다. 그것이 어색하지 않았다. 미루 외할머니 댁에 갈 거다. 함께 가겠냐? 물었다.

미루 어머니가 일러준 대로 내가 미루 집이 있는 도시의 역에 내렸을 때 운전기사인 듯한 사람이 내게 다가와 정윤 학생이냐고 물었다. 그를 따라가자 은회색 자동차 안에 미루 어머니가 앉아 있었다. 다른 색이 전혀 섞이지 않은 검은색 옷차림이었다. 누가 봐도 귀부인의 모습이었다. 내가 앞자리에 앉으려고 하자 미루 어머니가 자신의 옆자리를 가리키며 여기 앉아라, 하고 말했다. 자동차에 오르다가 뒷자리 너머에 에밀리가 엎드려 있는 것을 보았다. 자리에

앉아 에밀리를 바라보았다. 에밀리는 나를 잊은 듯 움직임이 없었다. 자동차를 타고 미루 외할머니 댁으로 가는 동안 우리는 한마디도 얘기를 나누지 않았다. 자동차가 커브를 도느라 기울어질 때만 미루 어머니는 내 쪽을 보았다. 검은 옷 때문인지 미루 어머니의 얼굴은 창백해 보였다. 다시 차가 경사진 커브길을 돌 때 흔들리지 않으려고 자동차 시트를 꽉 짚고 있는 내 손을 미루 어머니가 잡아주었다. 아무 표정도 없는 얼굴이었지만 나를 보호하려는 힘과 따뜻한 온기가 전해졌다. 나는 앞만 똑바로 보았다. 앞만 보고 있는데도 미루 어머니의 옆얼굴에 간직된 미루의 모습이 고스란히 느껴졌다. 오똑한 콧날, 반듯한 이마, 단정한 입술선, 틀어올린 머리를 단단하게 받치고 있는 긴 목. 나이 든 미루의 모습을 보는 듯했다. 자동차가 구부러진 길이나 산굽이를 벗어나면 미루 어머니가 슬며시 내 손을 놓았다. 나를 보곤 했던 시선도 차창 바깥으로 고정시켰다. 그러기를 여러 번 반복하자 미루의 할머니 집이 나왔다.

산 밑 동네였다. 동네랄 것도 없이 드문드문 집이 세 채밖에 없었다.

─그애는 이곳에서 할머니처럼 살려고 했던 것 같아.

역에서 만나 그 집에 도착한 후 미루 어머니가 처음으로 내게 한 말이었다.

─미루가 모자를 쓰고 품 넓은 바지를 입고 호미를 들고 마당이나 텃밭을 일구고 있는 걸 본 사람들이 있더구나. 깜짝 놀랐더란다. 돌아가신 분인 줄 알고.

미루의 외할머니 집은 미루가 말했던 그대로였다. 이미 가봤던

곳처럼 익숙했다. 마당에는 감나무 자두나무 앵두나무 들이 서 있었고, 찬장에는 놋그릇과 놋수저 들이 놓여 있었다. 헛간에는 나란 나란히 정리해놓은 농기구며 공구 들이 놓여 있고, 거기 벽에는 미루 외할머니가 생전에 일할 때 쓰거나 입었을 것들이 그대로 걸려 있었다. 모자와 장화와 비옷 들이. 여기였던가. 전쟁이 났을 때 갓 난아이였다는 미루 엄마를 등에 업고 혼자서 남쪽으로 내려온 미루 할머니가 다시 돌아가지 못할 어린 시절에 살았던 집과 비슷한 집을 지어놓고 살았다는 곳이. 미루의 언니가 무릎을 다쳐 다시는 발레를 못 하게 되었던 곳이. 미루가 혼자 마지막을 보냈던 곳이. 나는 수많은 나무들 중 자두나무 아래를 우두커니 바라보았다. 사고가 있던 날 미루 언니가 자두나무 가지를 바처럼 잡고 마지막으로 발레를 했다는 곳이었다.

─이 집을 허물 거야.

미루 어머니의 공허한 목소리가 허공을 떠돌았다.

─……

─그래서 오자고 했다. 한번 보여주고 싶었다. 미루가 마지막을 보낸 곳이니까.

닫힌 현관문을 열려고 뾰족한 것들이라면 모두 열쇠구멍에 넣어 보며 열려라, 열려라, 열려라, 주문을 외우고 있었을 어린 미루가 저기 앉아 있는 듯했다.

미루 어머니가 빈집의 현관문을 열고 나를 돌아보았다. 내가 자두나무에서 눈길을 거두고 미루 어머니 쪽으로 걸음을 옮기자 미루 어머니가 안으로 들어갔다. 음식은 손도 대지 않던 아이가 힘은 어

찌나 세던지…… 미루 어머니가 혼잣말을 했다. 왜요? 왜? 나는
왜? 라는 질문을 밀어넣느라 입술을 깨물었다.

—그앤 거식증이 있었다.

마치 내 마음을 들여다보고 있기라도 한 듯 미루 어머니가 중얼
거렸다.

—언니가 발레를 못 하게 된 걸 미루는 자기 때문이라고 생각했
어. 언니가 병원에서 퇴원할 때까지 아무것도 먹지 않았지. 그게 시
작이었다.

—……

—한번 거식증이 도지면 막을 수가 없었어. 대꼬챙이처럼 말랐는
데도 울기 시작하면 어디서 그런 힘이 나오는지 그칠 줄을 몰랐다.
집이 쩌렁쩌렁 울렸어. 나았다가 도지고 또 나았다가 도지곤 했어.
중학생이 되어서도 병원에 다니며 치료를 받곤 했었어. 아무것도
먹지 않으려고 해서 튜브로 음식물을 강제로 투입시킨 적도 있었
다. 열다섯 이후로는 발병한 적이 없어서 나은 걸로 알았어.

처음 듣는 얘기였다. 노트에 자신이 먹는 음식을 적어넣는 미루
의 행위는, 음식을 먹지 않으려고 하는 자신과의 싸움이기도 했던
가. 미루 어머니가 거실 안쪽에 있는 방문을 열고 안으로 들어갔다.
나는 문 옆에 서서 안을 들여다보았다. 방바닥이 긁히고 벽지가 찢
어지고 장롱이 금이 가고 창틀이 갈라져 있었다.

—여기다.

미루 어머니가 무릎을 접고 방바닥의 긁힌 자국을 손으로 더듬어
내렸다.

—에밀리 짓이다.

　미루의 일이 실감나지 않아 먹먹할 뿐이었는데 에밀리 짓이다, 라는 미루 어머니 말에 한순간 눈물이 핑 돌았다. 이곳의 미루 곁에는 에밀리뿐이었나. 나는 안으로 들어가 긁힌 장롱을 어루만져보았다. 에밀리의 작은 발톱이 눈앞에 어른거렸다. 긁힌 자국들은 선명한 것도 있었고 흐릿해진 것도 있었으며 아주 길게 뻗어 있는 것도 있었다. 에밀리. 나는 얼른 눈가를 훔쳤다. 미루의 할머니 댁에 도착해서도 에밀리는 자동차 뒷자리 등받이 위에서 움직임이 없었다. 에밀리의 발톱에 긁힌 자국들은 에밀리가 온 힘을 다해 미루를 말리려는 행위였을까. 나는 미루 어머니 곁에 섰다. 우리는 그렇게 긁힌 방바닥을 함께 내려다보았다.

　—거미줄투성이인 이 집에 미루가 와 있을 줄은 생각도 못 했다. 내가 잘못했어. 너희들이 함께 지냈던 서울의 그 집을 팔지 말았어야 했어. 너와 함께 그 집에서 살게 해달라고 애원을 했었지. 그때는 말이다, 그게 미루에게 좋은 일 같지 않았어. 이렇게 되는 것보다 무엇이 더 나쁠 수가 있었겠느냐만 그때 생각은 미루가 그 집에 다시 들어가 살게 되면 영원히 제 언니 일로부터 헤어나오지 못할 것 같았다. 나도 상심이 커서 나 하나 추스르는 것도 벅찼어. 미루를 세심히 돌봐줄 여력이 없었구나. 그 집을 팔고 난 후에 미루와 단 한 번도 눈을 마주쳐본 적이 없었어. 미루가 나를 외면했다……정윤이라고 했지?

　미루 어머니는 나를 윤아, 라고 불렀던 것은 잊은 듯 눈이 흐트러지는 것 같더니 마치 내 이름을 이제 알게 된 사람처럼 정윤이라고

했지? 물었다.

　─네.

　─나는 좋은 엄마가 아니었어. 특히 미루에게는 더욱.

　미루 어머니는 장롱을 열더니 옷걸이 위 선반에서 상자를 꺼냈다.

　─그애가 남긴 것들이다.

　상자 속에는 미루의 노트와 어디에 붙여놨다가 떼어낸 듯한 접힌 편지들이 수북이 들어 있었다.

　─이 빈집의 벽에다 붙여놓은 것들을 떼어낸 것이다.

　나는 편지들을 살펴보았다. 미루가 그와 나에게 그리고 윤교수에게 쓴 편지들이었다.

　─네가 가져가겠냐?

　미루 어머니는 나를 가만히 보았다. 나는 입술을 깨물며 고개를 끄덕였다. 내가 할 수 있는 일은 남아 있지 않았다. 미루 어머니가 상자를 보자기에 싸는 걸 가만히 지켜보는 것 외에는.

　돌아오는 길에 미루 어머니가 불현듯 그애는 화장해서 저기에 뿌렸다, 고 했다. 말은 저기라고 하면서 미루 어머니는 상자를 무릎 위에 올려놓고 보자기의 매듭을 풀었다 맸다 하고 있었으므로 저기가 어디인지 나는 가늠할 수가 없었다. 미루는 너무 말라서 사람이랄 수가 없었단다. 고갤 돌려보니 차창 밖은 산이었다. 그애는 눈송이같이 가벼웠어. 미루 어머니 목소리가 귓전에서 흩어졌다. 눈앞이 뿌예져서 나무들이 보이지도 않았다. 미루가 그 빈집에 가 있는 동안, 거기서 아무것도 먹지 않고 있는 동안, 에밀리가 안간힘을 다해 방바닥을 긁어대며 미루를 말려보려고 하고 있는 동안 나는 뭘 하

고 있었나? 되짚어보니 그와 함께 매일 열풍으로 뺨이 붉어져 다니
던 때였다. 백만이 넘었다는 인파 속에 섞여 있을 때였다. 내가 그
와 함께 모르는 사람들과 함께 연대해 시청까지 함께 걷고 광장에
서 스크럼을 짜고 노래를 부르는 동안 미루는 이 산 밑의 빈집에서
나뭇잎처럼 혼자 바스락대며 끊임없이 우리에게 편지를 써 벽에 붙
여놓고 지냈던가보았다.

　헤어질 때 미루 어머니는 자동차에서 내리지 않았다. 내 얼굴을
바로 보지도 않았다. 에밀리를 내가 데려가면 안 되겠느냐는 말을
꺼내지 못한 채 자동차에서 혼자 내렸다. 미루의 노트가 들어 있는
상자를 품에 안고 역을 향해 걷다가 돌아보았다. 미루 어머니를 태
우고 있는 자동차가 그대로 서 있었다. 몇 발짝 더 걷다가 다시 뒤
돌아보았다. 그때도 자동차는 그대로 서 있었다. 왜 그때 엄마의 얼
굴이 떠올랐는지. 죽음을 미안해했던 엄마. 병을 알고 나를 멀리 보
냈던 엄마. 나는 재빨리 돌아섰다. 미루 어머니가 타고 있는 자동차
를 향해 빨리 걸었다. 내가 다가가기 전에 자동차가 출발해버릴까
봐 마음이 급해져 넘어질 뻔했다. 미루 어머니가 앉아 있는 자동차
뒷좌석 유리창을 손등으로 마구 두드렸다. 유리창이 스르륵 아래로
내려갈 때에야 안심이 되었다.
　－문 좀 열어주세요.
　미루 어머니의 텅 빈 듯한 눈빛이 내 얼굴에 잠시 머물렀다.
　－문 좀 열어줘요.
　미루 어머니가 안에서 차 문을 밀었다. 나는 미루의 노트가 들어

있는 상자를 길바닥에 내려놓고 자동차 안으로 몸을 깊이 밀어넣어 미루 어머니를 껴안았다. 미루 어머니의 건조한 얼굴이 내 뺨에 스쳤다.

　―미루가 미안해했을 거예요, 어머니.

미루 어머니 어깨에 내 턱이 닿았다.

　―그랬을 거예요.

　―고맙다.

미루 어머니가 양팔을 뻗어 내 등을 어루만졌다.

　―왜 미루를 그리 두었느냐고 하지 않아 고마워.

나는 입술을 깨물었다. 나는 미루 어머니에게 미루를 왜 그리 두었느냐고 할 만한 존재가 못 되었다. 미루를 혼자 둔 사람들 속에 나도 있었으니까.

　―가거라.

미루 어머니가 나를 떼어내었다.

　―다시 만나지 말……

미루 어머니는 목이 메어 말을 채 맺지 못했다. 다.시.만.나.지. 말.자. 미루 어머니는 애써 다시 원래의 목소리로 돌아갔다. 나는 무엇에 저항하듯이 차 안으로 몸을 밀어넣었다. 미루 어머니가 열어주었던 자동차 문을 내가 닫았다. 내가 좀 전에 들고 있던 미루의 노트가 담긴 상자가 차 문 바깥 바닥에 놓여 있는 게 내다보였다. 이런 관계도 있구나, 서글퍼졌다. 처음 만났는데 다시는 만나지 말자, 라고 말할 수밖에 없는 사이가 미루 어머니와 나의 관계였다. 우리는 헤어지지 못하고 그렇게 자동차 안에 오래 앉아 있었다. 내

가 내리지 않으니 기사가 차에서 내려 길바닥에 놓여 있는 상자를 차 안으로 들여놓았다. 자동차 때문에 보행이 불편해진 사람들의 얼굴에 퍼지는 짜증을 받으며 우리는 오래 그러고 있었다. 침묵을 깨고 미루 어머니가 에밀리를 데려가겠냐? 라고 물었을 때까지.

나는 큼, 소리를 내며 책등이 뒤로 해서 꽂혀 있는 책들 사이의 간격을 좁혔다. 오래전에 내가 이 책들을 물끄러미 바라보자, 한때 수집을 했었다며 관심이 있다면 가져다보아도 좋다고 했던 윤교수. 이 연구실에 처음 들어왔을 때 이 책들이 가장 먼저 눈에 띄었었다. 그땐 짐작이나 했겠는가. 내가 미루의 노트를 여기에 꽂으러 오게 될 줄을. 내가 책들 사이의 간격을 좁혀서 미루의 노트를 꽂을 자리를 만들고 노트의 등이 뒤로 가게 해 꽂으려 했을 때, 그때껏 나를 보고만 있던 그가 윤아, 잠깐만, 하고 말했다. 나는 노트를 꽂으려다 말고 그를 바라보았다. 윤교수의 책상 앞에 서 있던 그가 자신의 겨울 외투 안주머니에서 무엇인가를 꺼내들고 내 쪽으로 왔다. 접혀 있는 편지였다.
　—이것도 거기에 넣어두자.
　나는 그가 이것도, 라고 말하는 접힌 편지를 바라보았다. 미루가 그에게는 편지를 부쳤던 것일까? 내 마음을 짚은 듯 그는 내가 쓴 거야, 라고 말했다. 단이 소식을 듣고 육 개월이 지나서야 더이상 편지를 받을 수 없는 단이에게 경복궁의 누에 함께 올라가보자고 편지를 쓰고 있던 내 모습이 떠올랐다. 미루의 소식을 들은 이후에 그는 미루에 대한 얘기는 단 한마디도 꺼내지 않았다. 아무데서나

쓰러져 자고 아무 때나 전화를 걸어 나를 찾을 뿐이었다. 그런 그가 미루에게 편지를 썼구나. 나는 조금 안심이 되었다. 나는 그가 미루에게 썼다는 작별의 편지를 끼워넣을 수 있게 노트를 펼쳐주었다.

—읽어볼래?

—아니.

내가 너무 단호하게 아니, 라고 했던가보았다. 그가 내 얼굴을 빤히 보았다.

—미루에게 쓴 거잖아.

—……

—이것들은?

그가 노트에 편지를 끼우려다가 노트 사이에 붙여진 편지들을 들여다보았다. 미루가 지냈던 외할머니 댁 그 빈집의 벽에 붙여놓았다는 편지들이었다. 우리에게 쓰고도 부치지 않았던 편지들. 내가 한 장 한 장 노트의 빈자리에 붙여놓은 것들. 공교롭게도 그가 펼친 곳에 붙어 있는 건 편지가 아니라 엽서였다. 윤교수를 향해 쓴 것이었다. 엽서 뒷장에 나뭇잎 한 장이 색이 바랜 채 붙어 있어서 나뭇잎 모양 그대로 튀어나와 있었다. 그가 미루의 글씨를 물끄러미 들여다보았다.

—읽지 않았으면 해.

내가 말하자 그가 나를 보았다.

—미루가 부치지 않았으니까.

미루가 그 빈집에서 쓴 편지나 엽서들을 노트에 일일이 붙이기 전에 많이 망설였다. 그에게 쓴 편지들은 그에게 전하고 윤교수에

게 쓴 것은 윤교수에게 전하는 게 맞는 것 같기도 했다. 내 앞으로 쓴 것은 내가 읽어보는 것이. 하지만 미루는 이 편지들을 보내지 않았다. 이제 와서 우리가 자신이 쓴 편지들을 읽기를 미루가 원할는지. 나는 미루 어머니가 내게 넘겨준 상자를 책상에 올려놓고 한 달을 보냈다. 명서라는 그의 이름, 윤이라는 나의 이름, 그리고 윤교수를 지칭해가며 써놓은 미루의 편지나 엽서를 만지작거리며. 그러다가 미루가 늘 품고 다니던 노트에 봉인하기로 한 새벽에 미루가 남긴 편지들을 노트의 빈자리에 붙였다. 붙이면서 생각했다. 이 노트를 윤교수의 책장, 윤교수가 젊은 날 서른셋이 되기 전에 세상을 떠난 저자들의 책을 모아두었다는 이곳에 미루의 노트를 꽂아둬야겠다고. 미루가 남긴 편지들을 한 장 한 장 손으로 만지면서 내용을 읽지 않기란 쉬운 일이 아니었다. 미루가 쓴 문장들이 회오리바람을 타고 있는 것처럼 눈앞에서 쓸려다녔다. 씨눈이 박힌 감자를 땅을 파고 심은 얘기가 씌어 있는 것도 같았다. 나에게 쓴 편지에 단이의 이름이 보이기도 했다. 어느덧 읽으려들면 나는 슬몃 눈을 감고 얼른 뒤집어 풀칠을 했다. 그랬어도 약속을 지키지 못해서 미안하다는 글씨가 흐릿하게 보였고 함께 도시를 걸어다녔던 어느 날들에 대한 이야기가 몇 문장 읽히기도 했다. 명서에게, 라고 지칭된 편지에는 어느 해 겨울에 썰매를 타고 강에 빠졌던 얘기가 적혀 있는 것도 같았다. 읽고 있던 책에서 따온 듯한 문구도 보였다. '내면을 사랑한 이 사람에게 있어 고뇌는 그의 일상이었고, 글쓰기는 구원을 향한 기도의 한 형식이었다—카프카' '삶과 죽음을 냉철히 바라보며 말 탄 자여, 지나가라—예이츠' '살았다, 썼다, 사랑했다—

스탕달' 어느 엽서에는 쥘 쉬페르비엘의 시가 적혀 있었다. '세 개의 벽과 두 개의 문 뒤에서/당신은 내 생각을 조금도 않지만/하지만 돌도 더위도 추위도/또한 당신도 막을 수는 없지/내 맘대로 내 속에서/마치 계절이 오가며/땅 위에 숲을 만들듯/내가 당신을 부쉈다 다시 맞추는 것을.' 어느 편지에선가는 윤교수에게 무언가를 사죄하고 있는 것도 같았다.

그가 묵묵히 미루에게 쓴 작별의 편지를 노트 사이에 넣었다. 나는 노트를 덮고 책등을 뒤로 해서 꽂은 책들 사이에 미루의 노트도 뒤로 해서 꽂았다. 그가 손을 뻗어 책들 사이에 꽂힌 미루의 노트를 탁탁 두드려주었다. 그와 나는 책들 속에 섞인 미루의 노트를 바라보며 잠시 우두커니 서 있었다. 그가 주머니에 손을 집어넣었다. 나도 주머니에 손을 집어넣었다. 그가 왼손을 들어 머리를 긁적였다. 나도 왼손을 들어 머리를 긁적였다. 그가 바닥을 내려다보며 두어 번 발을 쿵쿵거렸다. 나도 바닥을 내려다보며 두어 번 발을 쿵쿵거렸다. 그제야 그가 나를 바라보았다.

─왜 나를 따라해?
─웃게 하려고!
그가 웃지 않고 물끄러미 나를 보았다.
─정윤.
─……
─너무 애쓰지 마.
─아니, 우린 애써야 해.
─……

―그래야 해.

　그가 책장에 등을 대고 섰다. 나도 그 옆에서 책장에 등을 대고 섰다.

　―우리 함께 지내.

　내 말이 책장들 사이를 떠돌다 메아리처럼 내게 돌아왔다. 그는 아무 말이 없었다. 그저께 밤에 내 옥탑방의 전화벨이 울렸을 때 그 시각은 새벽 세시였다. 전화기 옆에 엎드려 있던 에밀리가 진동에 놀라 책상 밑으로 내려갔다. 그의 전화였다. 어디냐고 물으니 그는 모르겠어, 라고 대답했다. 술에 취한 그의 목소리를 정확히 알아들을 수가 없었다. 정신차리고 주변에 큰 건물이 무엇이 있는지를 말해봐, 나도 모르게 그를 향해 소리쳤다. 내가 그에게 들은 마지막 말은 홍대 쪽 어디라는 것이었다. 옷을 껴입고 옥탑방을 나서려니 에밀리가 문까지 따라왔다. 곧 돌아올게, 에밀리를 방안으로 밀어넣었다. 에밀리가 문을 발톱으로 긁어대는 기척을 들으며 신발끈을 꽉 묶었다. 영하의 새벽바람이 매서웠다. 목도리를 두르고 장갑을 끼고 계단을 뛰어내려가 택시를 탔다. 그는 홍대 근처 어디쯤에서 전화를 한 것일까. 택시 기사에게 홍대 근처의 큰길을 한 바퀴 천천히 돌아달라고 했다. 술집들이 그 시간까지 불을 밝힌 채 영업을 하고 있고 비틀거리는 사람들이 택시를 잡으려고 길가에 나와 서 있었다. 그는 왜 그곳에 간 것인지. 큰길에서는 그를 찾을 수가 없어 나는 택시에서 내렸다. 블록을 정해 골목골목을 돌아다녔다. 환한 골목들을 다 돌았을 때도 그를 찾을 수가 없었다. 내 발소리를 듣고 길고양이들이 어디론가 숨고 쓰레기들이 바람에 날려 흩어지는 어

두운 골목들을 그의 이름을 부르며 헤매다녔다.

한 시간도 넘게 골목을 뒤지고 다녔을 것이다. 그를 발견한 곳은 산울림소극장 근처의 어두운 계단 뒤쪽이었다. 거기에 공중전화가 있었다. 그는 그 공중전화에 매달려 내게 전화를 한 모양이었다. 가까이 다가가도 그는 나를 알아보지 못했다. 어디에 부딪혔는지 이마에 피가 맺혀 있고 손등도 깨져 있었다. 혼자 그렇게 술을 많이 마실 수는 없을 텐데, 그는 혼자였다. 그 정신에 내 전화번호는 어떻게 누른 것인지. 몸이 차갑디차가웠다. 이리 잠이 들다니. 계단 끝에 얼음이 두껍게 얼어 있었다. 여기저기에 고드름이 매달려 있기도 했다. 길가에 쓰러져 잠이 들었다간 깨어나지 못할 수도 있겠다는 생각. 그를 어떻게든 부축해 택시라도 타보려고 했으나 골목은 외졌고 축 늘어져 있는 그를 감당하기가 벅찼다. 언젠가 시내 한복판에서 시위대에 밀려 신발과 가방을 다 잃어버리고 맨발로 서 있는 나를 가뿐하게 업고 한 발짝 한 발짝 걷던 그의 모습이 떠올랐다. 목도리를 풀어 그의 목을 감싸고 외투로 차갑게 얼어 있는 그를 감쌌다. 차가운 그의 손등이 얼지 않게 어루만지며 누군가 도와줄 사람이 지나가기를 기다렸다. 그러면서 생각했다. 우리는 밤이 되어도 헤어지지 말고 함께 있어야 한다고.

겨우 옥탑방으로 그를 옮겨왔으나 오후가 될 때까지도 그는 정신을 차리지 못했다. 무엇을 조금만 먹어도 곧 토해냈다. 에밀리가 옹송그리고 앉아 그와 나를 지켜보았다. 밤이 되어서야 정신이 든 그가 내가 왜 여기에 있느냐고 물었다. 나는 대답 대신 그에게 우리 여기서 함께 지내, 라고 말했다. 미루가 나에게 함께 지내자고 했을

때 나는 뭐라고 했던가. 생각할 시간을 달라고 했었지. 실망하던 미루의 얼굴이 스쳤다. 그는 깨진 손등을 들여다보기만 했다.

그가 책장에서 등을 뗐다.

─나가자.

─어디로?

─윤교수님께.

─……

─함께 오라고 당부하셨어.

그가 발걸음을 떼려고 할 때 내가 그의 팔을 붙잡았다. 그가 다시 책장에 등을 기댔다. 우리의 등뒤로 미루의 노트가 꽂혀 있을 것이다. 누군가 아래층 계단을 올라와 연구실 밖 복도를 급하게 지나갔다. 구두 발짝 소리가 멀어지는 걸 그와 나는 책장에 나란히 등을 기댄 채 듣고 있었다. 그 누구도 그와 내가 폐쇄된 윤교수의 연구실에 이렇게 서 있다는 것을 알지 못할 것이다. 미루의 노트가 여기에 꽂혀 있는 것도.

─우리 함께 지내.

그의 팔을 붙잡고 있는 내 손을 그가 내려다보았다.

─우린 함께 있어야 해.

─……

─그래야 해.

그가 숨을 골랐다.

─함께 지내잔 말이야. 에밀리랑 함께. 함께 먹고 이도 같이 닦고 아침에 같이 깨어나고 밤에 같이 잠들고…… 책도 함께 읽고 그

러……

　나는 말을 채 마치지 못했다. 그에게 내가 함께하자는 것들을 하나하나 열거해갈수록 어떤 날들이 눈앞에 떠올랐다. 그의 팔을 붙잡고 있는 내 손에서 힘이 빠졌다. 툭 떨어지는 내 손을 그가 잡았다. 아무런 약속도 기대도 없이 우연히 우리의 시간 속에 발생했던 날들. 내가 그랬던 것처럼 그도 단이와 미루와 그와 내가 함께 지냈던 그 빈집에서의 날들을 떠올리고 있는 것 같았다. 단이는 우리와 함께 지냈던 그 집에서의 시간을 두고 아마 일생 동안 잊히지 않을 것이다, 라고 했었지. 그 집은 한 번 가본 곳인데도 조금도 헤매지 않고 다시 찾아갈 수 있을 것 같아, 라고. 그러니 꿈은 아니었겠지, 라고. 너와 함께 그런 시간을 보낼 수 있어서 행복했다, 고. 단이는 우리 넷이 함께했던 그 어느 날 그 집의 부엌에서 미루와 약속했다고도 했다. 미루의 비어 있는 노트 여백에 언젠가 그림을 그려넣어주겠다고. 단이는 썼다. 가끔 그 신새벽에 그 빈집의 식탁 앞에서 했던 미루와의 약속이 생각날 때가 있다. 그런 날이 오겠지. 언젠가 말이야. 언젠가 우리가 다시 만나는 날 너희 셋이 쓴 문장들의 빈틈에 그림을 그려줄게, 라고.
　―미루 생각하고 있어?
　그의 눈썹이 꿈틀했다.

　그와 나는 학교를 빠져나와 윤교수의 시골집으로 가는 버스를 타기 위해 종로 3가까지 걸었다. 아무런 말도 하지 않고 걷기만 했다. 찬바람이 느껴질 적마다 그가 주머니에서 손을 빼서 내가 두르고

있는 목도리를 여며주었다. 두 손바닥을 비벼서 따뜻해지면 내 뺨을 감싸주었다. 우리가 청량리에서 버스를 내려 다시 덕소로 가는 버스로 갈아타고 맨 뒤에 앉았을 때 눈발이 희끗희끗 비치기 시작했다. 그가 공허한 목소리로 어서 세월이 많이 흘러갔으면 좋겠다, 정윤, 하고 말했다. 용서할 수는 없어도 이해할 수 있는 나이가 되었으면 좋겠다, 고. 아주 힘센 사람이 되었으면 좋겠다, 고.

.. ..

　윤교수의 시골집이 있는 마을은 크리스마스 카드에 나오는 것처럼 흰 눈으로 덮여 있었다. 윤과 내가 버스를 타고 오는 동안 그 마을에도 눈이 내린 모양이었다. 버스에서 내려 마을까지 걸어들어가는 동안에 그쳤던 눈이 다시 흩날리기 시작했다. 눈은 하얗게 쌓여 있을 뿐 아무도 걸어간 자국이 없었다. 우리가 처음 밟는 눈이었다. 윤교수님 집이 어딘 줄 알기는 해? 윤이 눈발 속에서 내 팔을 잡으며 물었다. 낙수장에게 그리고 윤교수에게 전화로 설명만 들었을 뿐 첫걸음이었다. 우리가 찾아갈 수 있을까? 눈이 이렇게 오는데? 윤이 걱정이 되는지 또 물었다. 우리가 지나갈 때마다 뽀드득, 눈 소리가 났다. 찾아갈 수 있어, 내가 다짐하듯 대답하자 윤이 웃었다. 진짜 뽀드득 소리가 나, 윤은 눈을 처음 밟아보는 사람처럼 뽀드득 소리를 듣기 위해 자꾸 눈을 밟았다. 들어봐, 뽀드득뽀드득뽀드득…… 윤이 뽀드득, 소리를 내며 빨리 걸었다. 앞으로 나아간 윤

의 발자국이 눈에 찍혔다. 나를 기다리고 서 있다가 내가 다가가니 저기 좀 봐, 뒤돌아보았다. 윤이 가리킨 쪽에 우리가 걸어온 발자국이 눈 위에 찍혀 있었다. 내 발자국은 컸고 그 옆에 찍힌 윤의 발자국은 작았다. 윤과 이렇게 발자국을 남기며 눈길을 걷고 있는 것이 좋았다. 이 세상 어디든 윤과 함께 걸어갈 수 있으면 좋을 것이다. 그렇게 눈 밟는 소리를 들으며 굽잇길을 몇 개 돌았다. 지난 태풍에 쓰러진 수령이 오래된 나무 위에도 눈이 소복이 쌓여 있었다. 새들이 눈 쌓인 나뭇가지에 앉아 있다가 우리 기척에 퍼드득 날아가기도 했다.

자꾸만 산속으로 들어가고 있는 것 같아, 윤이 말했다. 나도 그런 생각을 하고 있던 참이었지만 조금만 더 가면 돼, 길을 알고 있는 사람처럼 윤을 안심시켰다. 은근히 속으로 걱정을 하며 한 굽이를 더 돌았을 때다. 나타나지 않을 것 같던 마을이 내려다보였다. 윤과 나는 동시에 걸음을 멈췄다. 누군가 좀 전에 우리가 막 내디디려는 길까지 눈을 쓸어놓고 마을로 내려간 것 같았다. 누가 여기까지 눈을 쓸어놓았지? 윤이 시린 눈으로 나를 보았다. 글쎄, 나는 아닌데…… 내가 중얼거리자 윤이 나도 아닌데…… 웅얼거렸다. 산으로 둘러싸인 마을은 하얀 눈으로 덮여 있었다. 집은 몇 채 되지 않았다. 세상이 온통 하얗게 보였다. 다만 바로 우리 앞에서부터 눈이 쓸린 길만이 지도처럼 계속 이어졌다. 우리는 언덕에 서서 눈이 쓸린 길을 눈으로 짚어보며 따라갔다. 눈이 쓸린 길은 굽이진 길을 내려가고 마을로 들어서더니 큰길을 따라 이어지고 곧 작은 길을 따라 이어지고 더 작은 길을 따라 구불구불 이어졌다. 사방이 온통 하

얀 눈으로 덮여 있어 눈이 쓸린 길은 이정표처럼 눈에 띄었다. 눈이 쓸린 길은 그렇게 이어지고 이어지다 어느 집 앞에서 끊겼다. 저 집 일 거야. 응? 저 집일 거라구.

윤이 눈이 쓸린 길이 닿아 있는 집을 가리켰다. 이쪽에서 보면 끊긴 것이지만 그쪽에서 보면 그 집 앞에서부터 눈이 쓸린 길이 시작되고 있었다. 윤교수님 집이 저 집이야. 우리는 안내표시 같은 눈이 쓸린 길을 따라 마을을 향해 내려갔다. 먼저 눈으로 따라가본 그 길을 걸어갔다. 윤의 예측처럼 그 집이 바로 윤교수의 집이었다. 대문이 열려 있고 거기 마당에 윤교수가 서 있었다. 윤교수가 서 있는 마당에도 눈이 하얗게 쌓여 있었다. 나목들이 눈에 덮여 여기저기 우뚝우뚝 서 있었다. 길과 마당을 구분하기 위한 것으로 여겨지는 낮은 담장 안쪽에 우리가 밟고 내려온 길을 쓸어낸 튼튼해 보이는 대빗자루가 세워져 있었다. 마당의 눈은 그대로 두고 대문 앞에서부터 쓸기 시작한 모양이었다. 윤과 내가 안으로 들어설 때까지도 윤교수는 어서 오게, 라든가 찾아오기는 어렵지 않았나, 같은 말을 하지 않았다. 그저 한 발짝 한 발짝 다가가고 있는 윤과 나를 물끄러미 응시하기만 했다. 우리가 윤교수 앞까지 갔을 때 저쪽 담의 개집에서 개 한 마리가 튀어나왔다. 누런 털을 가진 덩치가 큰 개였다. 윤은 윤교수에게 인사를 하기도 전에 꼬리를 흔들며 다가온 개의 등을 쓰다듬었다. 개가 귀를 내리고 윤교수 옆에 섰다. 덩치만 크다네. 아주 순해.

윤교수가 손을 뻗어 윤의 어깨를 탁탁 두드려주었을 때다. 윤이 갑자기 눈 쌓인 마당에 털썩 주저앉았다. 처음엔 윤이 뭐에 걸려 넘

어진 줄 알았다. 흰 눈이 쌓인 마당에 주저앉은 윤의 어깨가 들썩이
는 것 같더니 곧 울음을 터뜨렸다. 내가 놀라 윤을 부축해 일으켜세
우려고 하자 윤교수가 그냥 두게, 했다. 오래전, 오래전이라고 써놓
고 보니 아주 오래된 일 같다. 그날 새벽, 일영의 그 강변에서 세수
를 마친 듯하던 윤의 얼굴에 묻어 있던 눈물방울. 한번 터뜨린 울음
을 윤은 쉽게 그치지 않았다. 여태 어떻게 참고 있었나, 싶을 정도
였다. 윤의 눈이 곧 퉁퉁 부어올랐다.

　윤교수는 미루의 일을 알고 있었다. 어떻게 아셨어요? 물을 만한
일이 아니었다. 왜요? 라든가 어떻게? 라든가 그런 말을 정확히 따
져가며 물을 수 있는 일들만 우리에게 생긴다면 좋겠다. 내 복잡한
심중을 헤아렸는지 윤교수가 미루 어머니로부터 편지를 받았다고
했다. 미루 어머니는 나를 만나고 싶어하지 않는다. 윤을 데리고 미
루의 외할머니 댁에 가고 윤교수에게 편지를 쓰면서도 나에게는 일
절 연락하지 않는다. 미루의 일을 이미 알고 있어서 윤교수는 내가
연구실 열쇠 일로 전화했을 때 윤과 꼭 함께 찾아오라고 했던가보
았다. 몇 번이고 꼭 윤과 함께 오라고 당부했었다. 울음을 그친 윤
을 데리고 안으로 들어갔을 때는 날이 어두워지려고 했다. 윤교수
의 집은 단출했다. 거실에는 탁자와 의자, 부엌에는 사인용 식탁과
의자, 방안에는 책상과 의자가 있을 뿐이었다. 거실 창 쪽에 길게
놓여 있는 의자에 앉자 마당에 하얗게 쌓인 눈 위에 찍혀 있는 우리
의 발자국이 보였다. 갑자기 털썩 주저앉아 울음을 터뜨린 윤이 안
타까웠는지 윤의 주위를 빙빙 돌던 덩치 큰 개의 발자국도 어지럽
게 찍혀 있었다. 윤교수는 부엌으로 가서 보온 포트를 들고 나와 모

336

과차를 큰 잔에 가득 따른 뒤 윤 앞으로 먼저 밀어놓고 내 앞의 큰 잔에도 따랐다. 다 울었나? 말은 윤에게 하면서 윤교수는 창밖을 내다보았다. 윤은 모과차가 담긴 큰 잔을 손바닥으로 감싼 채 들고 고개를 숙였다. 저 나무를 들고 찾아왔었네. 미루 얘기인가보았다. 함께 심었네. 꽃사과나무라네. 미루가 외할머니 댁으로 내려가기 전에 마지막 만난 사람이 어쩌면 윤교수일지도 모른다는 생각이 들었다. 봄이 되면 잎이 돋고 잎이 지면 열매가 생기겠지. 여름을 잘 넘기면 가을이 오기 전에 아주 붉은 꽃사과를 볼 수 있을 거야. 윤과 나는 나란히 앉아 마당의 여러 나무들 중 윤교수가 꽃사과나무라고 가리킨 나무를 내다보았다. 나무 위에 매달린 눈꽃들이 반짝 빛을 내고 있었다.

　내가 서른이 되기 전의 젊은 날에 편지를 한 통 받았네. 윤교수가 말문을 열며 야윈 몸을 소파에 기댔다. 안경 속의 눈빛은 여전히 창밖의 꽃사과나무에 매달려 있는 눈꽃에 머물러 있었다. 한 시절을 함께 보낸 친구에게서였네. 여자친구였지. 함께 많은 시간을 보냈네.

　함께 많은 시간을 보냈네, 라고 말한 뒤에 윤교수는 물끄러미 윤과 나를 건너다보았다. 우리를 바라보는 윤교수의 건조해 보이는 눈빛이 한순간 흔들렸다. 편지봉투 속에는 열쇠가 들어 있었어. 윤이 손바닥으로 감싸고 있던 모과차가 담긴 큰 잔을 탁자 위에 내려놓았다. 못 만난 지 몇 년이나 지난 뒤여서 그걸 받았을 때는 징검다리에서 넘어져 물속에 빠진 기분이더군. 대체 이게 뭐지? 싶은 의혹에 휩싸였어. 열쇠를 돌돌 말고 있는 종이를 펼쳐보니까 구불구불 길 표시가 되어 있는 약도와 날짜가 적혀 있었어. 이런 겨울이었

네. 약도 속의 집은 내가 한 번도 가보지 않은 곳이었어. 나는 그때 제대를 하고 미국의 한 대학에서 몇 달간 창작프로그램을 마치고 돌아와 시골집에서 잠시 겨울을 보내고 있었지. 전화도 흔하지 않은 때였네. 열쇠는 뭐고 날짜는 뭔지 알 수가 없어 꺼림칙한 마음으로 며칠을 보냈어. 편지에 적힌 주소로 의문이 담긴 내용의 답장을 썼던 것도 같은데 부치러 갈 수도 없이 눈이 내렸네. 그러는 사이 종이에 적혀 있는 날짜가 하루 이틀 지나버렸지. 눈이 그치고 열쇠를 감싸고 있는 종이에 적힌 날짜가 며칠 지난 다음에야 깨달았네. 내가 그 날짜 안에 그녀를 만나러 갔었어야 했다는 것을 말일세. 정신이 번쩍 났어. 그길로 눈길을 뚫고 기차를 탔네. 종이에 그려져 있는 약도 속의 그 집은 옥수동 꼭대기에 있었네, 한 번도 가본 적이 없는 동네였어. 낯선 동네에서 약도의 그 집을 찾아 헤맸지. 길은 얼어 있었고 날은 추웠네. 가파른 길에서 몇 번이나 미끄러졌는지 모른다네. 나동그라지던 어느 순간에 마음이 덜컹했네. 그녀가 이런 곳에 살고 있었는가? 싶었지. 우리가 만날 때 그녀는 한남동인가 하는 동네에 살고 있었다는 기억이 났지. 그녀의 집에 초대받아 다녀온 뒤에 우리는 조금씩 멀어졌던 것 같네. 아니, 그녀는 똑같았는데 내가 그랬네. 뭐라고 정확히 말할 수는 없지만 손에 닿지 않는 사람 같았네. 어쩌다보니 말 한마디 없이 입영하게 되었고 편지를 보내왔는데도 답을 못 했네. 그녀가 면회를 왔을 때는 내가 휴가중이기도 했지. 그리 몇 번 어긋나다 소식이 끊겼어. 그런데 이렇게 가파른 곳에 그녀가 살고 있었던가? 싶으니 마음이 낭떠러지 아래로 굴러떨어지는 것 같더군. 마음이 성급해졌어. 겨우 약도 속의 그

집을 찾아냈네. 꼭대기에 올라서도 비좁은 골목골목 안에 약도 속
의 그 집이 있었지. 여러 세대가 살고 있는 다가구주택이었네. 초인
종을 누르고 손으로 문을 두드려봐도 기척이 없었어. 편지 속에 들
어 있던 열쇠를 꺼내 현관문 열쇠구멍에 넣어보니 딱 맞았어. 문을
밀고 안으로 들어가봤네. 인기척이 없었네. 신발은 가지런하고 모든
게 다 정돈되어 있었어. 누구 없나요? 안을 향해 소리를 쳐도 기척
이 없었어. 신발을 벗고 안으로 들어갔어. 아무도 없어요? 내 말만
빈집에서 메아리처럼 울렸지. 그렇게 한참 서 있다가 그 집의 문이
란 문은 하나하나 다 열어보았네. 안방이 있고 작은 방이 있더군.
사용한 지 오래된 것 같은 세면실 문도 열어봤어. 아무도 없었어.
냉기만 돌 뿐 텅 비어 있었지. 남의 집에 계속 그러고 있을 수도 없
어서 다시 그 집을 나왔네. 열쇠로 문을 잠그고 계단을 내려왔어.
뭔지 이상해서 자꾸 뒤돌아보며 골목을 따라 한참 내려왔네. 어느
순간 어떤 느낌이 뇌리를 확 스치고 지나갔어. 추운 날인데 식은땀
이 치솟았네. 아니겠지, 하면서도 나는 후다닥 좀 전에 내려왔던 골
목을 다시 미끄러지면서 허겁지겁 올라갔어. 제발 별일이 없기를
바라면서 말일세.

　윤교수가 말을 멈추고 나와 윤을 물끄러미 보았다. 차를 마시게.
윤이 탁자 위에 내려놓았던 큰 잔의 손잡이를 잡다 말고 내 앞의 잔
을 들어 내게 건네주었다. 나와 마주친 윤의 눈이 부어 있고 빨갰
다. 저 모과나무에서 열린 것들이네. 윤교수가 창밖의 나무들 중 눈
에 덮여 있는 키가 꽤 큰 나무를 가리켰다. 윤교수는 그만 이야기를
멈추고 싶은 모양이었다. 윤교수는 윤과 나를 보더니 고개를 끄덕

끄덕했다. 다시 그 집 앞에 당도해 열쇠를 구멍에 집어넣으면서도 그냥 돌아가고 싶었어. 그러고 싶었네. 문이 딸깍 소리를 내며 열렸지. 좀 전에도 보았던 신발이 가지런히 놓여 있었어. 나는 잠시 그 신발 앞에 서서 안방 문을 바라보았어. 골목을 내려가다가 갑자기 내 뇌리를 스치고 지나간 건 안방 문을 밀었을 때의 느낌이었지. 다른 방문들을 열었을 때와는 달리 문이 다 밀리지 않고 뭔가에 닿은 것 같았네. 나는 그냥 방 밖에서 문을 열고 안을 슬쩍 들여다봤었지. 그녀가 사는 집인지 아닌지 확실치도 않은데 편지에 넣어보낸 열쇠가 그 문에 맞았다고 해서 남의 집 방을 함부로 들어가볼 수는 없었으니까. 다시 돌아와 가지런히 놓여 있는 현관의 신발 앞에서 그냥 돌아갈까? 또 망설였네. 두려웠네. 큼, 소리를 내며 신발을 신고 뚜벅뚜벅 그 안방 문을 향해 걸었어. 다시 망설였다간 그 문을 열어보지 못할 것 같아서 확 열어버리고 문 뒤를 돌아다보았네. 골목을 다 내려가서 확 깨우쳐진 것, 내가 그 방문을 밀었을 때 뭔가에 닿은 듯한 그 느낌이 맞았더군. 이런 얘기를 하게 되다니, 그녀가 거기 있었네. 문 바로 옆 벽에. 목을 매고서.

윤교수와 나와 윤은 하얀 눈이 쌓인 마당이 어두워지는 걸 바라보고만 있었다. 얼마나 지났을까. 윤교수가 입을 열었다. 그때 내가 보았던 광경을 내가 어찌 다 잊겠나. 바래긴 해도 잊히지 않아. 그러니 자네들보고 잊으라고 하지는 않겠네. 생각하게, 생각하고 또 생각하게. 더이상 생각할 수 없을 만큼 생각해. 이 부당하고 알 수 없는 일에 대해 질문하고 회의해. 만일 내가 그녀의 편지에 쓰인 날짜에 제대로 도착했다면 나는 그녀를 살릴 수 있었을까. 아니, 어쩌

면 그녀의 죽음은 결정된 것이었고 다만 그녀는 나를 그녀의 죽음의 첫 입회인으로 맞이하고 싶었던 것일까. 알 수 없네…… 인간은 불완전해. 어떤 명언이나 교훈으로도 딱 떨어지지 않는 복잡한 존재지. 그때 나는 뭘 했던가? 하는 자책이 일생 동안 따라다닐걸세, 그림자처럼 말이네. 사랑한 것일수록 더 그럴 거야. 잃어버린 것들에 대해 절망할 줄 모르면 무슨 의미가 있겠나. 다만…… 그 절망에 자네들 영혼이 훼손되지 않기만을 바라네.

덩치 큰 개가 눈 쌓인 마당으로 나와 우리를 보고 눈 위에 앉았다. 우리와 마주 보고 있는 셈이었다. 얼마나 지났을까. 덩치 큰 개가 일어서더니 바로 창 앞까지 다가와 거기 바닥에 앉아 우리 셋을 바라보았다. 윤교수가 창을 열고 손을 내밀어 덩치 큰 개의 머리를 쓰다듬었다. 다정한 손길이었다. 윤교수가 무슨 생각이 난 듯 몸을 일으키고 우리를 바라보았다. 일어나게. 산에 가세.
마당에 어둠이 내리고 있었다. 이 시간에 왜 산엘 가자는 것인지? 나를 쳐다보는 윤도 같은 생각을 하는 듯했다. 우리들 마음과는 아랑곳없이 윤교수가 대문 앞에 세워져 있는 장대를 집어 윤과 나에게 하나씩 나눠주었다. 윤교수 자신도 장대를 들고 앞장섰다. 장대를 하나씩 들고 대문을 나서고 있는 우리가 우습기도 하고 비장해 보이기도 했다. 집이 몇 채 되지 않는 마을은 온통 눈에 뒤덮여 있었다. 사람이 살고 있지 않은 빈집도 보였다. 마당에도 눈은 가득이었다. 마을을 벗어나 산으로 올라가는 길엔 사람이 오고간 흔적이 없었다. 윤과 나는 눈에 푹푹 빠지며 윤교수를 뒤따르기만 했다. 우

리는 곧 소나무숲에 다다랐다. 하얀 눈이 쌓인 산엔 소나무뿐 아니라 키가 일정하지 않은 나무들이 빽빽했다. 앞서 걷던 윤교수가 걸음을 멈춘 곳은 노송들이 들어찬 숲이었다. 처음 보는 풍경이었다. 어둠 속에서 흰 눈에 덮인 노송들이 사람들처럼 서서 우리를 내려다보았다. 아름다워서 무릎이 저절로 꿇어지려 했다. 윤교수가 바닥에 닿아 있는 나뭇가지 위의 눈을 밀어냈다. 윤이 눈 쌓인 아름드리 노송 아래에서 고개를 들고 위를 올려다보았다. 눈을 털어주게. 여기서 겨울을 지내보니 이 상태에서 내일 또 눈이 내리면 이 나뭇가지들이 견디지 못하고 뚝뚝 부러질 거야. 그런 일이 생기기 전에 자네들과 내가 눈을 털어주세. 어떤 가지들은 벌써 눈의 무게를 못 이겨 뚝 부러져 있기도 했다. 윤교수가 먼저 장대를 들어 소나무 가지를 흔들었다. 살짝 건들기만 해도 나뭇가지 위에 쌓여 있던 눈들이 와르르 아래로 쏟아져내렸다. 눈송이들이 윤과 나의 어깨와 머리 위에서 흩어져내렸다. 우리는 윤교수를 따라 장대를 쳐들어 노송 가지들 위에 쌓인 눈을 털어내기 시작했다. 주춤주춤 시작한 겨울산 노송 가지에 쌓인 눈 털어내기에 우리는 곧 몰두했다. 밤인데도 산속은 쌓인 눈 때문에 어둡지가 않았다. 노송 사이에 간혹 서 있는 어린 소나무의 나뭇가지는 눈이 털리면 금방 탄력을 받아 위로 텅 솟아올랐다. 겨울 산속인데도 이마에 땀방울이 맺혀 눈가로 흘러들었다. 어떤 것들은 위로 솟아오르며 다른 가지 위에 쌓인 눈을 건드려 그 눈을 털어내기도 했다. 윤교수가 이미 가지가 부러져 눈 속에 파묻혀 있는 가지들을 들어올려주기도 했다. 앞으로앞으로 나아가다가 윤이 보이지 않아 옆이나 뒤를 보면 윤도 나를 잊은 채 정신없

이 나뭇가지의 눈을 털고 있었다. 윤교수가 눈을 털어내며 우리들 뒤를 따르다가 어둠 속에서 윤과 나를 물끄러미 바라보고 서 있었다. 온몸이 땀에 젖어들었다. 그러기를 얼마나 했는지 모른다. 산에 올라올 때 눈에 덮여 휘어져 있던 나무들이 모두들 밤하늘을 향해 솟아올라 있었다. 윤은 헉헉 숨을 몰아쉬면서도 계속 앞으로 나아가며 눈을 털어냈다. 산속은 우리들이 눈 털어내는 소리로 가득 찼다. 눈을 털다가 하늘을 보니 차가운 밤하늘에 별이 반짝였다. 눈을 들어 별을 보는 게 얼마 만인지. 그렇게 자정도 지났을 것이다. 윤교수가 보이지 않았다. 눈을 털다가 다시 돌아보아도 보이지 않았다. 걱정이 되어 눈 털기를 멈추고 아래로 뛰어내려가는데 등줄기에 땀이 흠뻑 배었다. 윤교수는 눈이 털린 노송 아래 앉아 있었다. 괜찮으세요? 자네 같으면 괜찮겠는가. 윤교수가 어슴푸레하게 미소 지었다. 나는 윤교수 옆에 앉아 윤이 숨차하며 나뭇가지에 쌓인 눈 털어내는 소리를 들었다. 윤교수가 깊은 숨을 내쉬며 노송 위의 밤하늘을 올려다보았다. 윤이 소나무 위의 눈을 털어내는 소리가 산속을 텅텅 울렸다. 내가 윤을 부르려 하자 윤교수가 만류했다. 스스로 멈출 때까지 그냥 두게.

—갈색노트 10

내.가.그.쪽.으.로.갈.게

> 나의 삶이 어디까지 이를지
> 그 누가 말해줄 수 있을까.
> 나는 아직도 폭풍 속을 거닐고 있는가.
> 물결이 되어 연못 속에 살고 있는가.
> 아니면, 아직도 나는 이른 봄 추위에
> 얼어붙은 창백한 자작나무일 뿐인가?
> ─릴케, 「나의 삶」

─크리스토프 얘기를 하겠어요.

나는 안경을 고쳐 쓰고 강의실을 둘러보았다. 반짝이는 눈들이 일제히 나를 보고 있었다. 채플시간에 학생들과 십오 분 동안 얘기를 나누는 시간이었다. 나는 안경을 벗어 탁자에 내려놓았다. 반짝이는 눈들이 조금 흐릿해 보였다. 뒷자리의 학생들은 아예 실루엣만 보였다. 윤교수 앞에서 그와 나를 비롯한 우리가 그랬던 것처럼 크리스토프? 싶은 의문이 학생들 사이에 섞였다. 나는 의아해하는 학생들을 바라보며 혼자 미소지었다. 젊은이들이 오로지 사랑스럽게만 보일 때 나이를 먹었다는 것을 실감한다. 나이를 먹는 게 나쁘지 않다. 청춘을 통과해내고 있는 젊은이들을 향한 은근한 부러움,

눈을 비비고 있어도 빛이 나는 그들을 향해 물결처럼 퍼지던 상실
감이 가라앉고 오로지 그들이 무엇에도 압박받지 않고 자유롭게 앞
으로 한 발짝씩 나아가기만을 바라게 되는 것도 나이를 먹는 일에
속하니까.

　─크리스토프라는 이름을 들어본 적이 있는 학생?

　나는 탁자의 안경을 들어 다시 썼다. 안경을 쓰자 학생들의 반짝
이는 눈빛들이 다시 내 눈 속으로 쏟아져들어왔다.

　팔 년 만에 그가 전화를 걸어와 윤교수의 소식을 전해왔을 때 나
는 사흘 동안 병원에 가지 않았다. 그날 전화를 받고 아침나절을 보
내고 난 뒤 책상을 정리하고 병원으로 출발하려고 했을 때 다시 걸
려온 전화는 낙수장이었다. 낙수장은 학교를 졸업하고 진짜 낙수장
이 있는 펜실베니아 주의 대학으로 건너가 건축공부를 한 뒤 돌아
와 내가 살고 있는 동네와 터널 하나를 사이에 두고 건축설계사무
실을 운영하고 있었다. 낙수장도 누군가로부터 윤교수의 소식을 전
해듣고 내게 전하려고 전화를 걸었던가보았다. 윤교수를 둘러싸고
관계를 맺고 있는 친구들의 전화벨이 모처럼 곳곳에서 울리고 있었
을 것이다. 낙수장으로부터 윤교수의 소식을 다시 전해듣자 현실이
분명하게 실감났다. 낙수장이 자동차를 가지고 집 앞으로 올 테니
함께 병원에 가자고 했을 때 나는 막 병원으로 나가려는 참이었음
에도 손님이 와서 얘기중이라 나중에 가겠다고 했다. 낙수장이 손
님? 하고 되묻다가 이내 그럼 병원에서 보자, 했다. 나는 수화기를
내려놓고 그대로 책상 앞 의자에 앉은 채로 밤을 맞았다. 깨끗이 정

리된 책상을 바라보다가 단이의 누나에게 보내려고 오래 모아놓은 의문사에 대한 민간단체의 기록들을 책상에 어지럽게 펼쳐놓고 세밀히 읽었다. 못다 한 사람들의 기록을 읽는 일은 고통이다. 갑자기 알 수 없는 죽음에 내몰린 사람들이 그리 많다는 사실을 어찌 받아들여야 할지. 단이 누나에게 군 의문사에 대한 수집 기록 부분만 따로 복사해서 보내기 위해 다음날은 내내 복사기 앞에 앉아 있었다. 충격과 상처를 잊지 못해 단이 얘기를 아예 하지 않는 단이의 가족을 설득해 그때의 사고를 재조사해달라는 청원서를 쓰자고 할 생각이었다.

병원의 윤교수를 보러 가는 시간을 그렇게 유예시킨다고 해서 달라지는 일이 없을 텐데도 나는 그러고 있었다. 윤교수가 병원에 있는 게 아니라 한 장의 백지를 내밀며 질문을 던지고 있는 듯했다. 지.금.뭘.하.고.있.는.거.야. 병원으로 가지 않고 있는 내내 불쑥불쑥 마음 안에서 솟구치는 자책을 밀어넣으며 나는 어떻게든 병원에 가는 시간을 늦췄다. 병원에 가는 순간 윤교수의 죽음을 기정사실로 받아들이는 것 같았으니까. 창밖엔 계속 눈이 내렸다. 언젠가 내가 폭설을 뚫고 윤교수를 찾아가다가 뭔가에 지는 마음으로 돌아왔던 것처럼 윤교수가 죽음으로부터 몸을 돌려 다시 돌아오기를 바랐다. 그 마음과 대적하듯이 이틀을 보냈다. 사흘째 되던 날 팽팽했던 긴장이 풀어지고 묘한 안도감이 들었다. 윤교수의 임종 소식을 듣지 않고 세월이 흘러갔으면 하는 생각을 무찌르기라도 하듯 나흘째 되던 날 저녁 무렵에 그에게서 다시 전화가 왔다. 전화벨이 울리는 순간, 나는 수화기 저편의 사람이 그라는 것을 알았다. 그가 무슨 말

을 할 것인지도.

　—오늘을 넘기지 못하실 것 같아.

　살아 있다는 것은 곧 다른 모양으로 변화할 것을 예고하는 일이고, 바로 그것이 우리들의 희망이라고 했던 윤교수. 태어나서 살고 죽는 사이에 가장 찬란한 순간, 인간이거나 미미한 사물이거나 간에 존재하는 모든 것들에겐 그런 순간이 있다. 우리가 청춘이라고 부르는 그런 순간이. 그가 팔 년 만에 두번째로 전화를 걸어와 오늘을 넘기지 못하실 것 같아, 라고 말했을 때, 아무 말도 잇지 못하고 있는 나를 향해 윤아, 라고 불렀을 때, 까마득히 잊고 있던 우.리.오.늘.을.잊.지.말.자, 고 하던 그의 목소리가 폭포를 거슬러오르는 연어떼처럼 현재의 내 시간을 일깨웠다.

　병원에 도착해서 엘리베이터를 타고 윤교수가 입원해 있는 병동에 내려 병실을 향해 걸어갈 때 복도에 울리는 내 발소리가 또각또각 들렸다. 한번 신경을 쓰기 시작하자 그 어떤 소리도 들리지 않고 구두 소리만 점점 커져서 내 귀를 가득 채웠다. 견딜 수 없어서 잠시 걸음을 멈추었다. 저편 복도 끝에 누군가 벽에 등을 대고 서 있었다. 그 사람이 나를 보는 것 같더니 벽에서 등을 떼고 바로 섰다. 그였다. 꽤 먼 거리인데도 나는 그를 단박에 알아보았다. 다시 한 걸음 내디디려다가 우두커니 서서 그쪽을 바라보았다. 그도 내 쪽을 바라보고 서 있었다. 내가 걸음을 다시 옮기자 그도 내 쪽을 향해 걸어왔다. 우리는 천천히 걸어 복도에서 마주 보고 서게 되었다.

　—왔구나.

그는 정장 차림이었다. 그의 시선이 잠시 내 얼굴에 고정되었다. 나도 그의 눈을 응시했다. 그의 눈썹이 새가 날아가는 것처럼 꿈틀했다. 그 순간 그를 처음 봤을 때의 시간 속으로 생각이 곤두박질치려 해서 나는 얼른 등을 바로 세우고 곤색 양복 속의 오트밀 빛 와이셔츠와 넥타이 쪽으로 시선을 옮겼다. 잡지나 신문에서 봤던 그는 늘 카메라를 들고 있는 모습이었다. 언젠가는 피사체를 향해 무릎을 꿇고 사진을 찍고 있는 그의 모습이 실린 인터뷰 기사를 읽기도 했다. 그의 곁에는 어린아이만한 배낭이 놓여 있었다. 설치미술가와 함께 미국 동부를 열차로 횡단하며 작업하는 과정이 실린 기사였다. 그의 배낭을 들어보려다가 무거워 들지 못하고 내려놓았다고 기자가 써놓았다. 그렇게 무거운 배낭을 짊어진 채 그는 다가오는 열차를 찍을 수 있는 가장 높은 데까지 비호처럼 달려간다고 했다. 그때마다 생긴 무릎의 상처가 더께처럼 굳어 있다고도 씌어 있었다. 그는 피사체를 향해 미끄러지고 무릎을 꿇으며 사진을 찍는 사람이 되어갔다. 그가 글 쓰는 사람이 아니라 사진 찍는 사람이 되어가는 것을 나는 구독하는 신문이나 우연히 펼쳐보게 되는 잡지에서 만났다. 처음엔 그를 발견하면 복잡한 마음으로 오래 응시했지만 차츰 그런 일에 익숙해졌다. 그는 늘 어딘가를 떠돌아다니는 것 같은 이미지였다. 그래서였을 것이다. 정장 차림의 그가 낯설었던 것은.

―가자.

그가 한 발짝 앞서 걸었다. 복도를 돌아서자 거기에 아는 얼굴들이 옹기종기 서 있었다. 둘이 혹은 몇몇이 모여 있기도 했고 혼자

구두 끝만 내려다보며 생각에 잠겨 있는 친구도 있었다. 나를 보고 눈으로 인사를 하는 친구도 있었고 손을 내밀어 내 어깨를 툭 치는 이도 있었다. 그들 중 한 사람이 정윤, 왜 이제 와? 하며 책망하듯 말했다. 나를 보자 왔구나, 하더니 가자…… 하며 나를 윤교수 앞으로 데려가려는 안내자처럼 계속 한 발짝 앞서 걷고 있던 그가 병실 앞에서 뒤돌아보았다. 주머니에 넣고 있던 두 손을 빼내 내 어깨 위에 올려놓았다.

　ー마음을 단단히 먹어.

　그는 병실 앞에서 기다릴게, 하다가 아니다, 함께 들어가자, 며 나를 따라 들어왔다. 나는 그가 왜 나를 따라 들어왔는지 병실 안에 들어서자마자 깨달았다. 나도 모르게 그의 손을 꽉 붙잡았다. 윤교수의 육체는 투명한 유리관 속에 있었다. 얼굴과 팔만 유리관 밖에 가만히 놓여 있었다. 자연스런 호흡을 할 수 없는 상태라 코와 목에 호흡과 섭식을 위한 기구들이 매달려 있었다. 온몸이 부어 있어 뼈에 도배를 해놓은 것 같던 윤교수의 평소 모습을 찾아볼 수가 없었다. 나는 부어오른 육체와 떨어져 유리관 밖에 나와 있는 윤교수의 팔을 바라보았다. 더이상 주삿바늘을 꽂을 수 없을 정도로 빈틈없이 바늘 자국이 남아 있는 팔 아래 가만히 놓여 있는 야윈 손을. 손만은 내가 알고 있는 윤교수의 손이었다. 윤교수의 손가락들은 거칠었지만 불빛 때문인지 피부는 어린아이처럼 투명했다. 야윌 대로 야위어 나무 펜대처럼 보이기도 했다. 윤교수의 손에 닿고 싶은 나의 손이 꽉 붙들고 있는 건 그의 손이었다.

　ー하고 싶은 말 해.

그가 윤교수의 얼굴에 시선을 둔 채 말했다.

―알아들으셔.

저 상태로 우리의 말을 알아들으신다구? 내가 가만있자 윤교수 곁으로 다가간 그가 교수님, 정윤이 왔습니다, 했다. 투명한 유리관 속의 윤교수의 육체는 미동이 없고 얼굴은 고요했다. 숨을 쉬고 있다는 것조차 믿기지 않을 정도였다. 날카롭고도 다정했던 윤교수의 두 눈 또한 움직임 없이 조용히 감겨 있었다. 누군가 병실 문을 조심스레 열고 윤교수 곁에 있던 간병인에게 손짓했다. 간병인이 나가자 병실의 고요한 정적 속에 그와 나, 윤교수 셋만 남았다. 나는 손을 뻗어 윤교수의 손을 잡아보았다. 살거죽이 힘없이 밀리면서 온기가 느껴졌다.

―손바닥을 펴봐.

그가 나직이 말했다.

윤교수의 손가락들이 내 손 안에서 움직이는 것 같았다. 그가 하라는 대로 손바닥을 폈다. 윤교수가 손가락을 구부렸다. 나는 윤교수의 야윈 손가락 아래 내 손바닥을 대주었다. 윤교수의 손가락들이 내 손바닥 위에서 가만가만 움직였다. 모…든…것…엔…끝…이… 눈을 부릅뜨고 펜대가 된 윤교수의 손가락을 바라보았다. 윤교수가 내 손바닥 위에 쓴 글씨는 모.든.것.엔.끝.이.찾.아.오.지. 였다.

병원에 왔다가 집으로 돌아가지 않은 친구들이 늘어났다. 나도 그들 속에 섞였다. 저녁에 잠시 택시를 타고 집으로 가 에밀리의 밥그릇에 사료와 물을 챙겨주고 다시 병원으로 갔다. 그는 단 한순간

도 병실 주변을 떠나지 않았다. 나는 그의 옆에 서 있거나 병실 주변의 식당이나 카페에 삼삼오오 모여 있는 무리 속에 끼어 있었다. 주머니에서 손을 빼지 않은 채 누군가 무슨 얘기인가를 멈추지 않고 계속 이어나가기를 바랐다. 손을 씻지도 않았다. 윤교수가 쓴 글씨가 지워질 것 같아서. 시켜놓은 음식들은 차갑게 식었고 빈속에 술을 마셨다. 사흘 후에 윤교수는 세상을 떠났다. 온종일 날이 흐리더니 급기야 눈보라가 치던 저녁 무렵이었다. 병문안 오는 사람들의 모자나 어깨에 눈송이가 묻어 있곤 했다. 아침 저녁으로 병원에 들르는 낙수장과 함께 병실 바깥에 서 있다가 윤교수가 임종했다는 전갈을 들었다. 나는 병실 앞의 긴 복도를 또각또각 소리내어 걸었다. 엘리베이터를 타고 일층에서 내려 병원 건물 뒤쪽으로 그냥 걸어갔다. 자꾸 무릎이 꺾이려 했다. 사람들의 눈에 띄지 않는 후미진 곳에 등을 기대고 서서 구두 끝만 내려다보았다. 몸이 아프기 시작한 후 삼 년 동안 당신 곁에 우리를 근접하지 못하게 했던 윤교수는 죽음을 예감했는지 누나에게 전화를 해 병원에 데려다달라고 했다고 했다. 입원한 후에도 혼자 있기를 원하다가 힘에 겨워 더이상 목소리를 낼 수 없게 된 후에야 우리에게 알리는 걸 허락했다고 했다. 내 손바닥에 모.든.것.엔.끝.이.찾.아.오.지. 라고 써주었듯이 혼미함 속에서도 윤교수는 병문안 온 사람들의 손바닥에 뭐라고 쓰곤 했다. 내 앞에 왔던 사람의 손바닥에는 나.도.발.생.했.으.니.소.멸.하.는.것.이.네. 라고 썼고 낙수장의 손바닥엔 거.기.엔.별.이.있.어. 라고, 윤교수 댁을 찾아갔다가 집으로 들어가지 못하고 높은 곳에 올라가 바라만 보고 왔던 이의 손바닥엔 꽃.이.피.면.지.지.않.나. 라고

썼으며 그의 손바닥엔 별.은.그.자.리.에.서, 라고 썼다. 미루와 단이
가 곁에 있었다면 무슨 말을 써주었을지. 윤교수가 누군가의 손바닥
에 마지막 남긴 말은 화.장.을.하.고.나.무.밑.에.묻.어.달.라, 는 것이
었다.

  그해 학교를 떠난 윤교수는 다시 연구실로 돌아가지 않았다. 시
를 쓰는 것 같았으나 발표를 하지 않아 우리가 읽을 수는 없었다.
그는 시골집에서 근처 산의 나무를 돌보고 땅에 끊임없이 무엇인가
를 심고 거두어 우리에게 나누어주며 지냈다. 나무 밑에, 라고만 했
을 뿐 어느 나무인지 무슨 나무인지 지칭하지 않았기 때문에 윤교
수가 세상을 떠난 후 우리가 가장 많이 나눈 이야기는 의외로 나무
에 대한 이야기가 되었다. 울진에 있는 굴참나무가 등장했고, 효자
동의 백송이 얘기되기도 했다. 낙수장은 이제 그 백송을 볼 수 없다
고 했다. 어느 해 폭풍에 쓰러져 그 터만 남았다고. 효자동 사람들
이 백송을 살려보려고 무진 애를 썼으나 허사였다고. 백송은 사라
지고 그 터를 둘러싸고 다른 소나무를 심어놓았다고. 세상에 존재
하는 수목원 이름들도 수없이 등장했다. 각자 그동안 보아온 소나
무, 떡갈나무, 산벚나무, 비자림, 벽오동…… 나무들의 이름이 장례
기일 내내 우리 사이에 떠돌았다. 남해에 가면 어느 작은 마을, 바
다가 보이는 들판에 왕후박나무가 자라고 있다고 한다. 오백 년도
더 전에 마을의 어부가 어느 날 바다에서 그때껏 보지 못한 큰 물고
기를 잡았는데, 고기의 뱃속에서 씨가 나와 무엇인지도 모른 채 그
걸 가까운 땅에 심어두었더니 봄이 되어 그 씨에서 싹이 나와 자란

것이 왕후박나무였다고도 했다. 나무 얘기를 하다보면 어디서 태어
나 자랐는지에 따라 같은 나무를 다른 이름으로 알고 있는 경우도
수없이 많았다. 그가 후박나무라고 말하는 나무를 낙수장은 그건
일본목련 아니냐고 해서 책을 가져와 따져보기도 했다. 후박나무는
그가 성장한 남쪽 도시 근처에서 흔하게 있는 나무였다. 후박나무
를 본 적이 없는 나무 기르는 사람들이 후박나무를 두고 일본 목련
이라 퍼뜨리는 통에 혼선이 빚어진 모양이었다. 우리는 순간순간
윤교수의 장례식장에 있다는 것도 잊어버린 채 나무에 대한 이야기
들을 나누고 또 나누었다. 울진의 굴참나무 얘기가 나오면 누군가
안동의 굴참나무 이야기를 꺼냈다. 안동의 굴참나무에 봄에 소쩍새
가 날아와 울면 지금도 어김없이 풍년이 든다고 하면, 누군가 울진
의 굴참나무는 고려시대의 장군이 전투에 패하고 지나가다가 칼을
꽂은 것이 지금의 굴참나무가 되었다고도 했다. 윤교수의 장례식장
은 나무에 대한 견해가 오고가는 강의실 같았다. 불두화며 백당이
며 주목이며 구상나무 이야기들이 쉴새없이 이어졌다. 나는 그 사
이에 끼어 엄마 묘소에 있는 백일홍을 떠올렸다. 아름드리 백일홍
나무의 가지들은 묘소를 덮고도 남아 선홍색 꽃이 피면 엄마 묘소
는 아주 먼 데서도 눈에 띄었다.

  윤교수는 마지막 생을 보낸 시골집이 있는 산의 소나무 아래 묻
혔다. 많은 의견들이 오고갔으나 그곳이 택해졌다. 수령이 이백 년
은 더 된 노송 아래 윤교수는 묻혔다. 그해 겨울 밤에 그와 내가 지
쳐 쓰러질 때까지 나뭇가지에 쌓여 있던 눈을 털어냈던 노송들 중

한 그루였는지도 모른다. 그때는 밤이라 보이지 않았는데 사방을 둘러보니 멀리 바다로 흘러가고 있는 강물이 내려다보였다. 뒤로는 병풍처럼 둘러싼 잣나무 산수유 들이 울창하게 들어차 있었다. 분 골함을 노송 아래 묻고 차례로 그 위에 흙을 한 줌씩 뿌렸다. 내 순 서가 되어 나도 손에 흙을 한 줌 감싸쥐었다. 차가운 흙을 손에 쥐 는 순간 모든 말들이 다 가라앉아버리고 남아 있는 말은 한마디였 다. 안녕히, 안녕히 가세요. 장례식을 마치고 우리는 새벽이 올 때 까지 술집에 앉아 공허하게 술을 마시다가 윤교수가 우리들의 손바 닥에 남긴 말들을 조합해보기 시작했다. 어떤 말이 앞에 나와야 한 다거나 뒤로 빠져야 한다는 의견들이 분분하게 오래도록 이어져 술 집 탁자에 얼굴을 묻고 자는 친구도 있었다. 윤교수가 우리의 손바 닥에 남긴 말을 모아보니 나의 크리스토프들, 함께해주어 고마웠네. 슬퍼하지 말게. 모든 것엔 끝이 찾아오지. 젊음도 고통도 열정도 공허도 전쟁도 폭력도. 꽃이 피면 지지 않나. 나도 발생했으니 소멸하는 것이 네. 하늘을 올려다보게. 거기엔 별이 있어. 별은 우리가 바라볼 때도 잊 고 있을 때도 죽은 뒤에도 그 자리에서 빛나고 있을걸세. 한 사람 한 사 람 이 세상의 단 하나의 별빛들이 되게, 가 되었다.

내가 크리스토프 이야기를 마쳤을 때 학생들 중 누군가 손을 들 었다. 주어진 시간이 짧아 질문을 받을 생각도 않고 있었다. 이야기 를 마치고 그만 물러날 준비를 하고 있던 나는 벗었던 안경을 다시 쓰고 손을 든 학생을 바라보며 고개를 끄덕였다.
—얘기 잘 들었습니다, 선생님. 그러면 우리는 크리스토프인가

요? 아니면 그의 등에 업힌 아이인가요?

 오래전, 크리스토프 이야기를 마친 윤교수가 그럼 여기서 한 가지 질문을 던져보기로 하지. 지금 이곳에 있는 여러분 각자는 크리스토프일까? 아니면 그의 등에 업힌 아이일까? 라고 우리에게 던진 질문을 방금 학생이 고스란히 내게 한 셈이었다. 오래전 일들이 바로 지금 벌어지는 일처럼 재현되는 것 같은 그런 순간에 놓이게 되면 시간이 직선으로 흘러가고 있다는 생각에서 벗어나게 된다. 질문을 한 학생 옆에는 사촌언니의 딸 유선이 앉아 있었다. 일요일 날 사촌언니와 만나 점심을 먹을 때 젓가락으로 깻잎을 한 장 집어들다 말고 유선은 이모가 채플시간에 학교에 초대 손님으로 온다고 학교 방송에 나왔어. 진짜야? 물었다. 사촌언니가 방송에 나왔으면 진짜지, 그럼! 확인시켜주자 사촌언니를 빼닮은 유선이 고개를 갸우뚱했다. 목욕탕을 함께 다니고, 치과에 가기 싫어 의사와의 약속을 번번이 어겨 간호사로부터 전화를 받고, 귤을 까먹다가 접시에 마지막 한 개가 남으면 재빨리 집어가기도 하는 이모가 채플시간에 초대되어 온다는 게 믿기지 않는 눈치였다. 자꾸만 이상하네, 이상하네, 유명한 사람들만 오는 것 같던데, 하던 유선이 말끝을 흐리곤 나 그 시간 싫어해, 이모! 자주 빼먹곤 했어…… 나 안 가도 되지? 해서 오지 않은 줄 알았다. 유선이 총명한 눈을 뜨고 질문한 학생 옆에 앉아 있는 걸 보니 나도 어색했다. 유선에게 나는 옷을 바꿔 입거나 머리를 빗겨주는 이모일 뿐이었다. 내 눈에도 에밀리의 발톱을 서로 깎겠다고 하다가 방바닥에 미끄러지곤 하던 유선이 학생들 사이에 앉아 있으니 의젓해 보이기는 마찬가지였다. 서로 얼굴

을 보며 웃는 걸 보아 질문한 학생은 유선의 친구이기도 한 모양이었다.

나는 대답을 하기 위해 의자에 기대고 있던 등을 떼었다.

지쳐 쓰러질 때까지 산의 나무들 위에 쌓인 눈을 털어낸 그 밤에 눈은 다시 왔다. 다음날 눈이 또 쌓여버린 산의 소나무들을 바라보며 마을을 걸어나와 버스를 타고 도시로 돌아오는 동안 그는 내가 살고 있는 옥탑방으로 짐을 옮기겠다고 했다. 나는 내 옥탑방의 모든 물건들의 간격을 좁히고 그의 자리를 만들었다. 약속한 날 그는 나타나지 않았다. 새벽이면 이 도시 어딘가를 떠돌다가 아무데나 쓰러져서 전화를 하던 행동도 그쳤다. 무슨 연락을 해주길 기다리다 못해 그가 아르바이트를 하고 있던 잡지사를 찾아갔을 때 그는 한달음에 뛰어나왔다. 그에게서는 약속을 지키지 않고 전화도 하지 않은 사람의 미적거림이 조금도 느껴지지 않았다. 그가 다니고 있던 잡지사 사무실은 한강 너머의 아직 개발되지 않은 곳에 먼저 들어선 십층 빌딩 안에 있었다. 지금 생각으로야 겨우 십층이지만 그때는 그 주변에 십층 빌딩은 그 건물뿐이었다. 근처에 소나무가 우거진 능이 있었다. 내가 전화한 곳은 능으로 들어가는 입구의 공중전화였다. 전화를 건 내가 수화기를 내려놓고 부스 안에서 걸어나온 것이 먼저였는지 그가 저만큼에서 윤! 큰 소리로 내 이름을 부르며 나타난 것이 먼저였는지 가늠할 수 없을 만큼 빠른 속도로 그가 나타났다. 어색함을 느낄 겨를도 없이 그가 나를 와락, 껴안았다. 우리는 능 안을 빙빙 세 바퀴를 돌았다. 내가 뭐라 하지도 않았는데

그는 다시 약속을 했다. 사흘 후에 짐을 옮기겠다고. 사흘 후에 그는 또 오지 않았다. 내가 그에게 가면 그는 역시 한달음에 달려나와 나를 깊이 껴안았다. 껴안고 있는 시간이 점점 더 길어졌다. 그렇게 네 번쯤 약속이 다시 이어지고 번번이 지켜지지 않았다. 마지막 약속이 지켜지지 않았던 밤에는 그가 내 옥탑방을 찾아왔다. 그때의 그는 나를 껴안지 않았다. 묵묵히 옥상 바닥을 내려다보고 있었을 뿐이다. 우리는 언제나 그 자리에서 빛을 뿜어내고 있는 남산타워를 바라보았다. 무엇이 두려운가, 내가 물었던 것 같다. 그로부터 뜻밖의 대답이 돌아왔다.

— 함께 있으면 너와 나는 아플 거다, 흉측하게 될 거다.

아플 거다, 라는 말은 알아들었지만 흉측하게 될 거란 말을 이해할 수가 없었다. 잘못 들었나 싶어 뭐라 했어? 되묻기까지 했으니까.

— 이렇게 시작하면 나 때문에 너는 어디로도 가지 못하고 아무것도 할 수 없을 거야.

— ……

— 아마 나는 너를 사람들로부터 외딴 섬처럼 고립시킬 거야. 다른 사람들과 너를 차단시킬 거야. 오로지 나를 통해서만 너를 알 수 있도록 만들고 말 거다. 나는 네가 그 무엇하고도 관계되지 않기를 바라게 될걸. 항상 너와 떨어져 있지 않으려고만 해서 우리는 둘 다 흉해질 거다.

— 그럼 왜 약속을 했어?

— 나도 그러고 싶으니까.

추위에 떨며 타워의 불빛만 노려보았다. 그때는 그가 내게 한 말

을 이해하고 싶지도, 이해가 되지도 않았다.

어떤 시간을 두고 오래전, 이라고 말하고 있을 때면 어김없이 어딘가를 걷고 있는 듯한 느낌이 든다. 오래전, 이라고 쓸 수 있을 만큼 시간이 흐른 후에야 알게 되는 것들, 어쩌면 우리는 그런 것들로 이루어져 있는지도 모른다.

오래전 그때, 누구보다도 잘 알고 있다고 생각했던 그가 아주 낯선 사람 같았다. 옥상에 그는 없고 나 혼자 서 있는 것 같았다. 그의 마음을 헤아릴 수 없게 되었다고 생각하자 입술이 깨물어졌다. 오로지 그와 함께 있어야겠다고 생각했던 내가 구차하게 느껴졌다. 그가 내 이름을 불러도 대답하지 않았다. 손을 내밀어도 잡지 않았다. 그러니까 그에게 이제 나와 함께하는 일은 흉측하게 되는 것이란 말인가. 마음에 금이 가고 살얼음이 끼었다.

그가 무슨 말인가를 더 하려고 타워를 노려보고 있는 내 등을 돌려세웠으나 나는 그의 말을 더 듣지 않았다. 춥고 바람 부는 옥상에 그를 세워놓고 나 혼자 방안으로 들어와버렸다. 그때, 누가 옳았는지. 그가 이따금 내 이름을 부르며 문을 두드리는 소리를 안에서 들었다. 나는 그가 부르는 소리를 듣지 않으려고 안간힘을 썼다. 그에게 다시 나가지 않으려고 애쓰며 방안의 책상 앞에 앉아 있었다. 시위중인 이 도시에서 그와 내가 황급히 쫓겨 들어간 서점에 놓여 있던 시집을 뒤집어놓았다. 그가 문 두드리는 소리와 대적하는 심정

으로 뒤집어놓았던 시집을 손에 들고 펼쳤다. 수없이 읽어 외우게 되어버린 시를 한 줄 한 줄 읽었다. 문밖에서 그가 나를 부르는 소리에 지지 않기 위해 소리내서 읽었다. 그가 언제 돌아갔는지 모른다. 나는 책상에 엎드린 채 잠이 들었고 시집은 방바닥에 떨어져 있었다.

그는?

얼른 문을 열고 바깥에 나가봤을 땐 옥상 가득 눈이 쌓여 있었다.

갔구나.

그의 부재를 확인하자 무릎이 꺾이려 했다. 그의 자취를 찾아 사방을 두리번거렸다. 그는 눈이 내리는 동안에도 계속 문밖에 서 있었던가보았다. 문 앞에서 서성이고 서성였을 그의 발자국이 눈 위에서 뭉개지고 뭉개지고 또 뭉개져 있었다. 나는 뭉개진 그의 발자국에 발을 딛고 서서 하얀 눈 위에 찍혀 있는 그의 발자국을 바라보았다. 옥상을 걸어서 계단을 내려간 그의 발자국을. 그 발자국을 따라 나도 옥상을 내려가고 계단을 내려갔다. 내가 살고 있는 옥탑방으로 들어가는 그 집 출입구 쪽에서 다시 그의 발자국은 뭉개지고 있었다. 얼마나 많이 서성였는지 그 자리만 눈이 밟히고 밟혀 윤이 날 만큼 단단했다. 다시 아래 언덕으로 그의 발자국이 이어졌다. 그의 발자국은 오래전에 미루와 미루 언니와 함께 그가 살았던 집, 미루와 단이와 그와 내가 며칠을 함께 지냈던 집 쪽으로 향하고 있었다. 그 집 가까이 거의 다 갔을 때 그의 발자국은 한번 더 많이 뭉개졌다. 그 자리에 서서 이제는 다른 사람들이 살고 있는 그 집을 바라보았거나 생각에 잠겨 있었을 것이다. 발자국은 그 자리에서 다

시 돌려세워졌다. 발자국이 뭉개진 자리에 서서 새벽빛 속의 그 집을 바라보다가 나도 그의 발자국을 따라 다시 돌아섰다. 하얀 눈 위에 찍힌 그의 발자국을 따라 한없이 가다보면 그를 다시 만날 수 있을 것도 같았으나 곧 그의 발자국을 따라갈 수가 없었다. 처음 따라올 때는 눈 위에 그의 발자국만 찍혀 있었던 것이 또다른 사람이 그 새벽길을 걸어갔는지 발자국 몇 개가 뒤섞이더니 그 위로 청소차가 지나가 모든 발자국 위에 바큇자국만 남아 있었다. 그의 발자국을 지워버린 바큇자국을 오래 바라보다가 옥탑방으로 돌아왔다. 단출하게 가방을 꾸려 시골집의 아버지에게 가는 기차를 탔다. 그해 겨울 내내 아버지 곁에서 지냈다.

그것이 우리의 작별도 아니었다.

아버지의 집이 있는 그 고장에 일주일도 넘게 장설이 내리던 날, 그가 이 도시에서 걸어서 그곳에 왔다. 그 엄청난 눈길을 뚫고. 발가락은 동상에 걸려 있었고 뺨은 부르트다 못해 물집이 생겨 있었다. 무슨 짓이야? 그는 나의 책망을 말없이 들었다. 이럴 거면서 왜 함께 있을 수는 없는 거야? 그는 대답하지 않았다. 그는 시골집에서 아버지와 함께 사흘을 지내다 갔다. 윤교수 댁에서처럼 마을의 뒷산에 올라가 소나무 위에 쌓인 눈을 털어내기도 하고 장기를 두기도 하고 엄마 묘소에 가는 아버지를 따라나서기도 하며. 그가 돌아갈 때 도시까지 다시 걸어갈까봐 기차표를 끊고 기차역까지 배웅을 했다. 일찍 도착한 기차역의 대기실 안에서는 아무 말 없이 앉아만

있던 그가 표를 확인하는 개찰구 앞에서 내 이름을 불렀다. 내가 바라보자 도시에 돌아오면 예전에 우리가 남산에서 하려다 못 한 걸 해보자고 했다. 내가 뭐? 라고 묻자 그는 모르는 사람 껴안아주기…… 혼잣말 하듯 웅얼거렸다.

그 겨울이 지나고 봄이 온 어느 날, 명동성당 앞에 서 있던 그의 모습이 떠오른다. 그가 '당신을 안아드립니다'라고 쓰인 피켓을 들고 서 있었다. 나는 그가 피켓까지 만들어 들고 나올 줄은 생각하지 못했다. 성당 앞에서 만나기로 했지만 나는 선뜻 그 앞에 나서질 못했다. 그와 나는 일단 모르는 사람 백 명을 가슴에 안아보기로 했다. 백 명을 안아보고 난 후에 우리가 어떻게 할 것인지를 다시 생각해보기로. 모르는 사람을 안아보기로 한 첫 약속장소가 명동성당이었다. 그를 찾으러 숱하게 드나들던 곳이었다. 나는 성당 앞에 서 있는 그 앞에 나서지 않고 멀리서 지켜봤다. 그에게 선뜻 다가가지 않고 지켜보기만 했던 나를 지금도 설명하지 못하겠다. '당신을 안아드립니다'라는 피켓을 처음 보았을 때 내 마음 안에 번지던 그 야릇한 저항을 무엇이라 해야 할는지. 사람들이 피켓을 들고 서 있는 그를 힐끔힐끔 보며 지나갔다. 노골적으로 걸음을 멈추고 서서 그를 관찰하는 사람도 있었다. 그는 모르는 사람을 안아주기는커녕 거기 서 있는 자기 자신이 어색해서 몸 둘 바를 모르는 듯이 보였다. 지나가던 외국인이 다가와 그를 안아주었다. 외국인이 그를 꽉 껴안을 때 오히려 그의 손은 어색하게 아래로 떨어져 있었다. 그는 서너 시간을 그 자리에 버티고 서 있었다. 더는 그에게 다가오는 사람도 그

가 다가가는 사람도 없었다. 그렇다고 그가 나를 기다리고 있는 것 같지도 않았다. 그가 무언가에 패배한 듯이 '당신을 안아드립니다'라고 쓰인 피켓을 아래로 떨어뜨리는 걸 보며 나는 돌아섰다.

언젠가 우리에게 생긴 일들을 고통 없이 받아들이는 순간이 올 거라고 누군가 말해주길 간절히 바랐던 시간들.

그와 나는 모르는 사람 백 명을 껴안아주기에 실패한 후에도 헤어지지 못했다. 팔 년 전까지 끊임없이 무슨 약속인가를 했다. 약속을 하지 않으면 안 되는 사람들처럼. 기억할 수도 없는 지켜지지 않은 그 숱한 약속들. 지키지 못한 약속 위에 부질없이 또 다짐했던 약속들.

약속을 하며 이별을 보류했던 우리들.

미루의 소식을 들은 후 자신이 어디에 있는지 어디에서 전화를 거는지도 모른 채 새벽마다 전화를 걸던 그의 행동이 다시 시작되어 새벽마다 전화를 받기도 했다. 그때마다 나는 어디야? 물었던 것 같다. 단 한 번 그가 분명한 어조로 사과가 많이 나는 고장 이름을 댔다. 시외버스터미널에 나가 첫 버스가 출발하기를 기다려 그가 있는 곳으로 달려갔던 적이 있었다. 자전거를 빌려 타고 사과 과수원 옆으로 난 소롯한 길을 달리다가 손을 내밀어 아침이슬이 묻은 사과를 따서 나눠 먹었던 때가. 싱그런 사과를 아삭 베어 먹으며 함

빡 웃었던 때가. 그때의 우리는 그렇게 영원히 함께 앞으로 나아갈 사람들처럼 아무렇지도 않았다. 그 시기는 짧았다. 얼마 지나지 않아 그는 다시 자신이 전화를 걸고 있는 장소를 잘 설명하지 못했다. 나는 어디에 있는지 모르는 그를 찾아나섰다. 그를 찾을 때도 있었고, 찾지 못할 때도 있었다. 겨우 그를 찾아내 새벽 네시에 전화하는 사람은 간첩일 거야, 라고 말해 그를 웃게 했던 적도 있었다. 그가 아니라 모르는 사람에게서 새벽에 전화가 걸려왔던 날도 있었다. 누군가 담을 넘어 들어와 마당에서 자고 있다고 했다. 나쁜 사람은 아닌 것 같아 자는 사람을 흔들어 물어물어 겨우 전화번호를 알아내 전화를 하고 있다고 했다. 데리러 오지 않으면 경찰에 신고할 수밖에 없다고 했다. 어디예요? 물어 설명을 들으니 미루가 우리와 함께 살고 싶어했던 그 집이었다. 새벽바람 속을 뛰어 그를 데리러 갔을 때 그가 나를 보고 미루야……라고 불렀다. 기억하지 못해도 아마 나도 언젠가 그를 두고 단아, 라고 불렀을 것이다. 그와 내가 더이상 약속을 하지 않기 시작한 것은 혹시 그 새벽 이후부터였을까? 우리가 더이상 서로를 향해 그쪽으로 갈게, 라고 말하지 않게 된 때가?

　며칠 전 요양원의 아버지에게 가려고 기차역으로 가는 버스를 탔다가 옆 좌석에 앉은 사람이 펼쳐든 신문에서 그를 보았다. 그의 사진전을 알리는 기사였다. 내가 신문에서 눈길을 떼지 못하니 옆 사람이 신문을 내게 주고 내렸다. 신문을 펼쳐들고 에밀리— 사진이 좋다! 에밀리가 옆에 앉아 있는 듯이 중얼거렸다. 사진전의 제목은

'포옹하는 젊은이들'이었다. 모스크바 아르바트 거리의 젊은이들이
거리에서 서로를 안아주는 사진들을 비롯해 세계 각국의 젊은이들
이 서로를 포옹하는 다양한 사진들이 실려 있었다. 젊은이들이 서
로를 안아주는 사진 천 장을 찍느라고 그는 석 달을 떠돌아다녔다
고 씌어 있었다. 윤교수의 장례를 치르고 곧 길을 떠난 모양이었다.
왜 하필 서로를 포옹하는 젊은이들 사진인가? 라는 기자의 질문에
그는 이따금 자신을 파국으로 몰아가고 싶은 내부의 충동에 시달릴
때가 있는데, 젊은이들이 서로 포옹하는 모습이 그걸 이기게 해주
기 때문이라고 대답하고 있었다. 세상에서 가장 잘 웃지 않는 사람
들은 모스크바 사람들인데, 아르바트 거리에서는 서로를 안아주는
젊은이들을 보면서 그들도 미소를 짓더라, 고 했다. 자신도 그 아르
바트 거리에서 모르는 젊은이 백 명을 껴안아주었다고도.

　그도 그런가.

　나도 이따금 내가 폭격 맞은 것처럼 붕괴되고 있다고 생각될 때
가 있다. 감각이 마비되는 듯한 그 기괴한 불안과 겨루기 위해 두려
움을 밀어내며 기신기신 책상 앞으로 가서 앉을 때가. 나는 백 명의
모르는 젊은이들을 껴안아주었다는 그의 얼굴을 들여다보다가 서글
퍼져서 차창 바깥으로 스쳐 지나가는 한낮의 이 도시를 물끄러미
내다보았다. 언젠가는, 이라는 꿈과 고독을 품고 이 도시를 걷고 또
걷던 그때의 우리들이 버스 안의 나를 빤히 바라보았다.

그날 채플시간에 또 한 학생이 손을 들었다. 학생은 나의 이십대 시절에 비추어 지금 이십대들에게 가장 해주고 싶은 말이 무엇이냐고 물었다. 나는 학생들 사이에 앉아 있는 유선의 눈을 스쳐 지나 질문한 학생을 바라보았다. 수줍음을 타는지 질문하는 학생의 목소리가 떨렸다. 나도 모르게, 함께 있을 때면 매순간 오.늘.을.잊.지.말.자, 고 말하고 싶은 사람을 갖기를 바랍니다, 라는 말이 흘러나왔다. 학생들이 와아, 하고 웃었다. 나도 따라 웃었다. 그리고……내 말이 끝난 줄 알았다가 다시 이어지자 학생들이 다시 귀를 기울였다. 여러분은 언제든 내.가.그.쪽.으.로.갈.게, 하는 사람이 되었으면 해요.

최소한의 움직임도 힘겨워할 만큼 노쇠한 에밀리의 배에 종양이 생겨 수술이 불가피하다는 판정을 받은 다음날이었을 것이다. 새벽에 희미한 전화벨 소리에 잠이 깨었다. 정신이 들자 희미하게 들리던 전화벨 소리가 귀를 뚫을 듯이 크게 들렸다. 손을 뻗어 수화기를 귀에 가져다대자 낯선 청년이 거기가 정민이네 집이냐고 물었다. 아니라고 하자 갑자기 청년은 제발 정민이를 바꿔달라며 흐느껴 울었다. 나는 전화를 끊지 않고 수화기만 내려놓았다. 조금 후에 수화기를 들어보니 청년은 계속 울고 있었다. 내가 듣고 있든 아니든 청년에겐 상관없을 것이다. 청년에겐 지금 수화기를 붙잡고 울 수 있는 시간이 필요한 걸 테니까. 울고 나면 청년이 찾는 정민이와의 파국으로 인한 마음이 조금 가라앉을 테니까. 사이드테이블에서 옹송그린 채 잠이 들어 있던 에밀리가 깨어나 느릿느릿 배 위로 올라와

납작 엎드렸다. 이제 에밀리는 그루밍을 하는 것조차 힘들어한다. 에밀리가 수술을 견뎌낼 수 있을까요? 묻자 수의사는 에밀리는 놀랄 만큼 오래 살았다며 수술을 꼭 시켜야 하느냐고 내게 물었다. 나는 에밀리를 품에 안고 집으로 돌아왔다. 청년의 울음이 그친 것인지 저절로 전화가 끊긴 것인지, 수화기에서 뚜뚜― 소리가 날 때까지 에밀리의 목덜미를 어루만지고 있다가 수화기를 제자리에 내려놓았다. 그렇게 깬 잠이 다시 들지 않아 책상 앞에 앉아 있다가 책상 맨 아랫서랍을 열어보았다. 옥편이며 봉투며 프린트물들을 꺼내고 맨 밑의, 그가 갈색노트라고 이름 지은 노트가 들어 있는 상자를 물끄러미 내려다보았다. 그와 함께하지 않아도 괜찮아지기 시작하면서 거기 넣어 봉인해두었던 상자였다. 나는 상자를 꺼내 열고 노트를 펼쳐보았다.

왜 그때 그러지 못했나, 싶은 일들. 살아가면서 순간순간 아, 그때! 나도 모르게 터져나오던 자책들. 그 일과는 상관없는 상황에 갑자기 헤아리게 된 그때의 마음들, 앞으로 다가오는 어떤 또다른 시간 앞에서도 이해가 불가능하거나 의문으로 남을 일들.

그에게 바젤에 간 적이 있다고, 페루에 간 적이 있다고 말할 수 있는 날이 나에게 언젠가 오는지. 바젤의 미술관 아르놀트 뵈클린의 〈죽음의 섬〉 앞에서 미루야, 라고 그녀의 이름을 불러보았었다고, 그녀가 응? 하고 대답하는 것 같아 사방을 휘둘러보았었다고 말할 수 있는 날이.

안데스 산맥 기슭의 황량한 나스카 평원엔 사람의 눈높이로는 볼 수 없고 하늘에서만 볼 수 있는 해독이 불가능한 기하학적인 도형들이 황무지에 새겨져 있었다. 천오백 년 전에 나스카 인디언들이 새겨놓은 거라고 한다. 동물을 부릴 줄을 몰랐던 때라고 한다. 자갈들로 이루어진 기나긴 수백 개의 선들과, 만약 생명이 주어져 날기 시작한다면 평원의 얼마쯤이 그 날개의 그늘로 덮일 것 같은 거대한 새와, 나로서는 알 수 없는 기묘하고도 아름다운 짐승들의 형상들. 그것들은 손가락으로 파놓은 암호처럼 평원에 새겨져 있었다. 천오백 년 전에 새겨진 그 그림들이 지금까지 유지될 수 있었던 것은 나스카 평원이 열대림이 울창하게 우거지기 마련인 위도緯度에 자리하고 있으면서 지난 일만 년 동안 비가 내리지 않아 건조해서라고 했다. 일만 년 동안 비가 내리지 않는다…… 혼자서 중얼거렸다. 일만 년이란 시간은 나로서는 추측이 불가능한 시간이다. 일만 년이란 시간 동안 비가 내리지 않는 곳을 두고 그곳은 건조해서, 라고만 표현해도 되는 것인지. 지상에서는 그림 전체를 볼 수 없었다. 적어도 삼백 미터 이상 공중에 떠야 전체를 볼 수 있어서 일행과 헬기를 타고 도형들을 내려다보았다. 지그재그, 별, 가늠할 수 없는 크기의 식물들과 격자문양, 원, 삼각형, 사각형, 사다리꼴…… 도형들은 끝도 없이 이어지고 이어졌다. 기하학적이고 수수께끼 같은 도형들은 황량하고 광대한 나스카 평원만을 뒤덮고 있는 게 아니었다. 지상에서는 보이지 않았던 도형의 선들은 평원과 떨어져 있는 섬과 깊은 계곡과 하천 들과 안데스 산맥의 굴곡으로 정교하게 연결

되어 있었다. 자갈을 쌓고 또 쌓아 연결한 수백 개의 기다란 선들. 거대한 삼각형의 꼭대기가 잘려 있기도 했고 남쪽으로 날아가고 있는 듯한 새의 형상이 뚜렷이 보이기도 했다. 동물을 부리지 못했다 하니 그들은 그 엄청난 일들을 모두 손으로 해냈을 것이다. 공중에 떠서 내려다볼 수 있는 기구가 발명되기 전에, 그들은 어떻게 땅에서는 한꺼번에 조망할 수도 없는 이 거대한 도형들을 남겼을까. 천오백 년 전에, 왜? 어떻게? 라는 질문을 품은 채 내려다보다가 한 형상에 내 시선이 고정되었다. 거기 오십 미터는 될 것 같은 거미가 새겨져 있었다.

천오백 년 전에 황무지에 새겨진 거미를 내려다보는 시간이 내게 주어질 줄 어떻게 알았겠는가. 그토록 거미를 두려워하면서도 나를 끝까지 엄마 묘소로 데려갔던 단이. 비행기를 타고 여덟 시간을 날아간 로스앤젤레스에서 다시 비행기를 갈아타고 스물몇 시간을 더 날아가 닿게 된 안데스 산맥 나스카 평원의 거미 도형 앞에서 단이는 생생하게 되살아났다. 그 순간 얼음장처럼 차갑고 불빛 없이 어두웠던 내 마음 한켠이 쩡, 하고 갈라지며 새벽에나 뜨는 별빛 한 줄기가 빠른 속도로 그곳을 비추는 것 같았다. 온화한 느낌이었다. 아무도 모르게 나스카 평원을 내려다보며 단아, 하고 불러보았다. 황무지에 새겨진 천오백 년 전의 거미 형상 위에 단이의 얼굴이 겹쳐졌다. 두.려.워.하.지.마, 혼잣말을 했다. 너.를.잊.지.않.을.게, 라고도. 그때 겨우 나는 나 자신만으로 이루어진 것은 아니다, 라는 생각을 했다. 내가 보는 것, 내가 느끼는 것은 단이의 것이기도 하다는 생각을. 미루의 것이기도. 그들의 못다 한 시간을 내가 함께

살고 있는 것이기도 하다는 생각을.

　그의 노트를 한 장 한 장 넘겨가며 읽는 사이 책상 위로 새벽빛이
스며들었다. 에밀리가 겨우 힘을 내 책상 위로 올라오더니 노트를
읽고 있는 내 쪽을 향해 얼굴을 두고 몸을 웅크렸다. 걱정 마, 에밀
리…… 무엇을 걱정 말라는 것인지 분명치 않은 말을 에밀리의 목
덜미를 어루만지며 중얼거렸다. 에밀리가 나를 물끄러미 보더니 책
상 위에 물처럼 퍼졌다. 이 노트를 봉인하고 다시 열어보지 않았던
시간은 그와 만나지 못했던 팔 년이란 시간과 엇비슷하다. 봉인을
뜯고 다시 읽은 그의 노트의 모든 말들은 새로 읽혔다. 봉인시켜놓
을 때까지 셀 수 없이 읽고 또 읽어 다 외우고 있다고 생각했는데도
처음 읽는 것 같았다. 마지막 장을 넘기고 나서 나는 갈색노트를 감
싸놓은 검은 커버를 벗겨냈다. 그의 노트를 봉인할 때 지금과 같이
커버를 벗겨내던 순간이 고스란히 되살아났다. 거기에 언젠가 시위
가 있던 거리의 서점에서 그와 함께 선 채로 읽었던 프랑시스 잠의
얇은 시집과 단이가 내게 보낸 편지와 내가 뒤늦게 쓴 부칠 곳 없던
답장을 넣어두었다. 커버 안에 시집과 편지들이 그대로 눌려 있었
다. 시집을 꺼내고 편지를 바르게 편 뒤 노트 사이에 끼우다가 나는
잠시 막막하게 앉아 있었다. 윤교수 연구실의, 서른셋이 되기 전에
세상을 떠난 저자들의 책 사이에 꽂아두었던 미루의 노트는 지금
어디에 있는지. 단이가 용케도 부대로 가지고 들어갔다던 에밀리
디킨슨의 시집은 지금은 또 누가 읽고 있는지. 이미 이 세상의 것이
아닌지도 모른다. 나는 그의 노트를 다시 커버에 끼우려다가 노트

의 맨 뒷면을 돌려보았다. 거기에 무슨 문장이 씌어 있는 것 같아서. 나는 그 문장 앞에서 등을 바로 세우고 앉았다. 언.젠.가.언.젠.가.는.정.윤.과.함.께.늙.고.싶.다. 그의 글씨였다. 여기에 이런 문장이 씌어 있었던가. 그러니까 이 문장은 지난 팔 년 동안 여기에 봉인되어 있었던 것인가. 나는 노트를 커버에 끼우려다 내려놓고 새벽을 지나온 아침빛이 책상 위로 번져들 때까지 우두커니 앉아 있었다. 에밀리가 슬며시 눈을 뜨고 나를 바라보았다. 노쇠했어도 여전히 푸르른 눈. 걱정 말라니까, 에밀리…… 중얼거리며 만년필에 잉크를 채우고 팔 년 만에 발견한 그의 갈색노트에 한 문장을 이어 써넣었다. 내.가.그.쪽.으.로.갈.게.

작가의 말

사방에서 새벽빛이 툭툭, 터진다. 눈이 시다.

일곱번째 장편소설을 세상에 내보낸다.

이 작품은 육 개월 동안 연재된 원고를 초고 삼아 지난겨울 동안 다시 썼다. 겨울만이 아니다. 봄과 이 초여름 사이…… 아니, 방금 전까지도 계속 쓰고 있었다. 아무래도 인쇄되기 직전까지도 쓰고 있을 것 같다. 어쩌면 책이 나온 후에도. 어째 나는 십 년 후…… 이십 년 후에도 계속 이 작품을 쓰고 있을 것 같은 느낌이다.

작년 초여름, 첫 문장에 들어가기 전에 아래와 같은 약속을 했었다.

—새벽 세시에 깨어나 아침 아홉시까지 책상에 앉아 있으려고 합니다. 요가원에 다녀와 점심을 지어 식구와 먹고 어쩌면 조금 더 잘

수도 있고 책을 읽을 수도 있겠지요. 간혹 누군가를 만나 밤늦게까지 헤어지지 못해 이야기를 더 나누거나 길을 걷는 일도 있겠지요. 그런 날들 속에서도 되도록이면 이른 저녁을 먹고 이른 잠자리에 들었다가 새벽 세시쯤엔 깨어나는 단순한 생활을 하려고 합니다. 그러는 사이에 소설은 완성되겠지요. 여러 개의 종이 동시에 울려 퍼지는 것 같은 사랑 이야기가 될 것입니다. 청소년기를 앙드레 지드나 헤세와 함께 통과해온 세대가 있었다면 90년대 이후엔 일본 작가들의 소설이 청년기의 사랑의 열병과 성장통을 대변하는 것을 보며 뭔가 아쉬움을 느꼈습니다. 한국어를 쓰는 작가로서 우리말로 씌어진 아름답고 품격 있는 청춘소설이 있었으면 했습니다. 내가 지금 쓰려는 소설이 그런 소설이 될지는 모르겠지만 최대한 지금 청춘을 통과하고 있는 젊은 영혼들의 노트를 들여다보듯 그들 마음 가까이 가보려고 합니다. 더 늦기 전에요. 청춘에만 갇혀서는 또 안 되겠지요. 누구에게든 인생의 어느 시기를 통과하는 도중에 찾아오는 존재의 충만과 부재, 달랠 길 없는 불안과 고독의 순간들을 어루만지는, 잡고 싶은 손 같은 작품이 되기를 바라고 있습니다. 어느 날 불현듯 어디선가 나를 찾는 전화벨이 울리기도 하는 것처럼 세월이 흐른 후의 어느 날 다시 한번 찾아 읽는 그때도 마음이 흔들리는 그런 소설로 탄생하기를요. 바흐는 가까운 사람들이 멀어져가도 욕을 하지 않았다고 합니다. 로스트로포비치는 슬픔에 빠진 사람들을 위해 연주한다고 말했지요. 이번 소설에 바라는 내 마음도 그런 것입니다. 멀어져가는 가까운 사람들을 보내주는 마음이 읽혔으면 좋겠고 슬픔에 빠진 사람들을 위로하려는 나의 마음이 전달되었으

면 합니다.

그리고 또 무엇이 있을까요?

언어는 상실에 많은 빚을 지고 있다고 생각합니다. 상실을 받아들이는 과정이 내가 글을 쓰는 과정의 한 부분이기도 할 것입니다. 나는 쓰고 누군가는 읽으며 치유되고 회복하기를 바라고 그리 되어도 지나간 시간이 되돌아오는 법은 없지요. 물 위에 떨어진 꽃잎이 물살을 타고 떠내려가듯 붙잡지 않고 보내줄 수 있는 마음이 치유인지도 모르겠어요. 봄을 보내고 여름을 맞이하듯이요. 아마도 그 과정에서 문학으로서의 그 '무엇'이 발생하는 것이기도 할 테지요. 무엇이 발생할지, 소설이 완성될 때까지는 쓰는 나도 모릅니다. 그 '무엇'은 얼마 전 이탈리아 강진 때 잔해에 깔린 채 서른 시간 동안 뜨개질을 하며 구조를 기다렸다는 할머니의 모습을 띨 때도 있을 테고, 그때에 겨우 스물셋, 넷이었던 젊은 약혼자들이 서로 껴안은 채 차가운 시체로 발견되는 모습일 때도 있겠지요. 어떤 과정을 거치든 완성된 후에는 쓰는 나와 읽는 당신께 작은 치유와 성장의 시간이 마련되었으면 합니다. 그를 위해 새벽 세시에서 아침 아홉시까지 집중하고 몰입하겠다는 약속을 드립니다. 쓰는 일이 나에겐 행동이며 흘러가는 시간에 대한 증언이랍니다. 혹, 이른 새벽에 깨어나거든 이 세상 어딘가에 쓰는 나도 깨어 있다는 것을 한번쯤 생각해주세요. 그러면 그 순간에 우리는 함께 깨어 있는 셈이 되겠지요.

약속대로 이 소설은 새벽 세시에서 아침 아홉시 사이에 씌어졌

다. 작품 속의 화자들이 새벽 거리를 걸어다니고 새벽 시간에 서로를 찾아다니거나 새벽에 내리는 눈을 보고 새벽 빗소리를 듣고 새벽에 어디선가 걸려오는 전화를 받는 풍경이 잦은 것은 이 작품을 쓰고 있던 시간의 영향일 것이다. 그러고 보니 지금 이 작가의 말을 쓰고 있는 시간도 새벽이다.

여러 개의 종소리가 울려퍼지는 사랑 이야기가 될 것이라고 예고했으나 내게는 사랑이 죽음이기도 한 것인지 끊임없이 죽음이 따라나왔다. 작품을 쓰는 동안 놀랍고 쓰린 마음으로 애도해야 했던 연이은 큰 죽음들의 잔상이 내 책상 앞까지 따라왔을 수도 있고⋯⋯ 함께 지내다가 예기치 않았던 일로 다시는 만날 수 없게 된 가까웠던 사람들이 내게 남긴 내상들이 나를 그쪽으로 인도했기 때문일 수도 있다. 무엇 때문이었든 작품을 마쳐놓고 한동안 얼굴 한쪽이나 어깨 한쪽이 무엇에 쓸린 것처럼 아파 작품을 저만큼 밀어놓았다. 바라볼 수가 없었다. 그러다가 다시 어느 새벽 시간⋯⋯ 가만히 원고를 끌어당겨 책상 앞에 펼쳐놓고 한쪽으로 쏠려 있는 이 작품을 복구하기 시작했다. 사랑이 아니라 죽음 이야기가 되어버렸어, 라는 말을 하지 않기 위해 누군가를 만나서 기뻤던 순간들을 줄기차게 생각했다. 깨어나기 싫었던 꿈들을, 여행길에 스쳐 지났던 잊히지 않는 풍경들을, 광장의 사람들이 풍기던 열기와 손을 가져다대고 싶었던 어린애들의 어여쁜 뺨을, 그리고 무엇보다 나와 동시대를 살아가고 있는 젊은 청춘들의 숨소리와 그들이 번성시킬 아름다움을. 그 여운들이 별 하나하나 같은 나의 모국어에 실려와서 이

376

작품을 사랑 쪽으로 이끌고 나오기를 간절히 바랐다.

그리하여 이제야 이 모습이 되었다.

사랑의 기쁨만큼이나 상실의 아픔을 통과하며 세상을 향해 한 발짝씩 앞으로 나아가고 있는 젊은 청춘들을 향한 나의 이 발신음이 어디에 이를지는 모를 일이지만, 사람이 사람을 사랑하는 마음이 우울한 사회풍경과 시간을 뚫고 나아가서 서로에게 어떻게 불멸의 풍경으로 각인되는지……를 따라가보았다. 최승자 시인의 「끊임없이 나를 찾는 전화벨이 울리고」에서 제목을 생각해냈다. 가능한 한 시대를 지우고 현대 문명기기의 등장을 막으며 마음이 아닌 다른 소통기구들을 배제하고 윤이와 단이와 미루와 명서라는 네 사람의 청춘들로 하여금 걷고 쓰고 읽는 일들과 자주 대면시켰다. 풍속이 달라지고 시간이 흘러가도 인간 조건의 근원으로 걷고 쓰고 읽는 일을 생각했기 때문이다. 그들은 작품 안에서 나는 작품 바깥에서 글쓰기를 했던 셈이다. 미래의 이야기를 쓰면서 팔이 떨려 책상에서 몇 번이나 벌떡 일어났던 순간, 단이의 이야기를 쓰다가 젊은 청년의 우수에 마음이 고즈넉해져 새벽 거리를 쏘다녔던 순간, 글을 쓰지 않는 새벽에 실종과 의문사에 이른 이들의 기록들을 식탁 위에 펼쳐놓고 읽다가 나도 모르게 손바닥으로 얼굴을 감싸고 잠시 애도의 시간을 가졌던 순간…… 종래는 작품 속의 그들 또한 글쓰기 앞에서 뭔가에 벅차 벌떡 일어나는 것처럼 느꼈던 그 모든 순간 순간들을 여기에 부려놓고 이제 나는 다른 시간 속으로 건너간다.

이 소설에서 어쩌든 슬픔을 딛고 사랑 가까이 가보려고 하는 사람의 마음이 읽히기를, 비관보다는 낙관 쪽에 한쪽 손가락이 가 닿게 되기를, 그리하여 이 소설에 자주 등장하는 '언젠가'라는 말에 실려 있는 아직 다가오지 않은 미래의 꿈이 읽는 당신의 마음속에 새벽빛으로 번지기를……

2010년 5월
신경숙 씀

문학동네 장편소설

어디선가 나를 찾는 전화벨이 울리고

ⓒ 신경숙 2010

1판 1쇄	2010년 5월 18일
1판 5쇄	2010년 7월 7일

지은이 신경숙
펴낸이 강병선
책임편집 조연주 | 편집 최유미 염현숙 | 디자인 윤종윤 유현아
마케팅 장으뜸 서유경 정소영 | 온라인 마케팅 이상혁 한민아
제작 안정숙 서동관 김애진 | 제작처 한일프린테크(인쇄) 시아북바인딩(제본)

펴낸곳 (주)문학동네
출판등록 1993년 10월 22일 제406-2003-000045호
주소 413-756 경기도 파주시 교하읍 문발리 파주출판도시 513-8
전자우편 editor@munhak.com | 대표전화 031)955-8888 | 팩스 031)955-8855
문의전화 031)955-8890(마케팅) 031)955-8864(편집)
문학동네카페 http://cafe.naver.com/mhdn

ISBN 978-89-546-1127-5 03810

www.munhak.com